개원 치과의[illegible]는

구강암 검진 Step 1·2·3

감수

이종호 교수
(서울대학교치과병원 구강암진료센터 및 구강악안면외과)

저

淺野紀元 (아사노 노리모토)
淺野薫之 (아사노 시게유키)
縣 奈見 (아가타 나미)
大島基嗣 (오오시마 모토츠구)
片倉 朗 (카타쿠라 아키라)
小島沙織 (코지마 사오리)
三條沙代 (산조 사요)
柴原孝彦* (시바하라 타카히코)
杉山芳樹 (수기야마 요시키)
關根淨治 (세키네 조지)
高野伸夫 (타카노 노부오)
千葉光行 (치바 미츠유키)
長尾 徹 (나가오 토오루)
藤本俊男 (후지모토 토시오)
溝口万里子 (미조구치 마리코)
武藤智美 (무토 토모미)

군자출판사

개원 치과의사로부터 시작되는
구강암 검진 Step 1·2·3

첫째판 1쇄 인쇄 2017년 01월 05일
첫째판 1쇄 발행 2017년 01월 13일

지 은 이 아사노 노리모토·아사노 시게유키·아가타 나미·오오시마 모토츠구·카타쿠라 아키라·코지마 사오리·산조 사요·시바하라 타카히코 수기야마 요시키·세키네 조지·타카노 노부오·치바 미츠유키·나가오 토오루·후지모토 토시오·미조구치 마리코·무토 토모미
감 수 자 이종호
옮 긴 이 공순복
발 행 인 장주연
출 판 기 획 한인수
내 지 디 자 인 이슬희
표 지 디 자 인 김재욱
발 행 처 군자출판사
등록 제4-139호(1991.6.24)
본사 (10881) **파주출판단지** 경기도 파주시 회동길 338(서패동 474-1)
전화 (031) 943-1888 팩스 (031) 955-9545
홈페이지 | www.koonja.co.kr

かかりつけ歯科医からはじめる 口腔がん検診Step1·2·3
柴原孝彦　ほか著
医歯薬出版株式会社（東京）, 2013.

Title of the original Japanese language edition:
How to Start Oral Cancers Screening in Dental Clinic Step 1·2·3
by Takahiko Shibahara et al.
©Ishiyaku Publishers, Inc.
TOKYO, JAPAN, 2013.

· 파본은 교환하여 드립니다.
· 검인은 저자와 합의 하에 생략합니다.

ISBN 979-11-5955-105-5
정가 50,000원

【감수자 약력】

서울대학교 치과대학 구강악안면외과 **이종호**

1982년 02월	서울대학교 치과대학 졸업
1982년 03월~1985년 02월	서울대학교병원 구강외과 전공의 수료
1988년 08월~1996년 02월	전남대학교 강사, 조교수, 부교수
1993년 08월~1994년 08월	독일 튀빙엔대학교 악안면외과 교환교수
1998년 12월~1999년 11월	미국 하버드대학 소아병원 리서치 펠로우
1996년 03월~현재	서울치대 구강악안면외과 조교수, 부교수, 교수
2004년 12월~현재	서울대학교치과병원 구강암진료센터 및 임상시험센터장
2014년 05월~현재	대한구강악안면외과학회 이사장

【저자일람】 ※집필대표

淺野紀元(아사노 노리모토)	전 사단법인 도쿄도 치과의사회 회장
淺野薰之(아사노 시게유키)	전 치바(千葉)현 치과의사회 회장
縣 奈見(아가타 나미)	전 도쿄치과대학 이치가와(市川)종합병원 치과 · 구강외과 치과위생사
大島基嗣(오오시마 모토츠구)	세타가야구(世田谷區)개업, 공익사단법인 도쿄도 다마가와(玉川)치과의사회 부회장
片倉 朗(카타쿠라 아키라)	도쿄치과대학 oral medicine · 구강외과학강좌 주임교수
小島沙織(코지마 사오리)	도쿄치과대학 이치가와(市川)종합병원 치과 · 구강외과 치과위생사
三條沙代(산조 사요)	도쿄치과대학 이치가와(市川)종합병원 치과 · 구강외과 치과위생사
※**柴原孝彦**(시바하라 타카히코)	도쿄치과대학 구강외과학강좌 주임교수
杉山芳樹(수기야마 요시키)	이와테(岩手)의과대학 교수 (구강악안면재건학강좌 구강외과학분야), 이와테(岩手)의과대학부속병원 부원장 · 치과의료센터장
關根淨治(세키네 조지)	시마네(島根)대학 의학부 치과구강외과학강좌 교수
高野伸夫(타카노 노부오)	도쿄치과대학 교수, 구강암센터장
千葉光行(치바 미츠유키)	NPO 법인 구강암 조기발견시스템 전국네트워크 이사장, 건강도시활동지원기구 이사장, 이치가와(市川)시 문화진흥재단 이사장
長尾 徹(나가오 토오루)	오카자키(岡崎)시민병원 치과구강외과총괄부장
藤本俊男(후지모토 토시오)	전 치바(千葉)시 치과의사회 회장
溝口万里子(미조구치 마리코)	전 치바(千葉)현 치과의사회 이사
武藤智美(무토 토모미)	일반사단법인 홋카이도(北海道)치과위생사회 회장

서두에

현재 구강암은 세계적으로 계속 증가 추세에 있습니다. 일본도 예외는 아니어서 구강암의 이환률, 사망률이 해마다 높아지고 있으며, 여성이나 젊은 연령의 환자가 증가하는 경향이 있습니다. 구강암은 환자 자신이 자각하기 어려워서 상급의료기관을 내원할 즈음에는 이미 발증으로부터 상당한 시간이 경과되어 단계가 진행되어 있는 사례를 흔히 보게 됩니다. 내원경로를 보면, 치과의사로부터 의뢰된 경우가 60%, 의사로부터가 10% 이며, 그 밖에 30%가 환자 자신의 의사로 병원을 찾게 되었습니다. 이 환자 자신 중의 80%가 개원 치과의사와 관련되어 있다는 보고가 있습니다. 또 치과의사로부터 암을 의심받았음에도 불구하고 전문기관에 의뢰하기까지 긴 시간이 걸려서 발치 등을 한 사례도 종종 보았습니다. 이것은 1차진단의 지연 때문이라고 할 수 있습니다.

개원 치과의사가 구강암의 첫 번째 발견자가 될 수 있는 가능성이 가장 높습니다. 그러나 검진의 필요성을 인식한다 해도 실시할 수 없는 사정이 제각기 있는 것도 현실입니다. 이 현실을 근거로 문제를 추출하고, 많은 치과의원에서 가능할 법한 시스템을 제시하는 것이 필요하지 않을까합니다. '암'을 체크하는 불안 등의 장애물을 낮추고, first gate인 개원 치과의사의 검진에 관한 의식을 높여서 구강점막도 진찰할 수 있게 되어, 한 구강단위로 환자를 관리할 수 있는 치과의사를 양성하는 것이 구강암의 조기발견에 기여하리라 생각됩니다.

본서는 단순히 'how to 검진'에 머물지 않습니다. 암 환자의 치과치료에 관해서도 언급하며, 주술기 구강관리까지 포함되어 있습니다. 또 구강 내를 진찰하는 것은 치과의사에 한정된 것이 아니며, 치과위생사의 업무도 중요합니다. 치과위생사가 알아야 할 구강점막의 지식, 구강케어에 관해서도 가필(加筆)했습니다.

치과의원, 치과의사회에 반드시 한 권의 필독서로 놓여져서 일상진료에 도움이 됐으면 좋겠습니다. 구강점막을 포함한 한 구강단위로 관리할 수 있는 치과의사 등의 업무영역의 확보도 필자들의 바램입니다.

'구강암 검진'의 필요성을 2000년 초부터 제언하여 지역치과의사회에서 과감히 실천하고, 현재도 계승하고 있는 아사노 노리모토(淺野紀元) 선생님도 이 기획에 참여해 주셨습니다. 선생님은 개원의의 입장에서 구강암환자와 접하며, 부끄럽고 창피했던 경험을 열심히 말씀해 주셨습니다. 본서의 집필 중에 갑작스럽게 돌아가셔서 매우 안타까웠습니다. 선생님의 뜻을 받들어 많은 동료치과의사가 구강암 검진에 열의를 가지고 실천할 것을 진심으로 바라는 바입니다. 본서를 완결하여 출판하는 것이 남겨진 유지(有志)의 책무라고 느끼며, 이 책을 아사노 노리모토 선생님께 바칩니다.

2013년 9월

柴原孝彦

감수의 글

구강암은 입술, 혀, 구강저, 치은, 협점막, 구인두, 타액선 부위에 발생하는 악성종양을 총칭한다. 전체 암 발생 빈도의 약 3~4%를 차지하며, 전 세계적으로 약 75만명의 구강암 환자가 발생한다고 알려져 있다. 그 중 90% 정도를 편평상피세포암종(oral squamous cell carcinoma)이 차지하고 있다.

2010년에 발표된 대한민국 국가암정보센터 통계 자료에 의하면 2008년 우리나라에서는 연 평균 178,816건의 암이 발생되었으며, 그 중 구강암은 연 평균 2,557건으로 전체 암 발생의 1.4%를 차지하였고, 인구 10만명당 발생률은 5.2건이었다. 남녀의 성비는 1:0.3으로 남자에게 호발하였으며, 남자가 연 1,899건, 여자가 연 658건이었다. 연령대별로는 60대가 26.2%로 가장 많았고, 50대가 24.6%, 70대가 19.5%의 순이었다.

구강암은 위암 등의 5대암에 비해 5년 생존률(50~60% 미만)이 낮은 편인데, 여기에는 여러 요인이 작용하는 것이지만 첫째로 구강암 환자들이 병원에 내원하여 확진을 받는 시점에 이미 진행된 병기인 경우가 많기 때문이다. 그 이유로는 구강암의 초기 증상은 구내염 등 일반적인 염증성 질환과 매우 유사하여 감별 진단이 어렵고, 환자들도 단순히 염증으로 간주하여 병원을 찾는 시기가 늦어지는 경우가 많기 때문이다. 따라서 구강암을 조기에 진단할 수 있도록 충분한 지식을 갖추는 것은 구강 및 안면영역 진료 책임을 맡고 있는 치과의사로서 매우 필요하다 하겠다.

본서는 일본에서 개원 치과의사를 대상으로 구강연조직 질환 및 구강암 검진을 위해 만들어진 것으로, 구강암과 구강점막질환에 대해 매우 실질적으로 잘 기술되어 있다. 우리나라 자체적으로 이러한 책을 만들어야 하지만, 이웃나라의 명서를 가지고 진료에 임하는 것도 점막질환 이해와 구강암 조기 발견에 매우 도움이 된다 생각된다. 아무쪼록 본 책의 내용을 잘 숙지하여 치아 경조직에 국한된 치료가 아닌 구강점막질환 전반을 치료할 수 있는 구강보건전문의가 되기를 바라며, 많은 구강암·구강점막질환 환자들이 치과에서 조직 검진과 조기 치료가 되어 전체 보건에 도움이 되기를 바란다.

2016년 10월

서울대학교치과병원 구강암센터 및 구강악안면외과 교수 **이 종 호**

CONTENTS

Part 2 지역의료의 검진시스템 구축

Column CONTENTS

Prologue
구강점막은 치과의사의 전문영역

2011년 8월, 일본에서는 치과구강보건 추진에 관한 법률이 공표되었습니다. 그 중에서 국민의 건강유지와 증진을 위해서 치과의료와 관련된 직종이 중요한 항목으로서, 행정(지방공공단체, 보건소를 설치하는 시 및 특별구)과 협력하는 공익성 있는 활동이 기대되고 있습니다. 다음 해 2012년 4월, 보험진료수가 개정에는 구강기능의 관리와 치과를 포함한 팀의료의 추진이 중점과제로 도입되었습니다. 특히 암환자에 있어서 구강케어 국립암센터와 일본치과의사회가 협력하여, 전국으로 보급시키려고 힘쓰고 있습니다. 국가는 국민의 건강을 지키고, 치과의사는 구강 건강 관리를 목표로 하는 것을 엿볼 수 있습니다. 치아와 치주조직에 대한 치료뿐 아니라, 구강점막 질환 전반에 관해서도 직무의 범주로 인식하고, 구강 전반을 관리하는 치과의사를 요구하고 있다고 해도 과언이 아닐 것입니다. 그러나 현 실정은 구강점막질환의 진단이 어려워, 우리의 진료영역이 아니라고 생각하는 치과의사들도 많을 것입니다.

어느 기업의 전국조사(2008년)에서 일반 성인 1,500명에게 '구내염에 걸리면 어느 과에 갑니까?'라고 질문했더니, 가장 많았던 답이 내과 43%, 이어서 치과 40%, 이비인후과 15% 순이었습니다(그림 1). 그래서 여러 내과의사의 의견을 물었더니, '감염증이나 빈혈 등의 진찰에서 혀·인두를 진찰하는 경우는 있어도 치은 등의 구강점막은 치과의사의 역할이겠지요'라고 대답했습니다. 서로 주저하며, 치과의사나 의과선생님의 관심이 적은 구강점막은 의과와 치과의 "틈새(갈림길)"에 있는 공백지대가 되어, 진단·치료의 맹점이 된 결과 많은 '구강점막질환의 난민'을 만들게 됩니다.

법적환경도 갖추어진 요즈음, 구강의 건강관리를 책무로 하는 치과의사의 업무 영역을 확보하기 위해서라도, 다시 한 번 구강점막으로 눈을 돌리는 시기가 도래했다고 생각합니다. 우리 치과의사의 사명은 치아와 치주조직의 전문가임과 동시에 구강점막에 관해서도 연구를 쌓아서, 적절한 검사하에 구강점막질환을 정확히 진단하고, 치료로 이끄는 것입니다.

구강점막질환 중에서도 특히 간과해서는 안 되는 병태에 구강암이 있습니다. 2012년에 개정한 '암대책추진 기본계획'에는 '희소암'의 하나로서 비로소 명기되었지만, 국민에게는 아직 인지도가 낮은 '암'이기도 합니다. 희소라고 해도, 종류가 300종 이상으로 전체 암의 60%를 차지하며, 나머지 40%

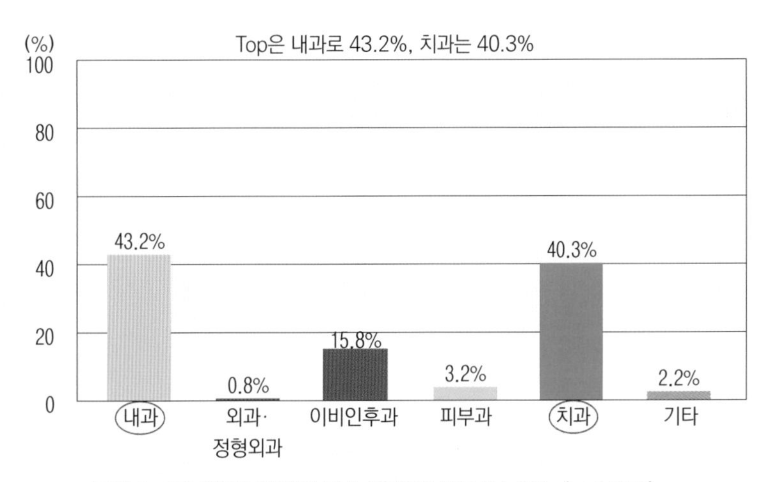

●●● 그림 1. 구내염이 생기면 무슨 과에서 진료하는가? (n=1,500)

가 위, 대장, 폐, 간, 유방의 5대암인 것은 많이 알려지지 않았습니다. 또 일본에서 구강·인두암의 이환률은 열한 번째로, 전세계에서 전체 암의 여섯번째인 것에 비해서 높지 않은 편입니다(그림 2). 그러나 근년 세계적 경향에서 볼 수 있듯이 여성, 청장년층의 발병이 증가하고 있고, 일본도 예외는 아니며, 특히 전대미문의 고령사회의 도래가 더욱 박차를 가하고 있다고 추정되고 있습니다.

WHO(세계보건기관)는 '구강암 검진'의 타당성과 필요성을 호소하고, FDI(세계치과연맹)는 '구강암에 대해서 일반 치과의사는 환자교육과 프라이머리 케어(일차진료)를 해야 할 것'이라고 했습니다. 즉, 2008년 FDI에서 '구강암의 screening은 치과의사가 담당해야 할 책무'라는 성명문이 나온 이래, 매년 총회에서 구강암에 관한 활발한 토의가 이루어지고 있습니다. '구강암'에 대한 선진국의 대응이 빨라서 치과의사회와 기간시설이 중심이 되어 예방에 중점을 둔 대책이 효과를 거두고 있는 나라가 많은 가운데, 유감스럽게도 일본만 선진국에서 구강암에 의한 사망률(대 40세 이상의 인구 10만명)이 증가하고 있다는 꺼림칙한 결과를 WHO가 발표하고 있습니다.

일본에서 구강암 사망률이 증가하는 제1원인에는 진행종양(advanced tumor)이 많은 것을 들 수 있습니다. 즉, 발병 후에 환자가 알게 되고, 다니던 치과의원에서 상급의료기관으로 의뢰되어 치료를 시작하기까지의 기간이 길다는 것입니다. 조기암은 특이한 자각증상과 특징적인 소견이 부족하고, 인지도가 낮은 병태이므로 상급의료기관의 소개가 늦어지고, 또 일차진료에서 치과의사의 '암' 진단 자체가 늦어지는 것이 원인이라고 생각됩니다. 의료기관에서 치료 중임에도 불구하고, 암으로 진단받지 못한 채 간과하는 증례

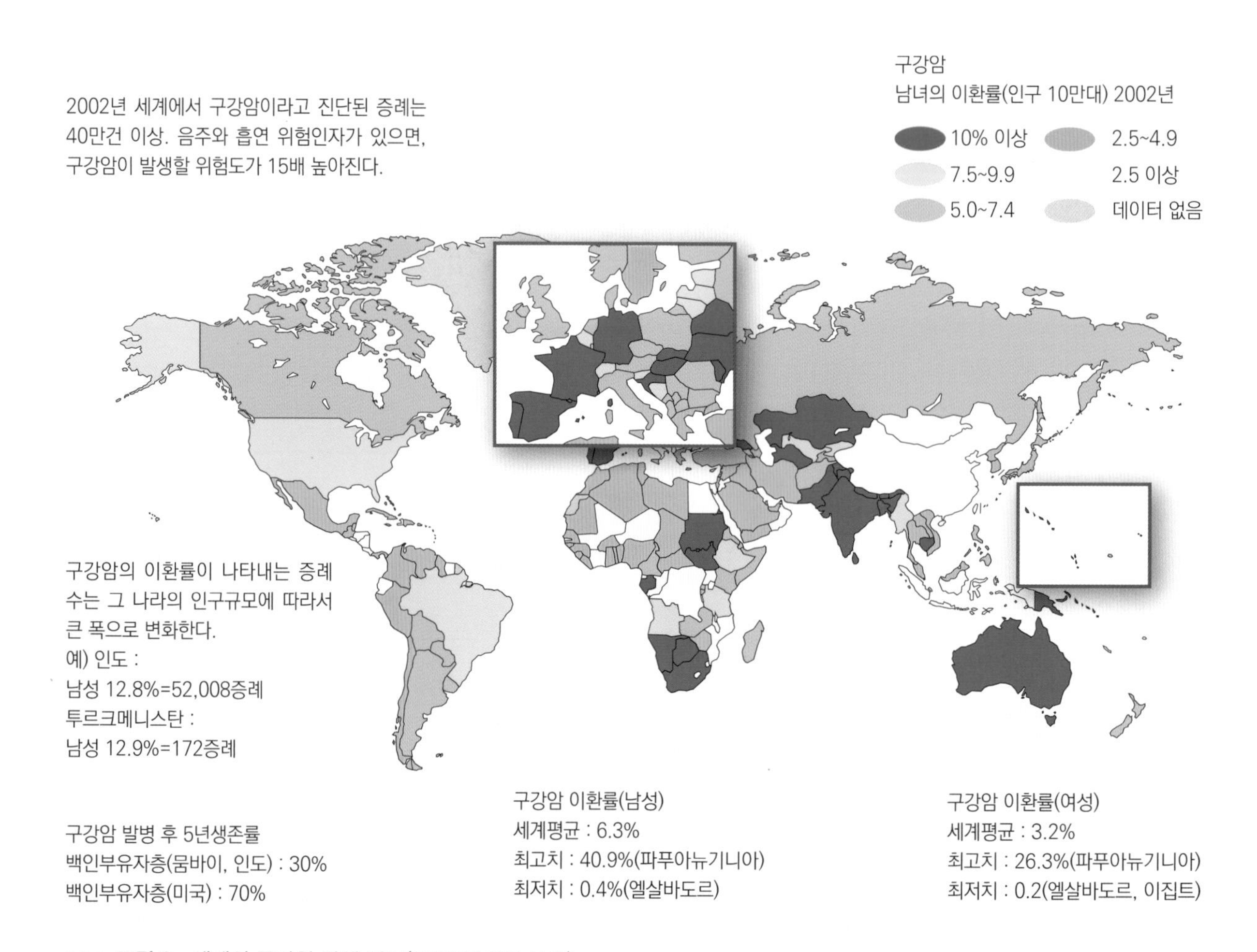

그림 2. 세계의 구강암 발생 빈도(2009년 FDI 보고)

도 흔히 경험하고 있습니다(그림 3). 일본의 특정지역에서 구강·인두암의 5년 생존률은 56.9%이며, 이 수치는 전체 암 28부위 중 스무 번째로 낮은 치료율입니다. 구강암 치료는 진보하여, 조기암의 5년 생존률이 90% 이상으로 양호하지만, 진행암에서는 약 50%로 낮으며, 또 치유되어도 구강기능장애를 크게 남기는 것이 현 상황입니다. 따라서 구강암은 조기발견과 조기치료가 매우 중요합니다.

구강의 건강관리를 담당하는 우리의 업무는 후생노동성이 표현하는 '치과진료'라는 말 속에 포괄되어 치아, 치주 그리고 보철치료만 시종 일관하고 있었습니다. 획일적 분류에서 출발한 '치과'로 표시되는 진료과의 진료범위는 원칙적으로 한 구강단위여야 하며, 경조직에 국한된 것이 아닙니다. 따라서 치주 이외의 구강점막에 대해서도 경시해서는 안 되며, 구강암을 포함하여 구강점막질환의 조기발견이 치과의사의 본래의 일이며 책무라고 생각합니다. 차세대 치과의사는 국가가 권장하는 '암의 예방과 조기발견의 추진' 등의 건강프로젝트에도 지역치과의사회 단위로 적극적으로 참여하고, 병진 협력(그림 4)을 중시하고, 활용할 수 있는 '개원 치과의사'일 것을 요구합니다.

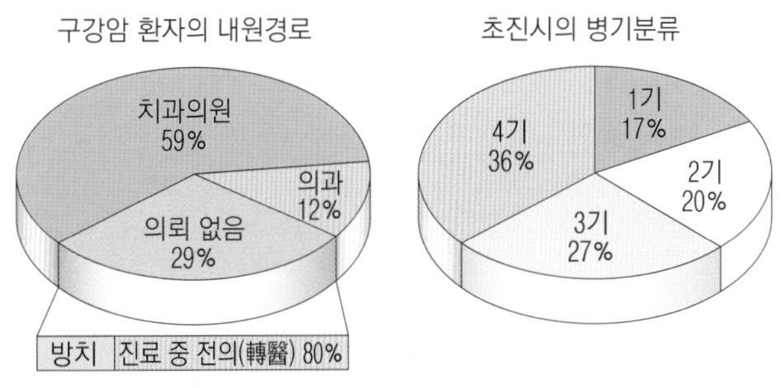

그림 3. 구강암 환자의 내원경로

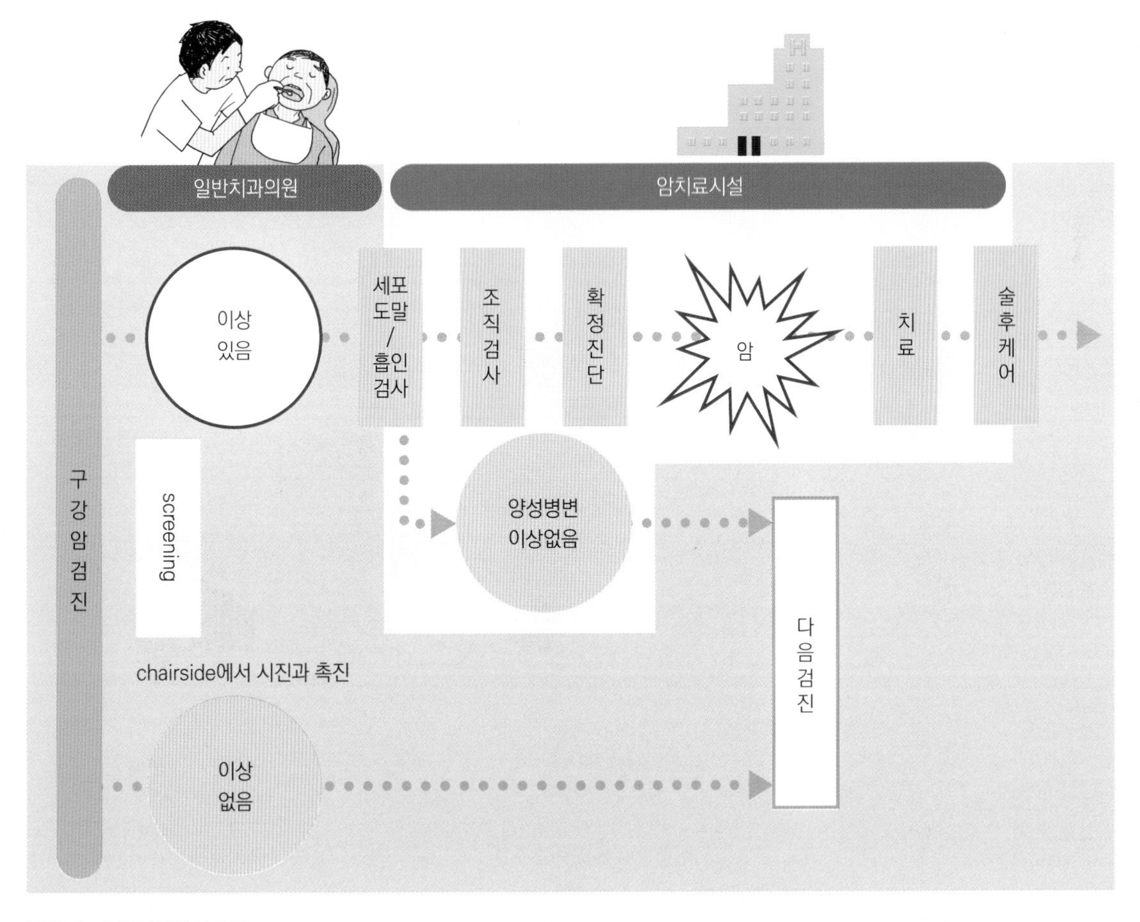

그림 4. 현행 검진시스템

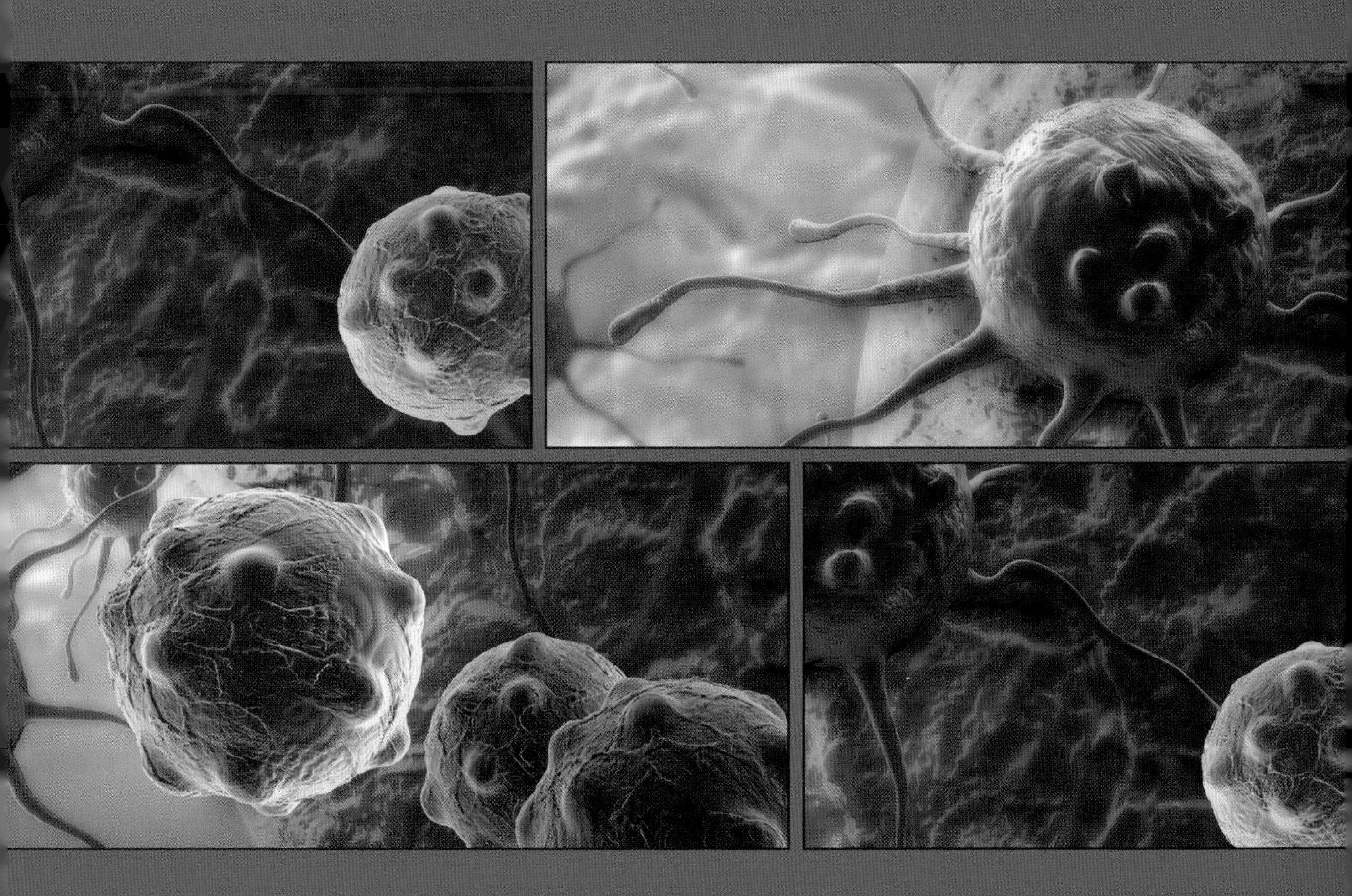

Step 1
구강암 아닌가?

환자의 구강변화를 발견했을 때

Oral Cancer Screening STEP 1·2·3

01 구강암 아닌가? 알아두어야 할 **기초지식**

고령사회를 맞이한 일본에서는 국민의 대부분이 단골 의사가 있으며, 기초질환이 있어도 적절한 관리하에 일상생활을 하고 있습니다. 의료의 발전으로 일본인의 평균수명이 연장되어, 2011년 통계에서 남성은 79.4세, 여성은 85.9세로 세계적으로 대표적인 장수나라가 되었습니다. 그 때문에 조절이 어려운 암이 사망원인의 1위가 되었으며, 암 치료가 비약적으로 발전하지 않는 한 이대로 지속될 것입니다. 유감스럽게도 일본에서는 구강암도 증가 경향에 있는 암 중의 하나입니다. 구강암 검진사업을 충실히하여 진료영역인 구강에 암이 발생했을 때, 조기에 진단하여 사망률을 감소시키는 것이 우리들 치과의사의 책무입니다. 구강암 검진에 앞서 알아두어야 할 사항에 관하여 간단히 설명하겠습니다.

1. 암은 유전자병

우리들의 몸은 60억개의 세포로 구성되어 있으며, 1개의 수정란에서 세포분열로 증가하면서, 각 세포는 죽음과 재생을 반복하고 있습니다. 이 세포분열시에 핵의 DNA에 상처가 생긴 이상세포가 출현하는 경우가 있습니다. 통상, 이와 같은 이상세포는 죽음의 전기를 맞이하지만, 때로 살아남아서 비가역적이며 자율적인 과잉증식을 하는 수가 있습니다. 이것이 '암'이며, 장애 DNA를 가진 이상세포집단입니다. 즉, 암은 유전자 질환이라고도 할 수 있습니다.

2. 유전자 변화를 유발하는 인자

이 유전자에 상처를 입히는 원인에는 화학인자, 물리인자, 생물인자, 습관인자 등이 있는데, 구강은 호흡기관이나 소화기관의 입구이므로 구강에 특이한 여러 가지 자극이 가해집니다. 암은 이 만성적 자극에 의해서 유전자 이상이 축적되어 생기는 것으로, 여기에 선천적으로 유전자에 문제가 있는 경우나 고령화 등의 연령인자가 추가됩니다.

1) 화학인자

타르(tar)는 오래전부터 화학인자의 대표로, 담배의 유해성에 관해서 구강은 물론, 호흡기계 암의 원인으로 모르는 사람이 없을 정도입니다. 담배의 해는 그뿐이 아닙니다. 수많은 화학물질이 포함되어 있어서, 발암의 계기가 되는 물질이나 촉진물질이 포함되어 있습니 다. 또 거기에 알콜이 관여하면 상승적으로 발암의 가능성이 높아집니다.

2) 물리인자

만성 기계적 자극이 가해지면, 직접 또는 이것으로 인한 염증성 사이토카인의 영향으로 유전자의 수복능력이 장애를 받아서 암이 쉽게 발생하게 됩니다. 설암이 설측연부에 많고, 치아의 위치 이상이나 불량보철물 등의 원인으로 생기는 외상성 궤양부에서 암이 쉽게 발생하는 것도 이 영향 때문입니다. 또 암 치료를 위한 방사선치료를 한 후에 발생하는 방사선유발암은 방사선이 유전자에 직접 작용한 결과입니다.

3) 생물인자

자궁경부암의 원인으로 사람 파필로마 바이러스가 있는데, 이 바이러스에는 여러 타입이 있어서 구강이나 인두에도 암을 발생시킵니다. 또 전염성 단핵증의 원인바이러스는 EB바이러스이며, 대부분의 일본인이 항체를 가지고 있지만, 재활성화할 가능성이 있으며, 왈다이엘씨환에 호발하는 악성림프종의 원인이기도 합니다.

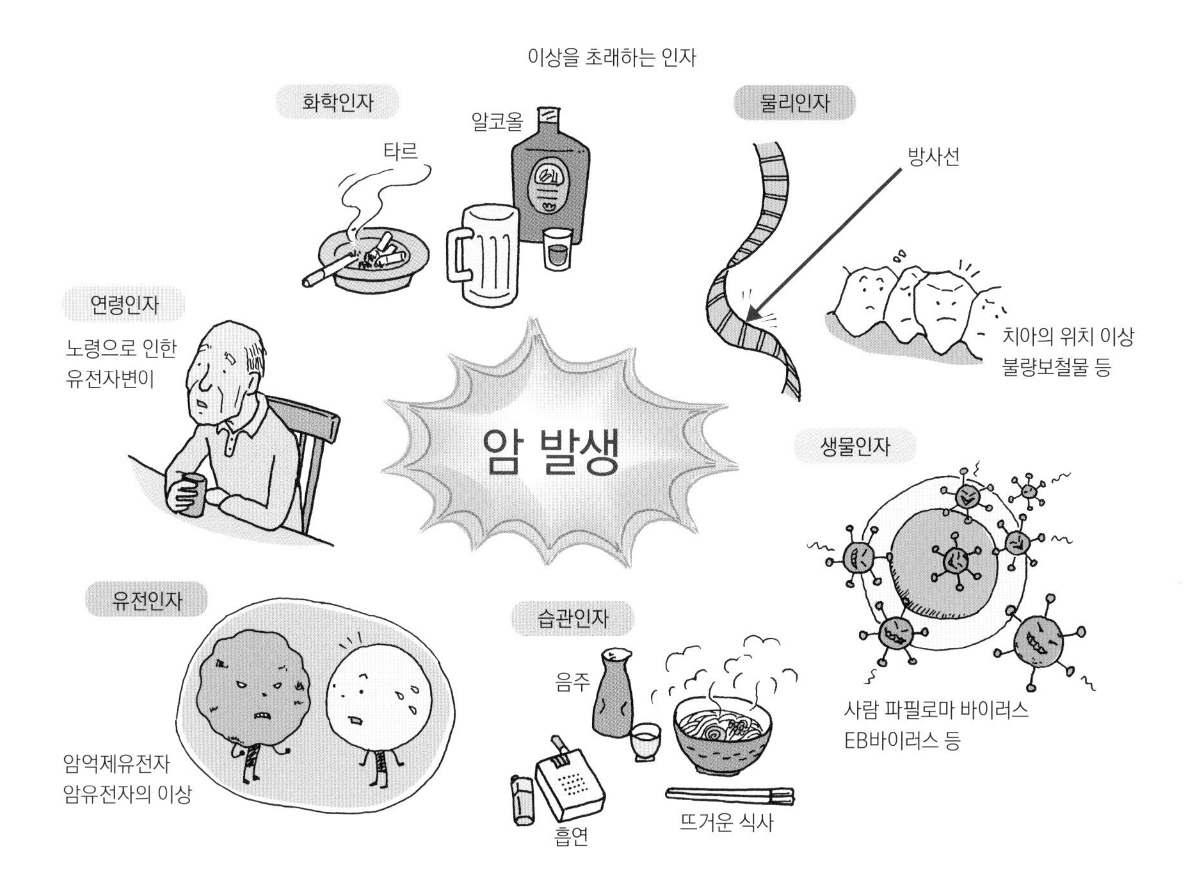

4) 습관인자

일본에서 식생활의 서구화로 대장암이 증가하고 있습니다. 담배나 알콜의 기호, 뜨거운 식사, 잎담배의 저작 등은 구강암 발증의 대표적인 습관인자로, 그 발암성도 흔히 알려져 있습니다.

5) 유전인자

"암이 잘 발생하는 가계(家系)"라는 말을 들은 적이 있으리라 생각합니다. 사람의 상염색체는 한 쌍으로 존재하며, 이 염색체에는 암억제 유전자라는 것이 있습니다. 이 유전적 소인을 가진 사람은 그 중 한 개의 염색체상의 유전자가 변이되어 있습니다. 통상 또 다른 한쪽이 정상이면 암억제 기능을 하지만, 양쪽 모두 변이된 경우에는 기능이 상실되어 암이 발생합니다. 암억제 유전자는 한 종류가 아니라 수십 종류에 이릅니다. 또 사람의 유전자 중에는 암 유전자라는 것도 있습니다. 통상적으로 암이 발생하지 않지만, 이 유전자가 이상을 일으켜서 활성화되면 암이 발생하게 됩니다.

6) 연령인자

일반적으로 암은 정상세포의 유전자가 각종 자극에 반복적으로 장애를 받으면서 오랜 기간 동안 서서히 유전자의 변이가 축적되어 다단계적으로 암으로 이행됩니다. 따라서 암의 발생률은 고령일수록 높아집니다(그림 1-1).

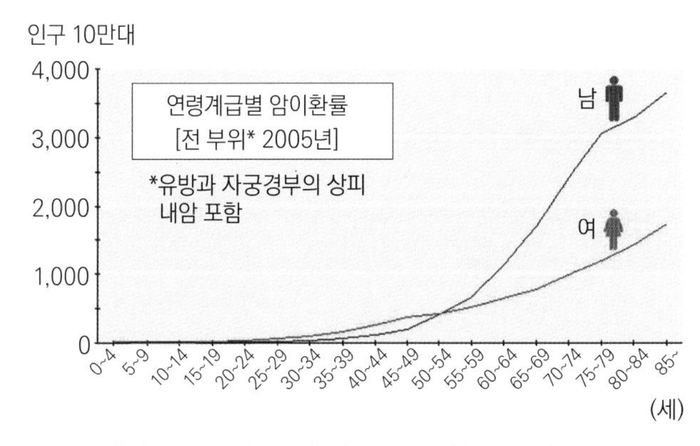

●●● **그림 1-1. 연령대별 암이환률(남성에게 많다)**

일본 국립암연구센터 암대책정보센터자료에서 인용

3. 초진 시에

구강영역에 발생하는 악성종양에는 상피성(암종)과 비상피성(육종)이 있는데, 일반적으로 구강암은 상피성 악성종양을 가리킵니다. 발생하는 비율도 압도적으로 이 암종이 많으며, 그 80% 이상이 구강점막의 상피에서 유래하는 편평상피암입니다. 또 소타액선상피 유래의 타액선암도 발생하는 수가 있는데, 그 비율은 얼마 되지 않습니다. 따라서 암검진의 주요 대상은 구강점막상피에서 유래하는 편평상피암입니다. 그러나 타액선암이나 비상피성 육종도 당연히 검진대상에 포함시킵니다. 구강암을 검진하기 위해서는 우리의 전문영역인 구강에 관해서 다시 한 번 복습하고, 잘 이해해 두어야 합니다.

1) 구강의 범위

일반적으로 구강이라고 하면 개구했을 때 보이는 입 속의 전 범위를 상상하기 쉬운데, 종양을 치료하는 의료측에서는 구순의 적순연(赤脣緣)에서 뒤쪽으로, 혀는 설분계구(舌分界溝)까지, 협점막은 구개설궁(口蓋舌弓)까지, 또 구개는 경구개후연까지 중층편평상피로 덮인 영역을 구강이라고 하며, 그 뒤쪽은 구인두가 됩니다. 따라서 볼이나 구순의 점막을 포함한 구강전정부, 고유구강 및 치은구조부를 구성하는 범위가 구강영역이 됩니다. 그러나 검진을 할 때에는 가급적 검사할 수 있는 범위까지 관찰하여 인두암이라도 간과하지 않는 노력이 필요합니다.

구강암은 발생부위에 따라서 혀, 상악치은, 하악치은, 협점막, 구저, 경구개의 6부위로 분류됩니다(그림 1-2). 구강암을 검진할 때에는 '구강암 취급규약'을 참조하며, 이것을 잘 이해하여 발생부위에 관해서 명확히 해야 합니다.

2) 구강점막의 특징

구강영역에서 가장 많은 편평상피암은 구강점막상피에서 발생합니다. 그것을 조기에 진단하기 위해서는 구강점막의 구조를 잘 이해해 두는 것이 중요합니다. 구강점막의 상피는 피부상피(표피)와 마찬가지로, 일반적으로 그림 1-3과 같이 표층에서부터 각화층, 과립세포층, 유극세포층, 기저세포층으로 이루어져 있습니다.

각화층은 표피인 만큼 두껍지 않고 불완전한 것이 많은 것이 특징입니다. 점막의 상피세포군(각화세포)은 기저막 위에 늘어선 기저세포층이 활발한 세포분열의 장이 되어 표층을 향해서 각화하며, 최종적으로는 때가 되어 탈락합니다. 이 기간을 Turnover time이라고 하며, 부위마다 다르지만 장관상피가 약 1~2주, 표피가 약 1~2개월, 구강점막상피에서는 약 2~3주이며, 1 사이클이 장관상피와 표피 사이

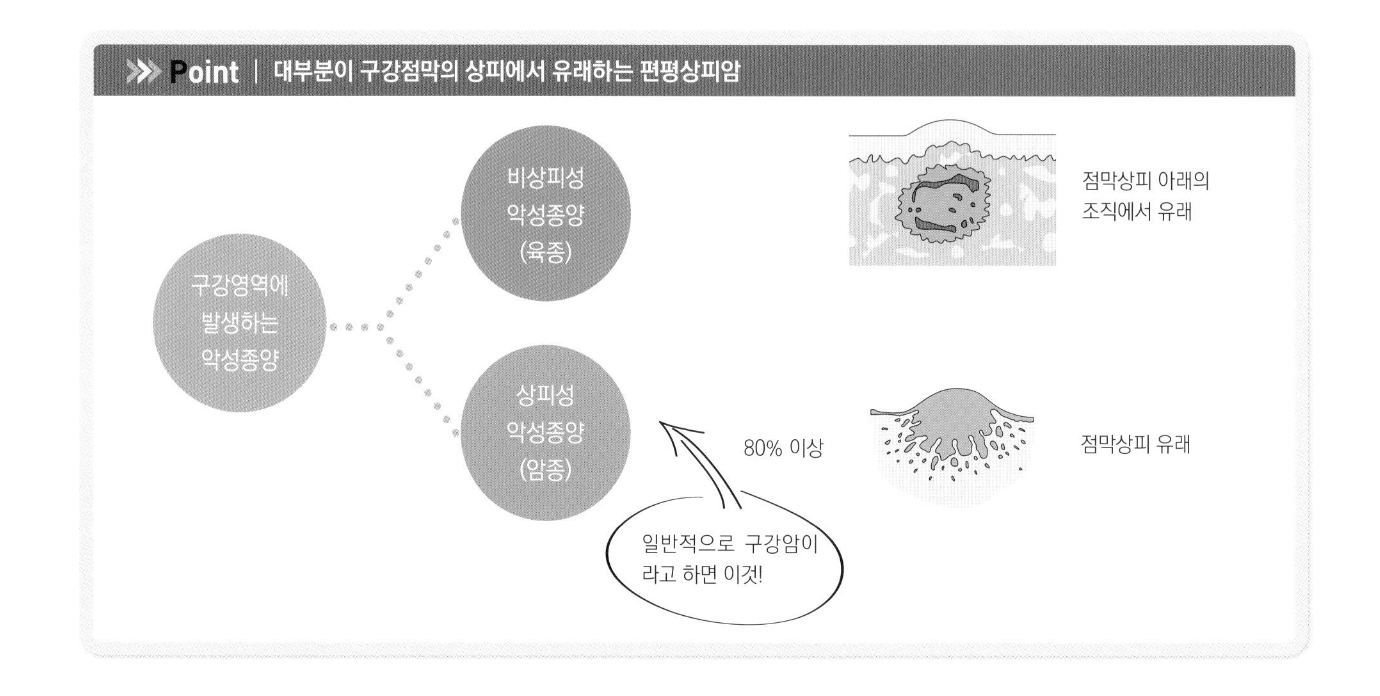

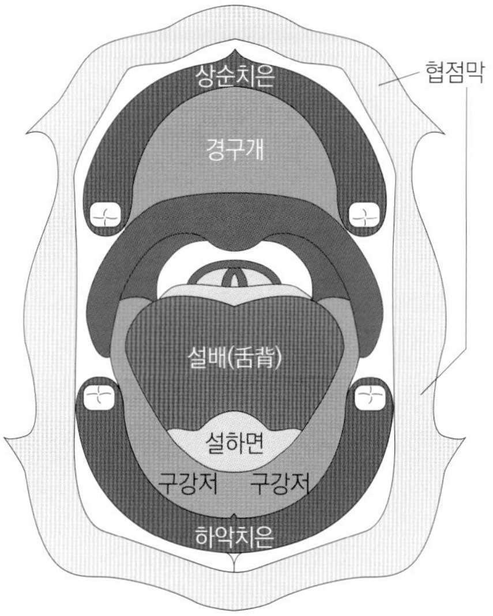

❶ 혀 : 혀는 앞쪽 2/3의 범위에서, 유곽유두부터 앞쪽의 설배(舌背), 설측연과 설하면 부위를 말합니다.

❷ 상악치은 : 치은은 변연치은 및 치간유두로 이루어지는 유리치은과 부착치은으로 구성되어 있는데, 이 치은뿐 아니라, 치은협 또는 치은순 이행부까지의 치조점막이나 구개측 수직부분도 포함됩니다.

❸ 하악치은 : 상악과 마찬가지이지만, 하악설측에서는 치은구저 이행부까지의 점막이 됩니다. 또한 무치악에서는 치조제점막을 치은으로 하고 있습니다.

❹ 협점막 : 협점막면, 구순점막면, 상하의 협치조구(頰齒槽溝) 및 치은후방부의 대구치후방부(臼後部)를 말합니다.

❺ 구강저 : 설측의 치조점막 경계와 혀의 경계로 둘러싸인 부위를 말합니다.

❻ 경구개 : 구개의 수평부분으로, 연구개 전방 부위를 말합니다.

●●● **그림 1-2. 구강의 해부학적 부위와 구분** (구강암 취급규약 : 金原출판, 2010에서 인용)

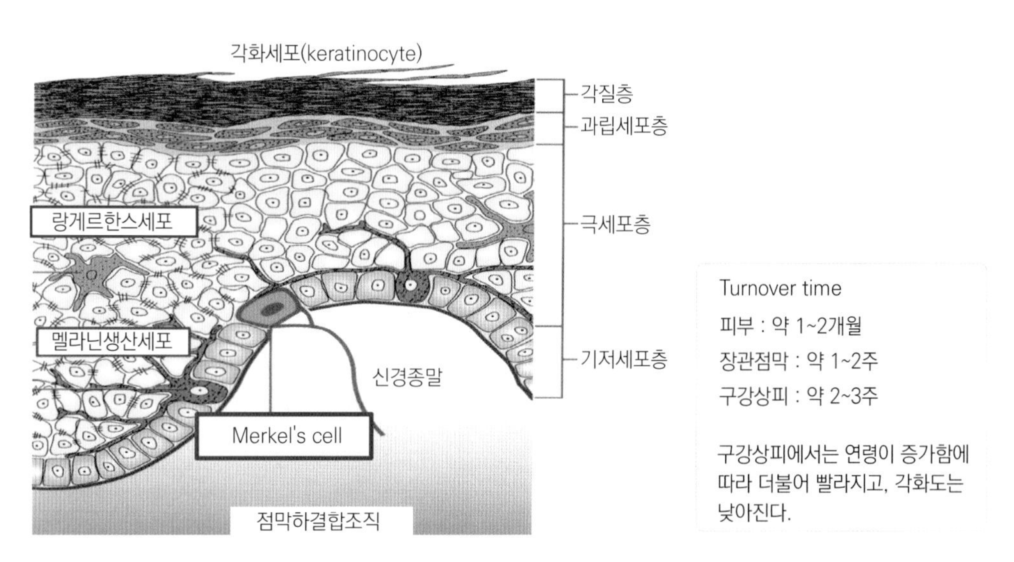

●●● **그림 1-3. 구강점막의 특징**(구강병변진단치료 Visual Guide : 의치약출판, 2011에서 인용)

가 됩니다. 구강점막상피는 연령증가와 더불어 사이클이 빨라지고, 각화도는 낮아집니다.

또 점막상피의 하층에는 점막고유층이나 점막하조직이 있으며, 구순, 협, 구개점막 등에는 소타액선이 있습니다. 그 도관은 구강에서 개구하여 점막을 촉촉하게 합니다. 구강점막은 부위에 따라서 다소 성격이 다르며, 기능에 근거한 특징에 따라서 저작점막, 특수점막, 피복점막으로 분류됩니다(p.45 참조).

(1) 저작점막(치은, 구개)

치은, 경구개 등 물리적 자극을 받기 쉬운 부위의 점막은 각화경향이 강하며, 그 상피는 정각화(正角化, ortho-keratinized) 또는 착각화(錯角化, para-keratinized) 상피로 구성되어 저작점막이라고 합니다. 정각화란 각화층의 핵이 소실되고, 케라틴(keratin)만으로 구성되는 것이며, 착각화란 각화가 불완전하고, 각화층 세포에도 핵이 아직 잔존하며, 그 아래층의 과립층이 불명료해진 것입니다.

(2) 특수점막(혀)

혀의 설배부(舌背部)에는 정각화 또는 착각화된 상피 속에 돌출된 여러 가지 유두(乳頭)를 볼 수 있습니다. 사상(絲狀)유두, 용상(茸狀)유두, 엽상(葉狀)유두, 유곽(有郭)유두의 4종입니다. 이 중 엽상유두나 유곽유두는 사상유두, 용상유두에 비해 형태적으로 차이가 있어서 환자는 암이 아닐까 의심스러워 종종 치과를 방문합니다.

(3) 피복점막(구순, 협, 설하면, 구저, 연구개, 치조)

그다지 외적 자극을 받지 않는 부위의 점막으로, 상피세포는 일반적으로 각화를 일으키지 않습니다. 따라서 각화층은 볼 수 없으며, 또 과립층도 보이지 않습니다. 피복점막의 세포층에는 많은 글리코겐을 함유하고 있습니다. 따라서 요드에 의한 생체염색을 하면 요드전분반응은 양성이지만, 암으로 이행되기 쉬운 상피의 이형성(異形成)이 진행되면 글리코겐이 적어져서 음성화됩니다. 이 색조의 변화를 보고 이형성상피의 범위를 확인할 수 있습니다. 이 요드에 의한 생체염색은 각화된 구강점막에서는 이용할 수 없고, 피복점막에 한정됩니다.

4. 구강암환자와 암의 호발부위

민족, 지역, 생활양식 등에 따라서 구강암의 발생빈도가 달라집니다. 일본구강종양학회와 일본구강외과학회가 조사한 결과에 의하면, 일본의 현재 구강암 이환자(罹患者)는 7,000명 정도이며, 이것은 전체 암의 1~2%, 전 두경부암의 약 40%를 차지합니다. 또 구강암 발생빈도가 가장 높은 것은 혀로, 구강암의 반수를 차지하고 있으며, 이어서 하악치은 순이며, 경구개가 가장 적습니다.

5. 구강암의 TNM 분류

구강암의 범위는 UICC(Union for International Cancer Control)의 기준에 따라서, TNM 분류로 그 기술방법이 정해져 있습니다(표 1-1). T는 원발종양, N은 림프절전이, M은 원격전이를 나타냅니다. 원격전이의 유무는 물론, 상세한 검색은 소개받은 치료시설에서 시행하므로, 구강암 검진에서는 암의 의심이 있는지, 의심스러운 경우에는 세포도말검사의 필요 여부 등을 판단하며, 또 암이라고 생각되는 경우에는 그 소견과 림프절 소견에 관해 체크하여 개요를 파악하는 것이 중요합니다. 암일 가능성이 높은 경우에는 전문시설에 의뢰합니다.

표 1-1. TNM 분류

T – 원발종양	TX	원발종양의 평가가 불가능
	T0	원발종양을 확인할 수 없다
	Tis	상피내암
	T1	최대지름이 2cm 이하의 종양
	T2	최대지름이 2cm가 넘지만 4cm 이하의 종양
	T3	최대지름이 4cm가 넘는 종양
	T4a	구순 : 피질골, 하치조신경, 구강저, 피부(턱 또는 외비)에 침윤한 종양
	T4a	구강 : 피질골, 설심층의 근육/ 외설근(밑턱설근, 설골설근, 구개설근, 경돌설근, 상악동, 안면 피부에 침윤하는 종양
	T4b	구순 및 구강 : 저작근간극, 익상돌기, 또는 두개저에 침윤하는 종양, 또는 내경동맥을 둘러싸는 종양 주 : 치은을 원발소로 하며, 골 및 치조에만 표재성 미란이 확인되는 증례는 T4라고 하지 않는다.
N – 소속림프절	NX	소속림프절 전이의 평가가 불가능
	N0	소속림프절 전이 없음
	N1	같은 측 단발성 림프절 전이로 최대지름이 3cm 이하
	N2	다음과 같은 전이 : • N2a 같은 측 단발성 림프절 전이로 최대지름이 3cm가 넘지만 6cm 이하 • N2b 같은 측 다발성 림프절 전이로 최대지름이 6cm 이하 • N2c 양측 또는 반대측 림프절 전이로 최대지름이 6cm 이하
	N3	최대지름이 6cm가 넘는 림프절 전이 주 : 정중림프절은 동측 림프절이다.
	M0	원격전이 없음
	M1	원격전이 있음

(두경부암 취급규약 : 金原출판, 2012에서 인용)

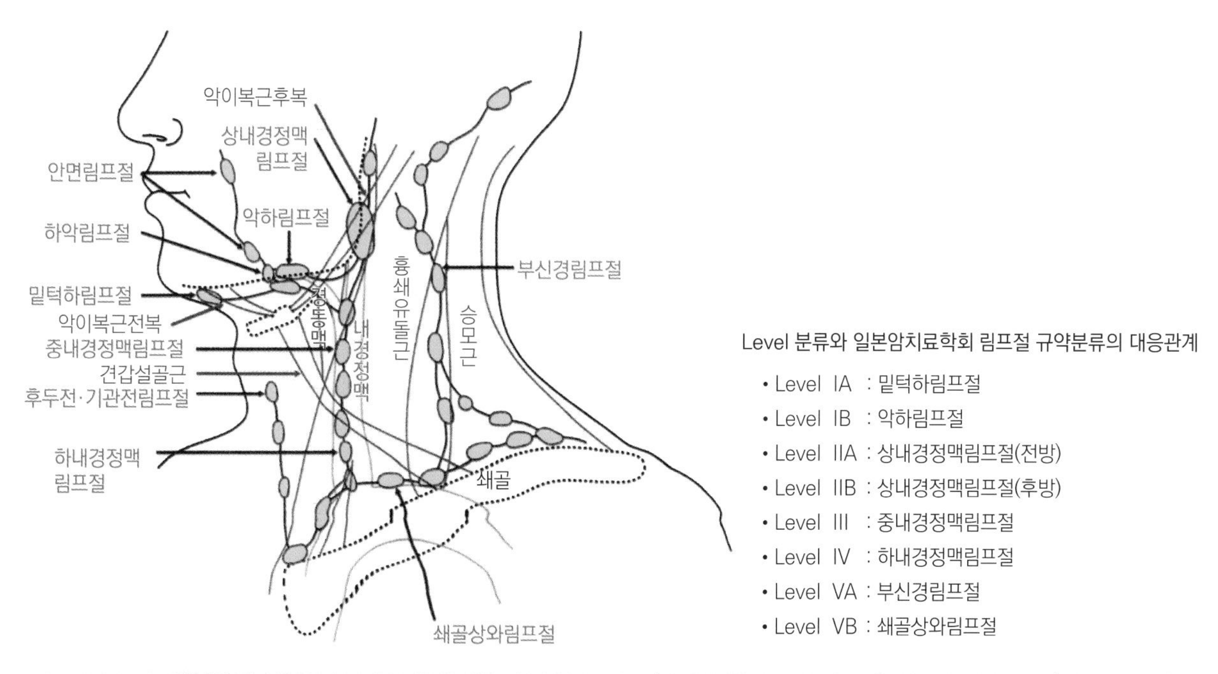

그림 1-4. 일본암치료학회 림프절 규약에 의한 경부림프절 분류(구강암 취급규약 : 金原출판, 2010에서 인용)

1) 원발종양 소견

원발종양은 크기, 임상형태, 종양의 두께, 주위조직으로의 확대에 관해서 진찰합니다. 검진에서는 영상소견 등이 없으므로, 원발부위의 T분류는 시진이나 촉진에서 암이라고 판단한 부분의 크기와 깊이를 측정합니다. 이 때, 주위의 경결부도 암이라고 판정한 경우에는 이것도 포함하여 계측하며, 결코 궤양부나 주위조직에서 돌출된 부분만으로 판정하지 않도록 합니다.

또 종양의 발육형태를 임상적으로 표재형, 외향형, 침투형, 분류불능형으로 나누어 기재합니다.

2) 림프절 촉진 소견

구강암의 전이는 소속림프절인 경부림프절로 전이하는 경우가 가장 많은데, 이것은 경부림프절에 관해서 어떤 위치에 어느 림프절이 있는가를 이해하고(그림 1-4), 그 촉진 방법에 관해서도 경험해 두어야 합니다. 경부림프절의 촉진은 전이진단의 기본이지만, 검진하는 사람의 숙련도에 따라서, 그 진단 정도(精度)가 크게 좌우됩니다. 적어도 림프절의 크기, 경도, 가동성(유착)의 유무 등을 촉지할 수 있도록 노력하는 것이 중요합니다.

6. 병기분류

임상적인 병기평가 cStage는 UICC 분류에 따라서 기재합니다. 원격전이가 확실한 경우는 모두 ⅣC가 되고, 나머지는 T와 N의 분류에서 병기(Stage)가 결정됩니다(표 1-2). 또 초기암은 T1이나 T2, N0이므로 Stage는 Ⅰ이나 Ⅱ입니다. 치명적인 것은 말기암입니다.

표 1-2. 병기분류(Stage 분류)

병기분류	T	N	M	
0기	Tis	N0	M0	초기암
I기	T1	N0	M0	
II기	T2	N0	M0	
III기	T3	N0	M0	
	T1, T2, T3	N1	M0	
ⅣA기	T1, T2, T3	N2	M0	진행암
	T4a	N0, N1, N2	M0	
ⅣB기	T4b	N에 관계없이	M0	
	T에 관계없이	N3	M0	
ⅣC기	T에 관계없이	N에 관계없이	M1	

(두경부암 취급규약 : 金原출판, 2012에서 인용)

구강암의 기초지식

- 구강암 발생율은 증가 경향에 있다.
- 구강암 이환률은 남성에게 많다(남성 : 여성-1.7 : 1).
- 구강암의 약 절반이 설암
- 구강암의 80% 이상이 구강점막 유래의 편평상피암

≫ 참고문헌

1) 일본구강종양학회편 : 구강암 취급규약. 제1판, 金原출판, 도쿄, 2010.
2) 일본두경부암학회편 : 두경부암 취급규약. 제5판, 金原출판, 도쿄, 2012.
3) 高野伸夫, 井上孝編저 : 구강병변진단치료 Visual Guide. 제1판, 의치약출판, 2011.
4) 일본구강종양학회·일본구강외과학회 합동위원회편 : 과학적 근거에 입각한 구강암진료가이드라인. 金原출판, 도쿄, 2009.
5) 柴原孝彦, 片倉朗편 : 구강암진료 어떻게 하는가, 어떻게 진찰하는가. 제1판, 컨텐센스출판, 도쿄, 2007.

⋙ Column | 구강암 발생이 증가하고 있는가?

일본구강종양학회와 일본구강외과학회가 정리한 결과를 보면 정확한 전국조사는 아니지만 일본의 구강암 이환자 수는 1975년에는 2,100명, 2005년에는 6,800명을 넘었으며, 앞으로 2년 후인 2015년에는 더욱 증가하리라 예측하고 있습니다. 구강암은 전체 암의 1~2%, 전 두경부암의 40%를 차지하며, 앞으로 고령화가 더욱 진행되면 구강암 환자도 계속 증가할 것입니다. 또 서구의 주요 4개국(미국, 영국, 프랑스, 이탈리아)과 일본의 구강·인두암에 의한 사망률을 비교하면(그림), 1990년대까지는 서구 4개국이 일본의 사망률보다 높았지만, 2000년대로 접어들면서는 미국이나 영국보다 일본의 사망률이 높아졌습니다. 또 서구 4개국 모두 감소 경향인데 반해서 유감스럽게도 일본에서는 계속 증가 경향을 보이고 있습니다.

이것은 미국 등에서는 타부위 암과 마찬가지로 구강암에 대한 대책이 효과를 나타내고 있는 것이 아닐까 생각됩니다. 향후 일본에서도 구강 내의 치료기회가 가장 많은 치과의사의 '암 연령' 환자에 대한 의식을 향상시시키고, 국민의 구강보건교육을 충실히 해야 합니다. 그러기 위해서는 구강암 검진사업 등 국가가 앞장 선 적극적인 대처가 중요합니다.

(타카노 노부오)

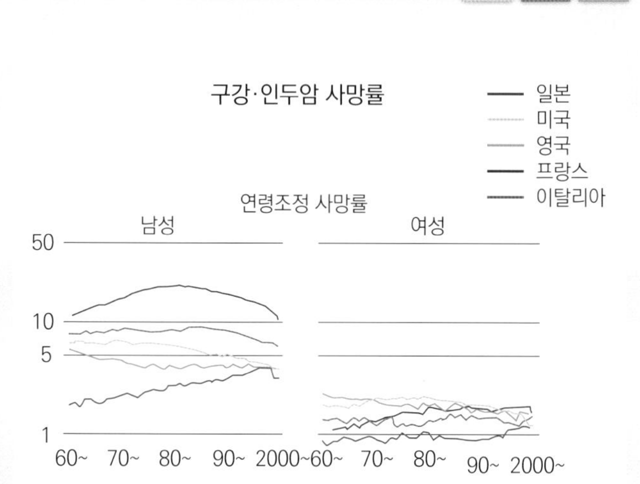

남녀별 구강·인두암 연령조정 사망률
(1985년 모델인구로 보정, 인구 10만대)

S. Tanaka and T. Sobue
(Statistics and Cancer Control Division, Reasearch Center for Cancer Prevention and Screening, National Cancer Center)
Comparison of oral and pharyngeal cancer mortality in five countries : France, Italy, Japan, UK and USA from the mortality database(1960-2000)에서 인용

Oral Cancer Screening STEP 1·2·3

02 구강암 아닌가? 변화를 발견하는 **계기**

구강 내는 여러 가지 장기 중에서 유일하게 발생한 병변에 대해서 직접 관찰과 접근이 가능한 부위입니다. 코크란 리뷰에 의하면 구강암의 시진에 의한 민감도와 특이도는 모두 80% 이상입니다.

따라서 구강암은 주로 색, 형태, 크기, 병변의 수 등을 시진으로 관찰하거나, 기능 이상(혀가 잘 움직이지 않는다, 입술이 마비된다 등)이나 동통 등 환자의 호소에 의해서 screening할 수 있습니다. 이 소견에서 치과의사가 구강암이 의심스러운 병변을 screening하여 환자의 정밀검사를 시행하지 않으면 환자는 구강암의 조기발견의 기회를 잃게 됩니다. 그러나 구강암을 의심케 하는 작은 변화는 평소부터 구강점막의 건강한 상태를 파악해 두어야 식별이 가능합니다. 그러기 위해서 평소 진료부터 환자의 구강점막에 주목하는 것이 중요합니다.

1. 구강 내에 나타나는 병변에서

1) 색으로 감별한다.

구강점막에 나타나는 병변의 색은 크게 나누어 적색·백색·흑색·누런색의 4색입니다. 구강점막은 두께 0.5mm의 중층편평상피로 그 하층은 섬유, 근육, 지방 등으로 형성되는 결합조직입니다. 구강암은 이 중층편평상피에서 발생하는 경

적색 병변

점막에 염증반응이 나타나면 점막 바로 아래의 결합조직에 있는 모세혈관이 확장되고, 혈관의 밀도가 높아져서 혈류량이 증가합니다. 그 결과 점막의 병변이 붉은 색에서 선홍색을 띠게 됩니다. 또 중층편평상피의 최표층인 각화층이 박리된 경우도 점막 아래의 모세혈관이 쉽게 투과됨으로써 발적을 나타냅니다(그림 1-5~9).

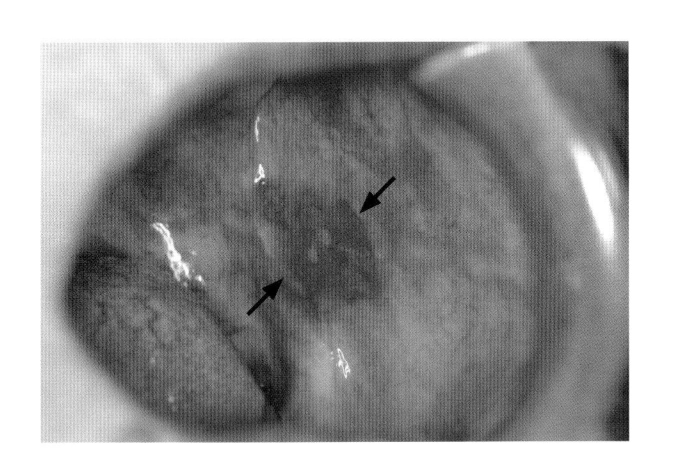

그림 1-5. 홍반증

- 선홍색 미란이 확인되며, 접촉통을 수반한다.
- 전암병변으로 분류되며 50~60%가 암화되지만, 병리조직학적으로는 이형상피로, 이미 일부가 암화되어 있는 경우도 있다.
- 경과 관찰 없이 절제를 선택한다.

우가 대부분이며, 이 부분의 병리조직학적 변화의 차이에 따라서 병변의 색이 달라집니다. 그 중에서 초기 구강암을 감별하기 위해서 우선 주의해야 할 색조의 변화는 적색·백색·흑색입니다.

구강점막에 나타나는 병변색

- 적색·백색·흑색·누런색의 4색
- 초기 구강암의 식별에 주의해야 할 색조 변화는 적색·백색·흑색

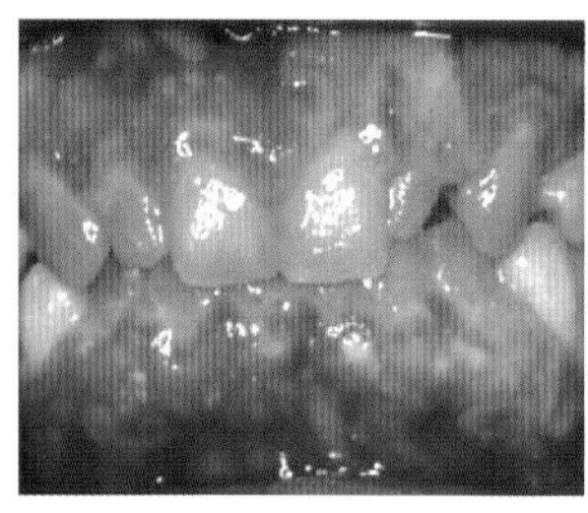
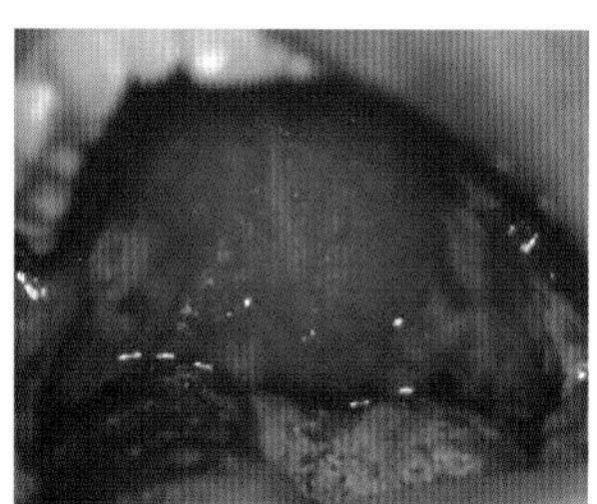

그림 1-6. 천포창(天疱瘡, pemphigus)

- 초기증상은 수포를 형성하지만 자괴하여 미란이 되며 발적이 현저해진다.
- 자기항체(IgG)의 관여로, 표피내에 수포를 형성하는 자가면역 질환으로 구강점막에 호발한다.
- 에어를 가하면 표피가 박리되는 Nikolsky sign이 나타난다.
- 병리조직검사, 혈청항체검사에서 확정진단을 얻는다. 피부과와 협력하여 부신피질스테로이드제의 전신투여로 치료한다.
- 암화되지는 않는다.

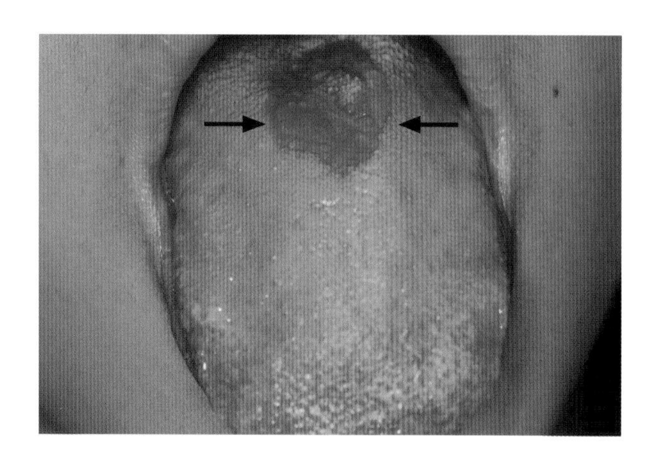

그림 1-7. 정중능형(正中菱形) 설염(median rhomboid glossitis)

- 설배의 정중후방에서 확인되는 유원형 설유두의 결손으로 자각증상을 수반하지 않는 경우가 많다.
- 태생기의 무대결절(無對結節, none of nodule)의 잔존, 칸디다에 의한 만성진균증이 합병되기도 한다.
- 자각증상이 없으면 경과 관찰하지만, 동통이 있는 경우에는 진균검사를 하여 칸디다증과 감별해야 한다.
- 기형의 하나이며 암은 아니다.

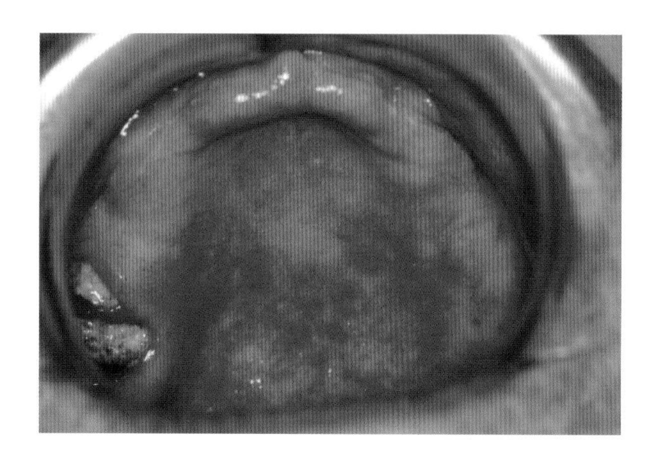

그림 1-8. 만성 위축성 칸디다증(chronic atrophic candidiasis)

- 통상은 구개점막의 의치 접촉면에 생긴다.
- 대부분은 무증상이지만, 때로 환부의 부종이나 동통을 호소한다.
- 진균검사를 하여 칸디다균을 확인하면 항진균제로 치료한다.
- 감염증이며, 암은 아니다.

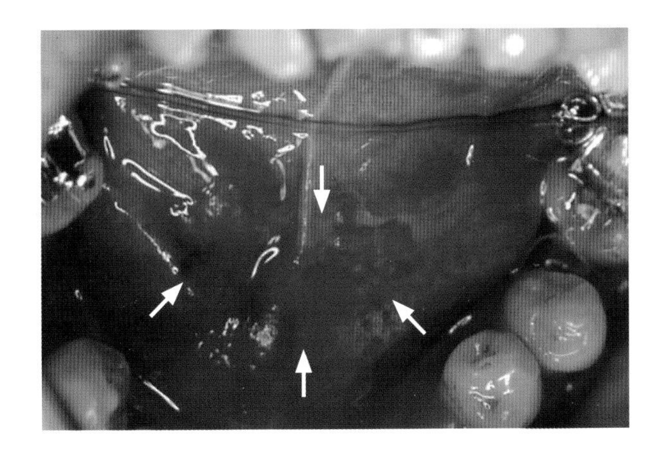

●●● **그림 1-9.** 발적과 궤양을 보이는 구강저암

- 구강저는 혀를 들어올리지 않으면 진단하기 어려운 부위이므로 병변을 간과하기 쉽다.
- 본 증례와 같이 일부에 백반 등의 병변이 복합되어 있는 경우는 주의를 요한다.

Point | 암이 의심스러운 발적

- 선홍색 궤양
- 접촉통이 있다.
- 백반증 등의 병변이 혼재한다.
- 염증의 명확한 원인이 없다.

●○○ 여기도 체크!

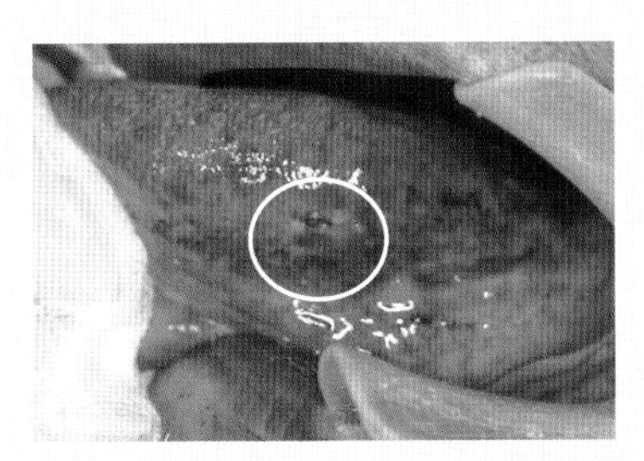

편평상피암

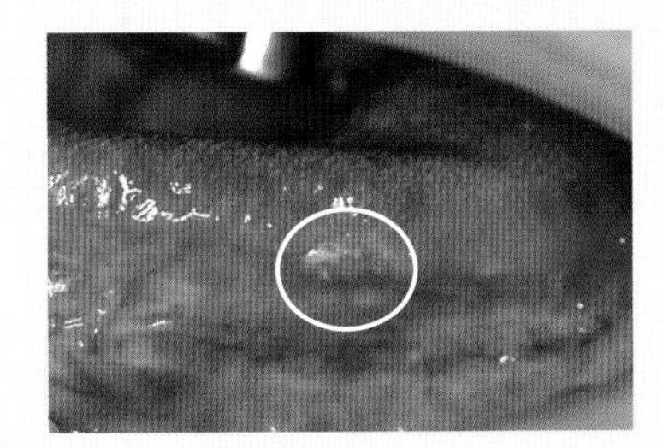

편평상피암

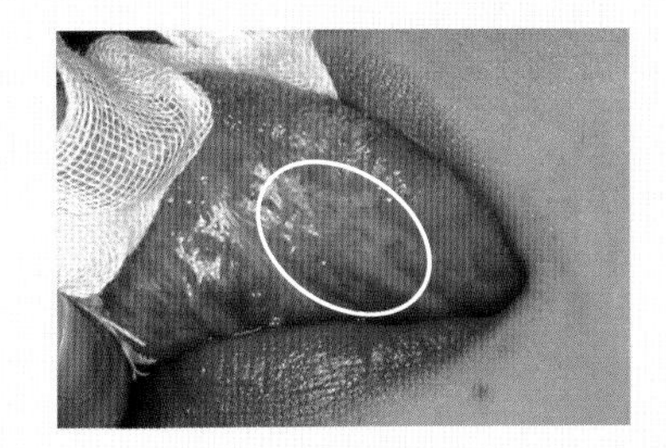

고도상피이형성증

이것은 모두 근래 1년 동안에 소개로 검진한 환자 증례의 일부입니다.

모두 작지만 표면이 일정하지 않아서 암이나 전암병변을 의심하며 정밀검사를 위해서 소개되었습니다.

여러분은 어떻게 진단하겠습니까?

진찰 시에는 이 증례 모두 얼핏 보는 것만으로는 확정할 수 없었습니다.

모두 절제를 하였고, 병리조직검사결과는 사진 설명과 같습니다.

백색병변

중층편평상피를 구성하는 각화세포는 기저세포층에서 발생하여 약 14일에 걸쳐서 최표층인 각질층에 이르며, 핵이 없어지고 각질이 되어 탈락하는 주기로 대사하고 있습니다. 이 각질이 탈락하지 않고 비후됨으로써, 구강점막이 투과성을 상실한 결과, 하얗게 보입니다. 따라서 하얗게 보이는 병변은 정상 중층편평상피의 대사기전이 상실된 것입니다. 또 만성적 자극에도 각질층이 비후되어 하얗게 보입니다(그림 1-10~13).

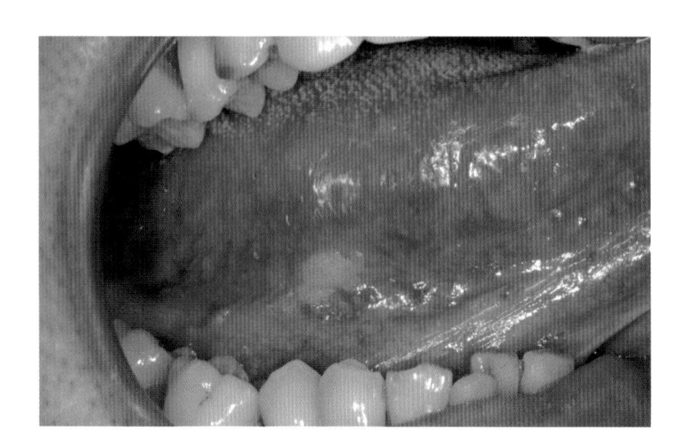

그림 1-10. 백반증(leukoplakia)

- 문질러도 제거되지 않고, 원인을 특정할 수 없는 병변을 가리킨다.
- 전암병변으로 분류되며 10~15%로 암화된다.
- 접촉통 등의 자각증상이 없다.
- 백반의 형태는 균일한 것과 비균일한 것이 있다.
- 백반이 비균일, 부정형, 발적이 혼재하는 경우는 상피이형성이 진행되고 있는 경우가 많으므로 절제하는 것이 바람직하다.

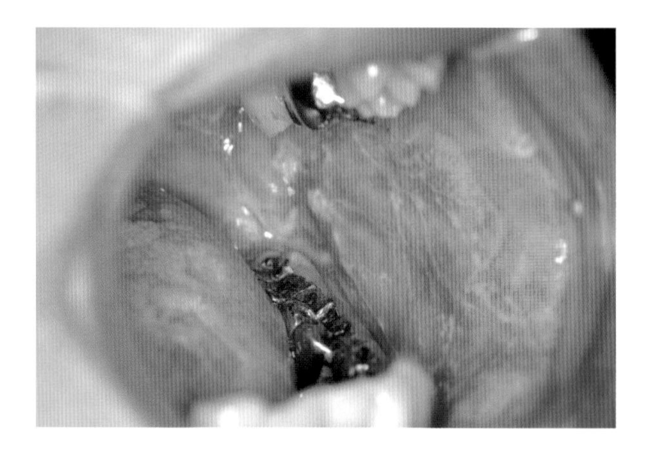

그림 1-11. 구강편평태선(oral lichen planus)

- 감염, 약물, 치과금속알레르기, 스트레스 등이 원인인 만성 염증성 각화병변이다.
- 협점막을 중심으로 양측성으로 발생하는 경우가 많다.
- 전암상태가 되며, 1~2%로 암화된다.
- 대부분의 경우 균열감이나 접촉통을 호소한다.
- 망상(網狀, reticular), 궤양성, 위축상 병변이 있다.

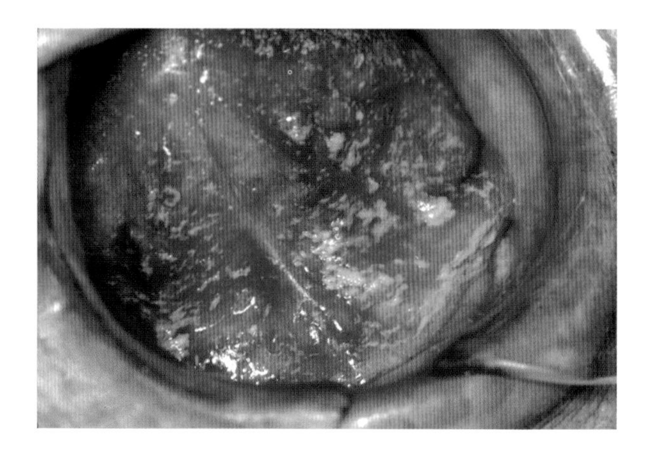

그림 1-12. 위막성 칸디다증(구강칸디다증, pseudomembranous oral candidiasis)

- 구강에 존재하는 Candida albicans의 기회감염에 의해서 표면이 크림상태로 씻어낼 수 있는 백반이 생긴다.
- 항균제의 장기투여, 부신피질스테로이드제의 투여로 인한 균교대현상에 의해서도 발생한다.
- 염증증상이 경미하면 접촉통 등의 자각증상이 없다.
- 진단은 진균배양검사로 하며, 치료는 항진균제를 투여한다.

Point | 암이 의심스러운 백반

- 불균일한 성상
- 다른 병변의 혼재
- 진하고 두꺼워 보임

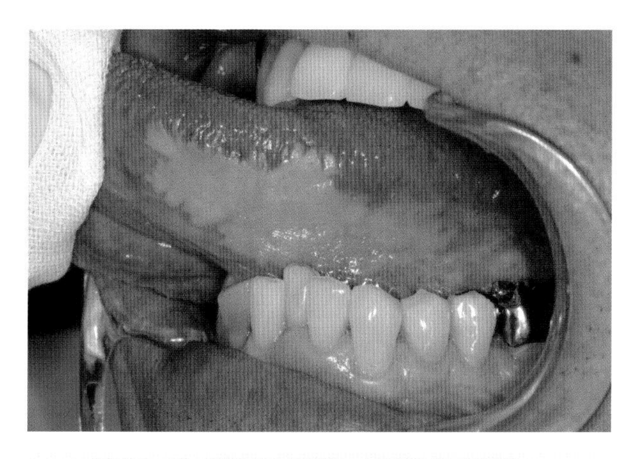

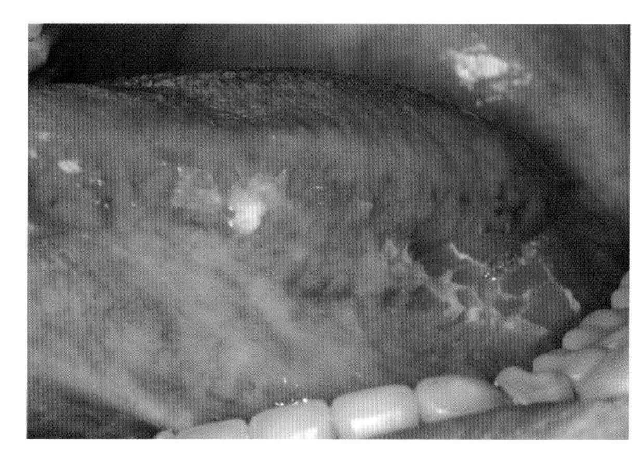

●●● 그림 1-13. 백반을 나타내는 설암(조기구강암)

- 광범위한 것, 백반의 색조·표면이 불균일한 것, 두께가 있는 것은 정밀검사를 요한다.
- 작아도 백반에 궤양이나 미란을 수반하는 것은 구강암을 의심해야 한다.
- 육안으로는 알 수 없지만, 백반 주위에 상피이형성이 확대되어 있는 경우가 많다.

흑색 또는 갈색 병변

구강점막에 나타나는 흑색병변으로는 중층편평상피의 기저세포층 부근에 있는 멜라닌세포(내인성색소)나 적혈구 속의 헤모글로빈 등(혈청색소)에 의한 것과 절삭한 금속조각 등에 의한 외인성색소에 의한 것이 있습니다. 또 구강 내의 균교대현상으로 세균총이 설배 등에 부착하여 흑색을 나타내기도 합니다. 흑색병변 중에서 가장 주의해야 할 것은 악성흑색종입니다(그림 1-14~16).

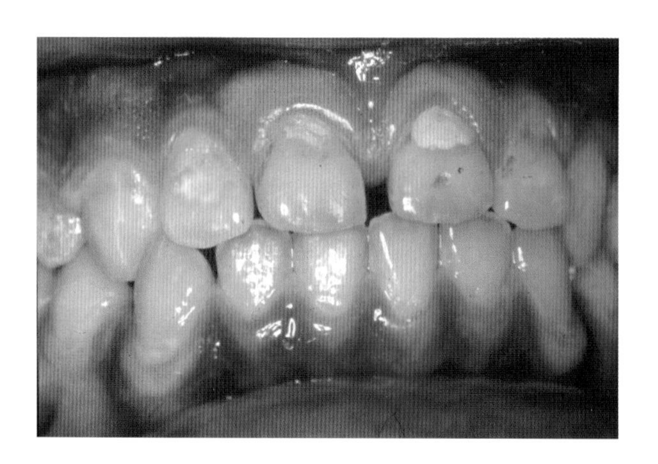

그림 1-14. 멜라닌색소 침착증

- 상피의 기저세포층에 있는 멜라닌생산세포에서 멜라닌색소의 과잉생산에 의한다.
- 외관에 문제가 될 경우에는 동결요법, 레이저증산(laser evaporation), 점막이식을 한다.

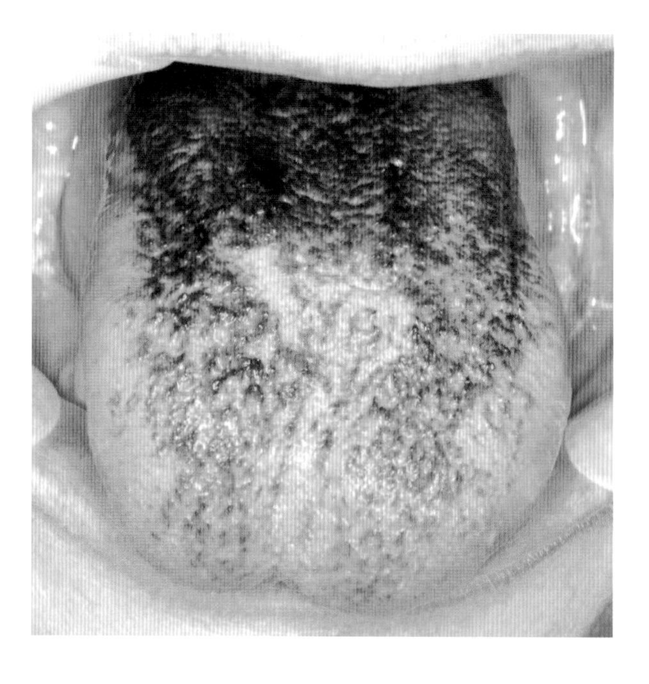

그림 1-15. 흑모설(黑毛舌, black hairy tongue)

- 설배의 사상유두(filiate papillae)의 각화 항진으로 비후된 상태에서 외래성 색소침착을 일으킨 것
- 항균제, 부신피질스테로이드제의 복용으로 인한 균교대현상에 의해서 구강 내 세균총의 변화로 발생한다.
- 약물 중지로 2주 정도에 회복된다.

Point | 암이 의심스러운 백반

- 암이 의심스러운 흑색병변
- 진한 흑갈색·흑색 융기
- 주위로 얼룩이 번짐
- 다발하는 병변

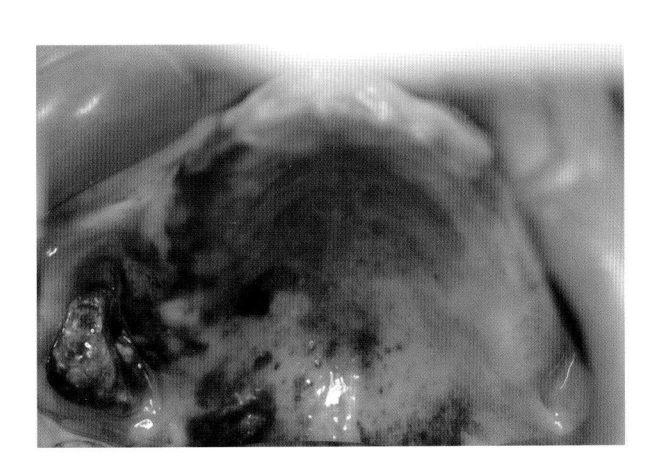
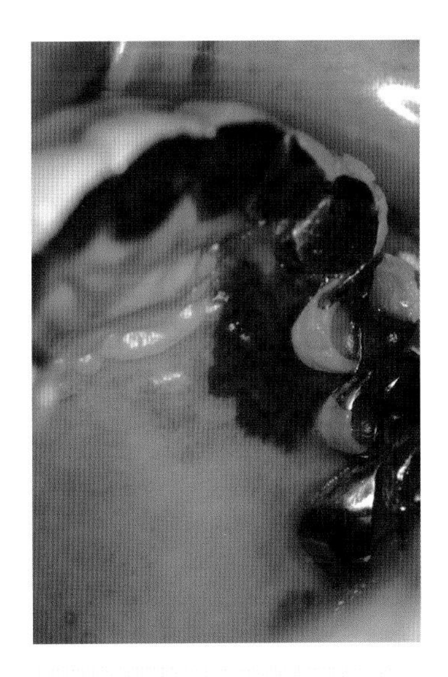

●●● 그림 1-16. 악성흑색종

- 멜라닌생산세포에서 유래하는 악성종양으로 경구개·상하악 치은에 발생한다.
- 종류상(callosity), 팽륭상(bulging), 결절상(nodular)의 흑갈색, 또는 흑색병변이며 동통은 수반하지 않는다.
- 위성전이(衛星轉移)를 일으키기 쉬우며 예후가 매우 불량한 악성종양이다.
- 절대로 침습을 가해서는 안 된다.

Column | 눈으로 볼 수 있는 구강에 왜 진행암이 많은가?

구강은 관찰이 용이하고 감각이 민감하므로, 암 등의 이상이 생기면 본인이 금방 알아차릴 것이라고 생각하는데, 초기 또는 조기암은 일반적으로 자각증상이 적고, 생긴다 해도 경도여서 알지 못하는 경우가 많습니다. 확실히, 초기 구강암은 혀나 치아에 가려서 잘 보이지 않으며, 음식 등의 자극으로 점막에 상처가 생긴 정도로밖에 생각하지 않아서 방치하다가 진행되기도 합니다.

한편, Stage Ⅲ 이상의 진행암 환자 중에는 구강 내에 암이 발생한다는 인식도 거의 없이 섭식시 기능장애가 출현하여 처음 내원하는 사람도 있습니다. 또 병원에서의 진료나 치료에 심한 불안감을 느끼고, 암이면 어쩌나 하는 공포감에 병원 방문이 늦어지기도 합니다.

구강암 환자는 치과의원에서 소개받는 경우가 많은데, 그 중에 종종 치과의원에 통원하면서 진행암(advanced cancer)이 된 환자도 있습니다. 암의 임상소견은 여러 가지여서 임상시진형으로 그 표층형태에 따라서 백반형, 유두형, 육아형, 미란형, 궤양형 등으로 분류될 정도입니다. 또 구강에는 전신적 또는 국소적인 원인으로 여러 가지 점막질환이 발병합니다. 이 점막질환도 여러 가지이며, 그 중에는 암의 임상소견과 유사한 병변이 있어서 이 양자의 감별이 매우 어렵습니다. 따라서 치과의사의 책무로서 일상 치과진료에서 반드시 구강점막 전체를 검진해야 합니다.

또 우리들 치과의사는 암뿐 아니라, 이 점막질환에 관해서 잘 이해하고, 암이 의심스러운 경우에는 적절한 대응을 해야 합니다. 암을 간과하게 되면 환자는 통원하고 있는 치과병원에 강한 불신감을 갖게 됩니다.

(타카노 노부오)

2) 형태로 감별한다.

초기 구강암의 형태는 발적이 현저한 미란형, 백색반점을 나타내는 백반형, 상피의 결손을 확인하는 궤양형, 점막표면은 정상이며 솟아오른 형태의 융기형, 컬리플라워(cauliflower) 형태의 유두형, 표면이 거친 육아형의 여섯가지 형태가 있습니다(그림 1-17). 그러나 구강암에서 이 전형적인 형태를 취하는 것은 어느 정도 병변이 진행된 후이며, 상피내에 머무는 초기 구강암을 screening하기 위해서는 이 형태를 충분히 눈에 익힌 후에 진찰을 하도록 합니다. 매우 작은 미란, 백반, 궤양 등의 변화를 간과해서는 안 됩니다.

초기 구강암의 여섯가지 형태

- 발적이 현저한 미란형
- 백색반점을 나타내는 백반형
- 상피의 결손을 확인하는 궤양형
- 점막표면은 정상이며 솟아오른 형태인 팽융형
- 컬리플라워 형태를 나타내는 유두형
- 표면이 거친 육아형

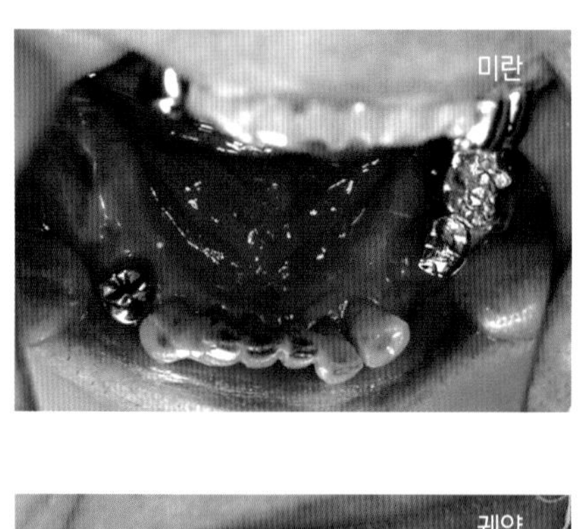

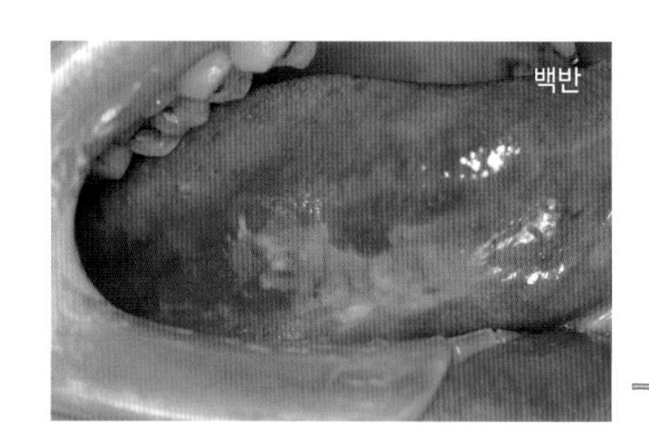

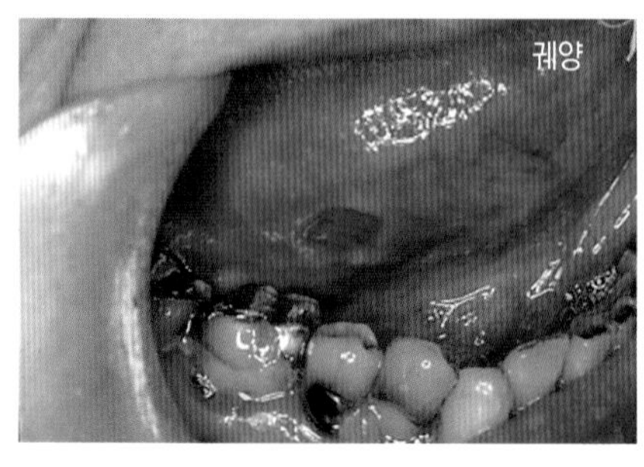

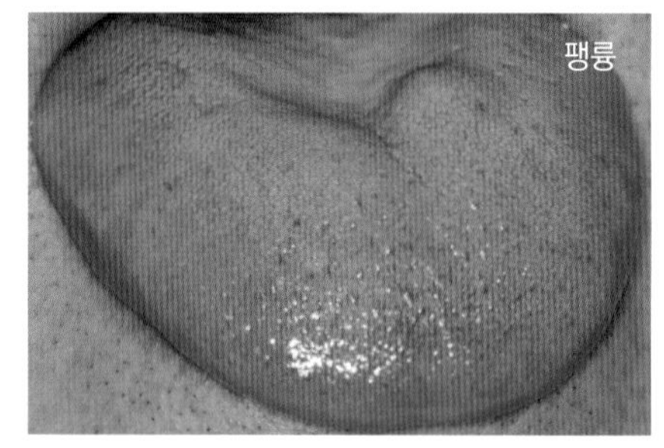

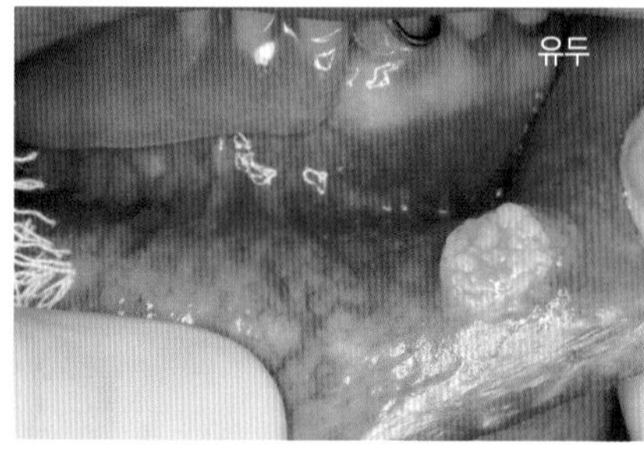

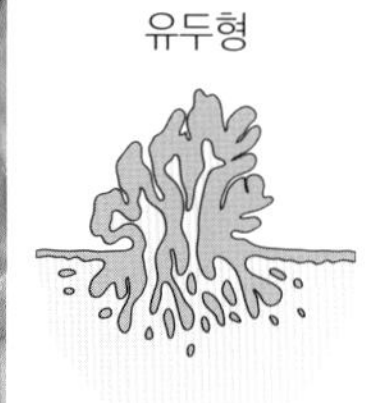

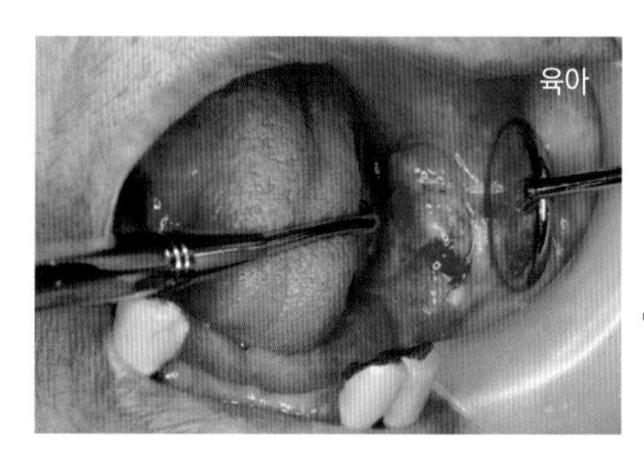

●●● 그림 1-17. 초기 구강암의 타입

3) 크기로 감별한다.

일반적으로 상피성종양에서 양성은 천천히, 악성은 빨리 발육합니다. 구강암의 경우는 그 발전속도가 주 또는 월 단위로 확대되는 것을 볼 수 있습니다. 따라서 광범위하게 병변이 확대되는 것, 주 단위의 경과관찰에서 확실한 증대 경향이 확인되는 병변은 구강암을 의심해야 합니다. 또 그림 1-18에 나타냈듯이 그 중에서 1개의 병변이라도 상피이형성의 정도가 다르고, 그 일부만 암화되어 있는 경우가 있습니다. 따라서 광범위한 병변에서는 일부가 암화되어 있을 위험도 높아집니다. 주목해야 할 병변이 있어서 경과 관찰하는 경우에는, 처음에는 1주단위로 하며, 증대경향이나 형태의 변화를 확인하면 즉시 정밀검사를 의뢰합니다(그림 1-19).

> 상피성종양의 발육의 특징
>
> - 양성은 완만하고, 악성은 빠르다.
> - 주 단위의 경과 관찰에서 확실한 확대를 확인한 병변은 구강암을 의심한다.
> - 증대경향이나 형태의 변화가 확인되면, 즉시 정밀검사를 의뢰한다.

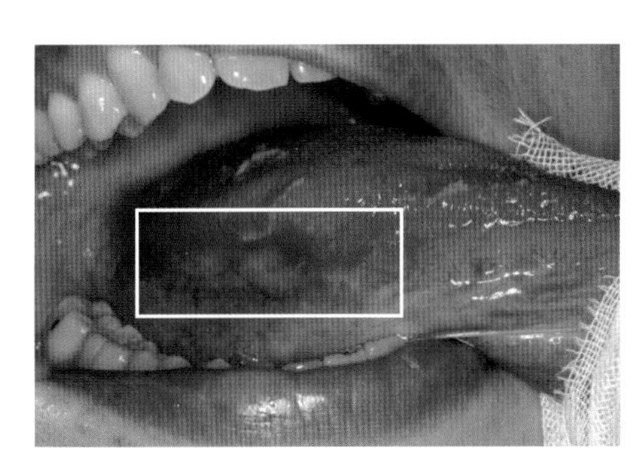

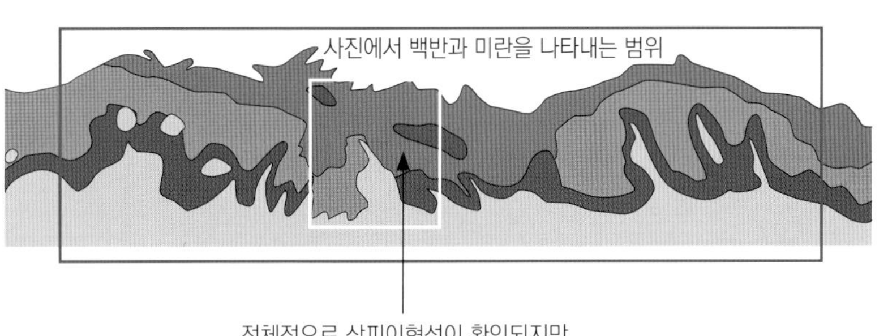

●●● **그림 1-18.** 초기 구강암에서는 동일병변내에서도 이형성의 정도가 다르다.

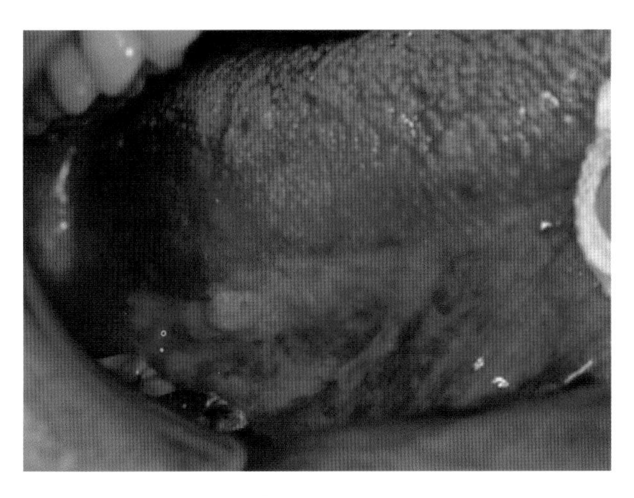

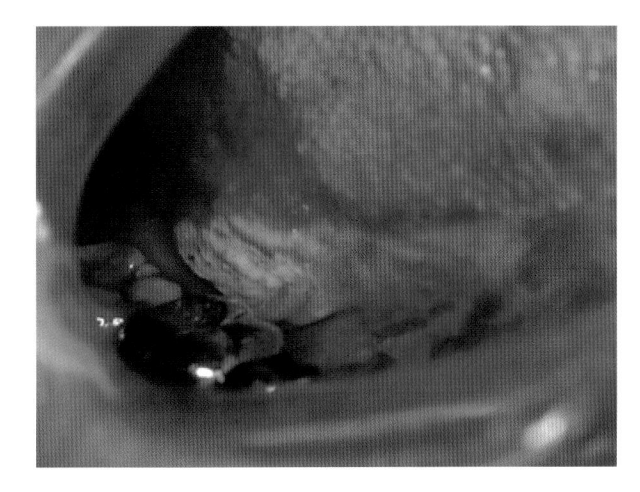

●●● **그림 1-19.** 경과 관찰하는 경우는 병변의 크기, 형태, 성상에 주의한다.

1개월만에 병변의 색조·크기·성상이 변화했다. 이와 같은 증례는 반드시 구강암을 의심해야 한다.

2. 환자의 호소에서

초기 구강암은 동통 등의 자각증상이 부족한 경우가 많으며, 이 점이 환자에 의한 조기발견이 적은 이유 중의 하나입니다. 담당 치과의사는 자신의 환자의 치아와 치주조직뿐 아니라 구강점막 전체를 책임지고 관리하며, 구강암의 징후를 조기에 발견하여 정밀검사로 이끌 책무가 있습니다.

'어쩌면 구강암일수도'라는 마음으로 항상 진찰하는 것이 중요합니다.

또 의치의 부적합이나 의치로 인한 통증의 호소에도 주의를 요합니다. 지금까지 적합성이 좋았던 의치가 짧은 기간에 적합이 나빠진 경우에 상하점막부에서 외향성 병변을 확인하는 경우나 의치점막면이나 상연의 부적합을 원인으로 치은이나 치은협이행부에 형성되었다고 생각했던 궤양이 실제로 종양인 경우도 있습니다. 의치를 조정하고 2주 이후에 치유경향을 확인하지 못하는 경우에는 구강암을 의심하여 정밀검사를 해야 합니다(그림 1-20).

정밀검사를 진행하는 판단의 포인트

다음과 같은 환자의 호소가 있는 경우에는 그 병변을 확인하고, 직접적인 원인을 확인할 수 없을 때에는 정밀검사를 한다.

- 하얗게 융기된 병변이 있다.
- 울퉁불퉁한 아프타 같은 병변이 2주 이상 낫지 않는다.
- 혀·구강저·협점막 등에 생긴 궤양이나 상처가 2주 이상 낫지 않는다.
- 발치창이 상피화되지 않고 통증이 증가한다.
- 입술이나 혀가 마비된다.

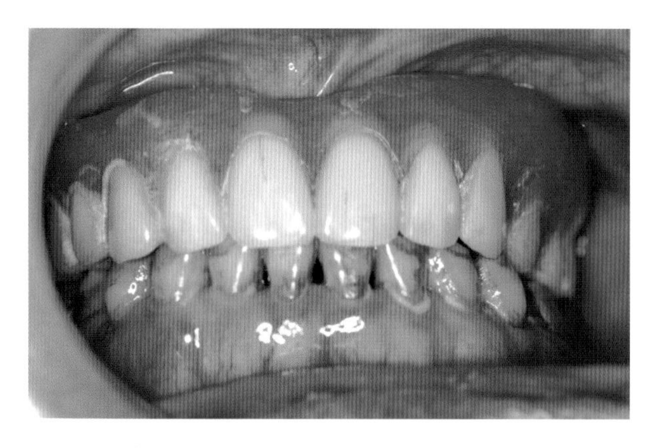

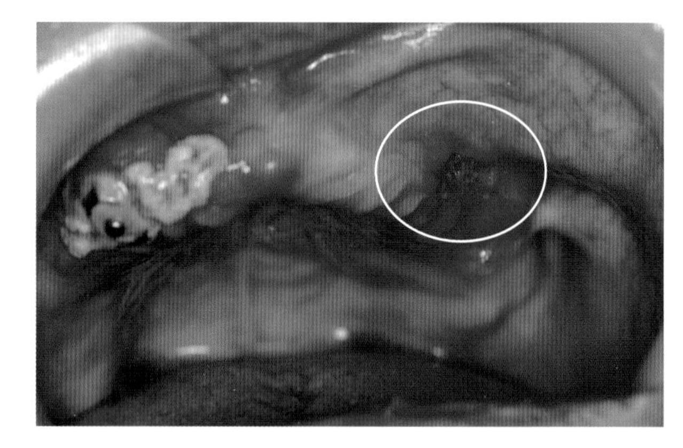

그림 1-20. 의치의 통증은 요주의

- 74세 남성. 상악에 총의치를 장착하고 있으며 2개월 전부터 교합 시에 잇몸에서 통증을 자각하였다.
- 의치의 점막면을 조정하고 7일이 경과했지만 변화가 없어서 내원하였다.
- 궤양형의 초기 치은암이었다.

❖ 구강암 조기발견을 위해서

Point 1
구강 내는 순서적으로 간과하는 곳이 없도록 관찰한다.

Point 2
평소와 다른 변화를 발견한다.

Point 3
굳이 진단을 내릴 필요는 없다.

Column | 광학기기를 이용한 구강암의 Screening

구강암은 종래는 육안관찰과 촉진만으로 임상진단을 내리고, 그 후 생검을 했습니다. 그러나 실제는 백반증이나 구강편평태선, 칸디다증, 아프타성 구내염을 비롯한 점막병변과 그 병태의 다양함으로 육안만으로 구강의 조기암을 일반치과병원의 치과의사가 감별하기는 어려운 것이 현 상황입니다. 현재, 소화기영역에서는 색소를 산포하여 조기병변을 묘출하거나, 확대내시경으로 모세혈관의 주행을 확인하는 등, 조기에 암을 발견하는 방법이 확립되어 있습니다. 이에 반해서 구강의 초기암은 일반치과병원에서 객관적으로 이것을 screening하는 방법이 일본에서는 확립되어 있지 않습니다.

근년 북미를 중심으로 구강암의 screening 검사에 광학적 수법이 사용되고 있습니다. 이 중 가장 널리 보급되어 있는 것이 캐나다 브리티시콜롬비아대학에서 개발한 VELscope®입니다(그림 1). 본 기기는 청색광을 조사하고, 점막하의 콜라젠의 양에 따라서 파장이 변화하는 반사광을 시각화하며, 이것으로 육안으로는 판단하기 어려운 병변을 screening할 수 있는 시스템으로 되어 있습니다.

VELscope®는 이미 FDA(미국식품의약품국)의 승인도 받아서 북미를 중심으로 많은 일반 치과개원의에게 보급되고 있으며, FDA는 '구강점막 조기발견의 보조', '병변절제 시의 영역설정'에 관한 적응을 인가하고 있습니다. VELscope® 시스템에서는 400~460nm의 청색광을 점막에 조사하면 건강 상피조직과 피하조직의 콜라겐에서는 청록(Apple-Green)색의 형광이 야기됩니다. 그러나 상피이형성조직이나 암조직에서는 콜라젠이 변성·감소되어 있어서 형광발색이 저하되어, 렌즈를 통해서 검게 묘출됩니다. 이 발색의 차이를 이용해서 점막질환을 구분하게 되어 있습니다. 설측연부의 정상점막(그림 2)과 고도의 이형성을 나타내는 백반증(그림 3)의 사진을 보면, 그림 3에서는 종양과 그 주위에 경계가 다소 불명료한 발색의 저하를 나타내는 거무스름한 상으로 묘출되어 있는 것을 알 수 있습니다. 상피이형성을 나타내는 부분에서는 발색의 저하가 확인되고, 그 경계는 건강조직 또는 양성병변과 달리 불명료해지고 있습니다. 건강점막의 청록의 발색과 달리, 경계가 불명료한 발색의 저하를 나타내는 병변은 상피이형성을 수반하는 병변으로 정밀검사를 해야 합니다.

(카타쿠라 아키라)

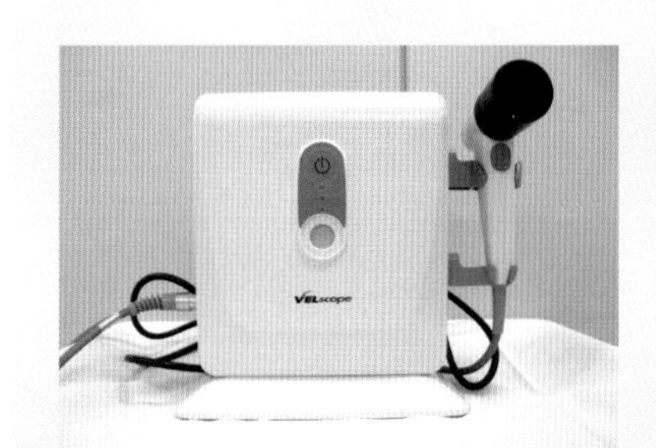

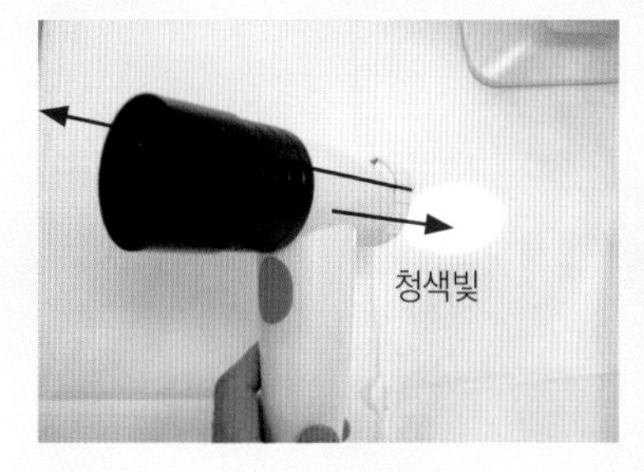

그림 1. VELscope®

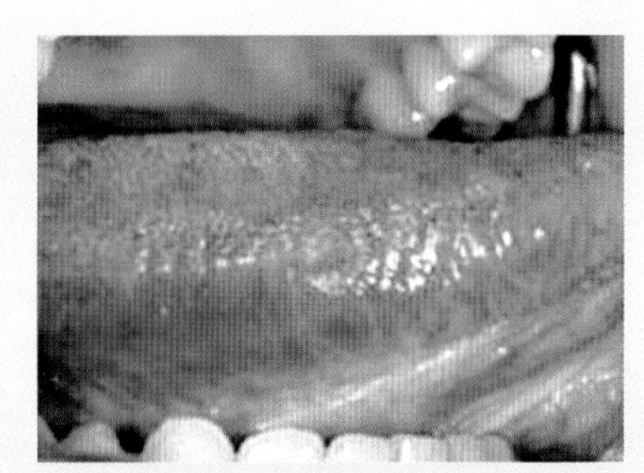

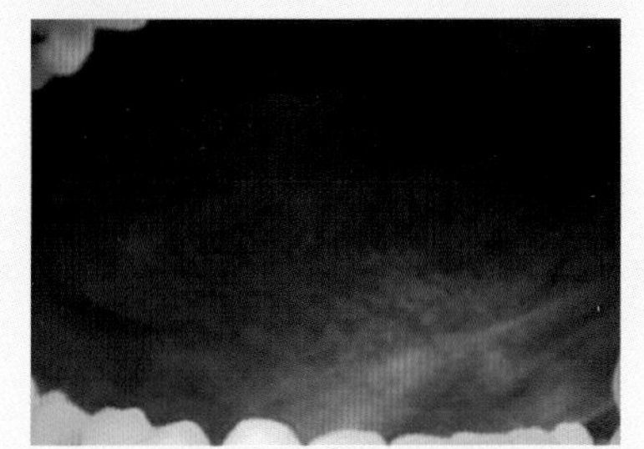

그림 2. 정상점막조직

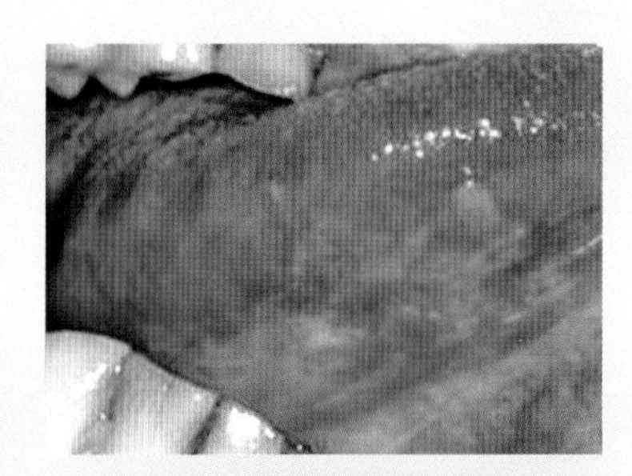

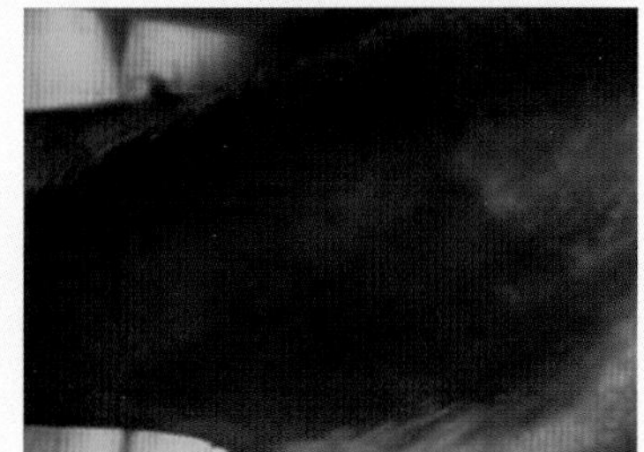

그림 3. 고도 이형성을 보이는 백반증

Column | 통상 치과치료시 환자교육과 Self Check 지도법

구강 내에서 뭔가 걱정되는 병변을 발견하면, 적절한 문진으로 그 병변의 대략적인 경과를 파악해야 합니다.

- 언제부터 알게 되었는가?
- 동통이나 발열이 있었는가?
- 뭔가 짐작이 가는 원인이 있는가?
- 처음에는 어떤 형상을 하고 있었는가?
- 병변이 계속 증대되었는가, 또는 증대와 축소를 반복했는가?

증상경과가 매우 짧은 경우(시간에서 일단위)에는 외상이나 감염증이 의심스럽습니다. 이에 대해서 짐작이 가는 원인이 없고, 거의 무증상으로 증대된 병변이면, 우선 종양을 의심하게 됩니다. 또 경과가 비교적 짧으면(주단위) 악성일 가능성이 크고, 매우 길면(연단위) 양성종양이라고 생각됩니다. 단, 구개, 볼, 구순점막하의 느리게 증대된 종류가 어느 시기 급속히 증대되기 시작한 경우는 소타액선 원발의 선계암(腺系癌)이 의심스러워집니다. 그 밖에 아무 이유 없이, 궤양이 형성되고, 지각마비나 운동마비가 생기는 경우도 악성의 중요한 징후의 하나이므로 간과하지 않도록 합니다.

치과 주치의와 환자는 오랫동안 교분이 있는 가운데 신뢰관계가 구축됩니다. 그러기 때문에 구강 내 검사뿐 아니라, 검진자의 걱정을 듣고 생활습관지도를 세밀하게 함으로써, 검진자의 치과에 대한 이해를 얻을 수가 있습니다. 담배·술(1일 40개비 이상의 흡연, 1일 소주 기준 1병 반 이상 음주)로 인한 구강점막열화현상의 실태를 설명, 금연지도의 필요성, 인터넷(금연추진학술 네트워크※)에 의한 최신정보 등의 제공도 중요한 환자교육의 일환이 됩니다. 전신질환 중에서 빈혈, 간질환, 당뇨병 등은 높은 빈도로 구강점막에 특이적 증상을 나타내므로, 의과의 협력도 중요해져서 팀의료의 한 부분을 담당하게 됩니다. 구강 건강이 전신 건강의 핵심이 되는 것을 이해하고, 환자를 지도하는 것이 새로운 치과의사상으로 국민에게 보여질 수 있도록 노력해야 합니다.

환자에 대한 self check 지도 : 1주에 한 번은 스스로 구강 내를 구석구석 볼 것. 큰 거울 앞에서 밝은 빛으로, 상악우측 치은에서 상악좌측 치은, 하악좌측 치은에서 하악우측 치은, 구개, 혀, 구저, 양측 협점막 순으로 다음 항목을 체크하게 합니다. 설후방, 양측 하악구치부 설측, 구저후방 등 self check하기 어려운 부위를 확인시키고, 3개월에 한 번 치과의사·치과위생사에 의한 전문적인 정기검사의 필요성을 설명합니다.

환자에 의한 Self Check

- 구내염이 2주 이상 낫지 않는다.
- 발치한 상처가 낫지 않는다.
- 깨문 상처가 낫지 않는다.
- 의치가 닿아서 생긴 상처가 낫지 않는다.
- 치아가 들뜨는 느낌이 든다.
- 새하얀 것이 생겼다.
- 붉게 짓물러 있다.
- 딱딱한 응어리가 만져진다.
- 혀가 잘 움직이지 않는다.
- 입이 잘 벌어지지 않는다.
- 아랫입술과 혀가 마비된다.

(시바하라 타카히코)

※ http://tobacco-control-research-net.jp/

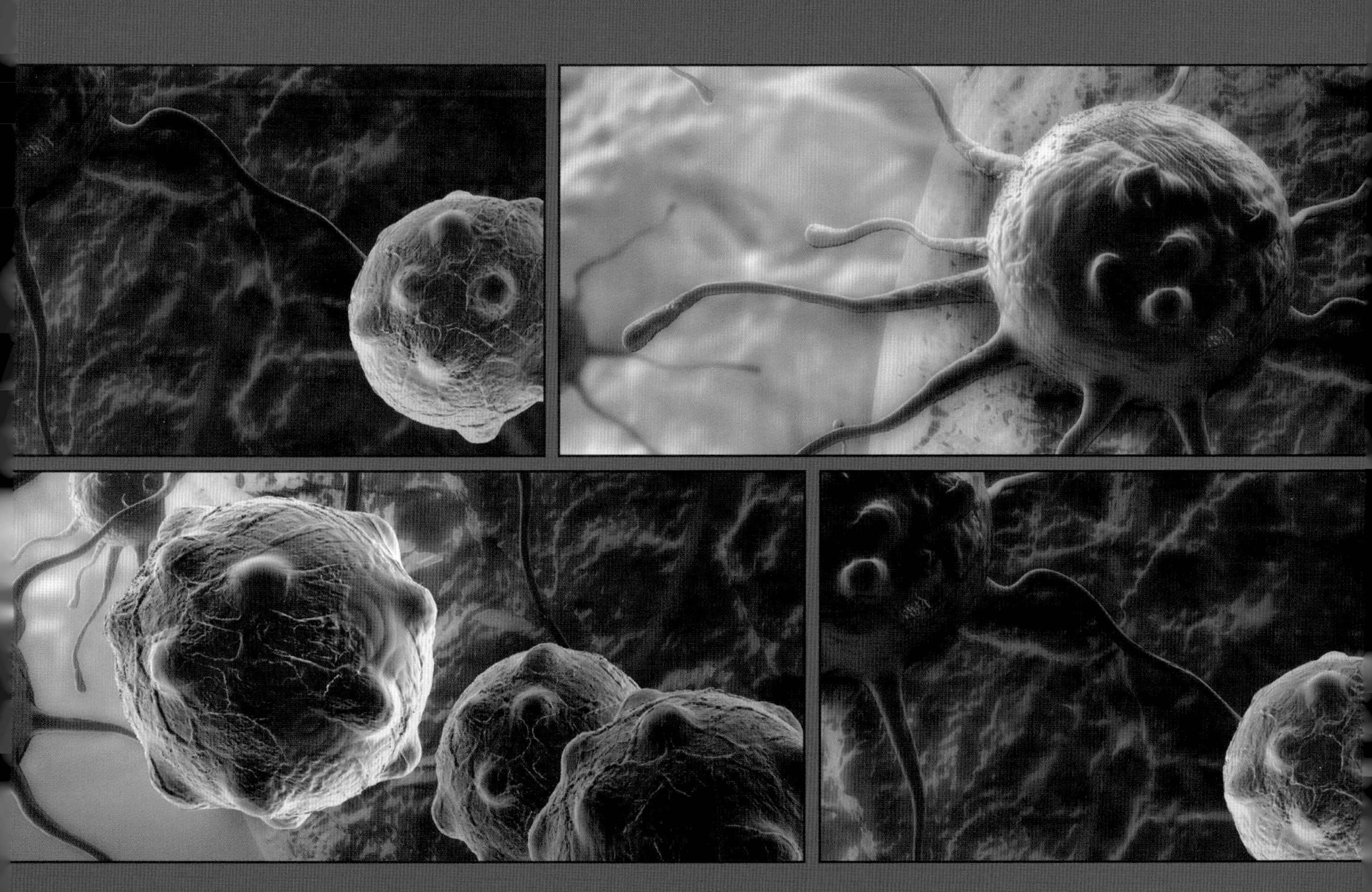

Step 2
구강암이 의심스러운 경우 검진 진행법

개원의도 이 단계까지 할 수 있다.

Oral Cancer Screening STEP 1·2·3

01 구강암이 의심스러운 경우 검진 진행법

구강암 검사를 해야 하나? - **기준과 감별법**

1. 구강암 검사를 진행해야 하는 경우

구강암의 대부분은 전암병변의 시기를 거쳐서 발병하며, 장기경과(5~10년) 동안 여러 가지 임상병태로 변화합니다.

구강암 병변이 언제 어느 부위에서 암화되는가는 아직까지 예측하기 어렵습니다. 그러나 정기적인 관찰로 임상 변화를 신속히 파악할 수 있으며, 병리조직검사로 세포이형성의 정도를, 종양마커의 검색으로 암화의 진행도를 어느 정도 파악할 수 있습니다.

한편, 양성 구강점막병변 중에는 구강암의 임상병태와 유사한 것이 매우 많습니다. 특히 염증성 육아종, 만성 근첨성 치주병변, 만성 비후성 구강칸디다증 등은 구강암으로 오진하기 쉽습니다. 일반적으로 장기간 존재하는 점막이상이 갑자기 변화하는 경우, 구체적으로는 백색병변에 홍반을 수반하거나, 병변의 일부에 종류를 형성하거나, 촉진에서 경결을 수반하는 경우는 구강암검사를 하는 것이 좋습니다. 개별검진에서 구강암검사를 진행해야 하는 경우를 표 2-1에 정리했습니다.

2. 경과 관찰 없이 다른 질환이 의심스러운 증례

구강점막의 이상 유무와 상관없이 진찰은 문진으로 시작하여 현병력, 기왕력, 가족력, 생활습관을 청취한 후 비로소 병변 진찰에 들어가는 것은 변함이 없습니다. 구강암이 의심스러운 소견을 확인하면 원인검색에 들어가서 그 원인이 국소에 있는지의 여부를 검토합니다. 불량보철물 등이 의심스러운 경우는 제거한 후, 연고를 처방하고, 통상 1주 정도의 경과 관찰기간을 두며, 또 감염증을 의심하여 항균제를 투여하기도 합니다. 그러나 2주 이상 경과해도 낫지 않는 구내염은 요주의입니다. 반대로 말하면 개원의로서 경과 관찰이 가능한 기간은 2주까지라고 할 수 있습니다.

일반적으로, 암 전문의에게 의뢰하기까지 걸리는 기간은 개원의사보다도 개원치과의사가 길어지는 경향이 있습니다. 이것은 의사의 경우, 치과질환에 정통하지 않아서 전문기관에 주저없이 의뢰하는 데에 반해서, 치과에서는 치성(齒性)감염 등을 의심하여 처치에 시간이 걸리는 경우가 많기 때문입니다. 서구에서는 만연하게 경과 관찰을 계속하여 전문기관에 의뢰가 늦어지는 경우 충분히 소송으로 발전하는 이유가 됩니다. 일본에서도 마찬가지라는 점을 명심하기 바랍니다.

표 2-1. 진찰실에서 할 수 있는 구강암 검진 체크리스트

	구강암이 의심스러운 임상적 변화(■에 체크를 합니다)	임상병태
초기암	□ 구내염이 2주 이상 치료되지 않는다.	심한 통증이 거의 없다.
↓	□ 경과 관찰 중인 백반증의 색이나 형태가 변화되고 있다. (발적이 증가하거나 백반이 두꺼워진다)	전암병변의 암화 의심
	□ 구내염 부분에 출혈이 있다.	혈관이 풍부한 조직으로 암의 침윤 의심
	□ 발치창이 치유되지 않는다.	치은암의 의심
	□ 치아가 동요한다.	암 침윤으로 인한 치조골파괴 의심(저작통이 적다)
	□ X선사진에서 이상한 골흡수를 확인한다.	악골로 암 침윤, 골파괴 의심
진행암	□ 구취가 심해진다.	조직의 괴사로 인한 암 특유의 부패 냄새 의심
	□ 입이 잘 벌어지지 않는다.	저작근으로 암 침윤 의심
	□ 연하곤란	설악성종양에서 특징적인 증상
	□ 경부에 응어리가 있다.	경부림프절 전이의 의심

Point ! 1개라도 체크한 경우는 구강암 검사를 한다.

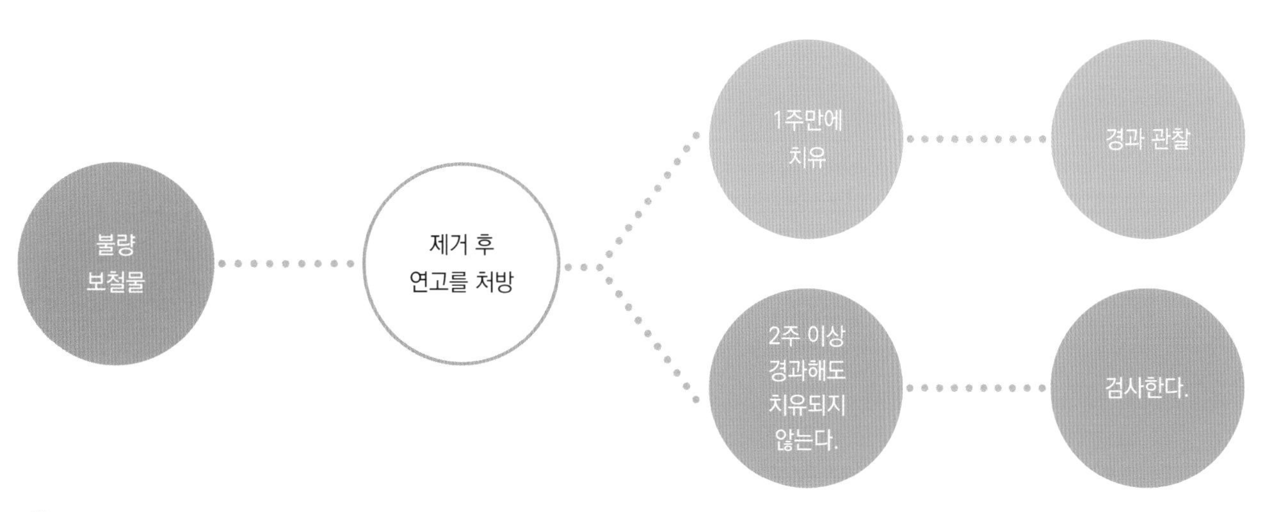

Point ! 2주 이상 치유되지 않는 구내염은 요주의! → 전문기관으로!

3. 언뜻 보기에 이상이 있어 보이는 정상조직

검진의 skill up point

치아·치주조직과 마찬가지로 항상 구강점막을 관찰하는 습관을 갖는 것이다. 특히 설측연, 구강저는 발견이 늦어지기 쉽고 조기에 림프절 전이를 초래하기 쉬우므로 소속림프절의 촉진도 함께 한다.

의심스럽다고 판단한 소견이 정상인지 이상이 있는지를 감별하기 위해서는 우선 정상조직을 제대로 이해해야 합니다. 대개 정상조직이라 해도 병변에 따라서 그 부위, 형태, 색조가 미묘하게 다릅니다. 해부학적 형태로는 정상으로 보이지만 이상하게 비대되어 있는 것, 또는 통상적인 점막의 색조와 미묘하게 다른 경우는 판단하기가 어렵습니다. 그림 2-1~11에서 해부학적으로 언뜻 보기에 이상이 있어 보이지만 실은 정상조직인 증례를 정리하였습니다.

❖ 언뜻 보기에 이상이 있어 보이는 정상조직-점막조직에서 볼 수 있는 증상

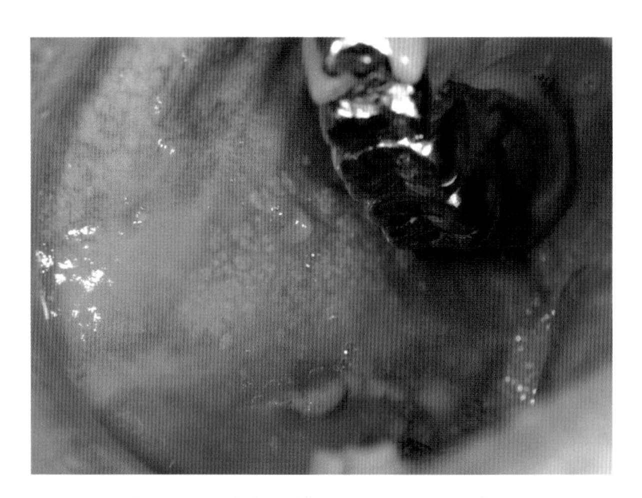

●●● **그림 2-1.** 포다이스반(Fordyce grannule)

본래 점막에는 존재하지 않는 이소성 피지선에서 양측 협점막에 누런색 반점모양의 종류가 다수 점재하고, 협점막 이외에도 구순, 연구개, 설점막에서 보인다. 소아에게는 보이지 않고 사춘기 이후에 증대되는데 치료할 필요는 없다.

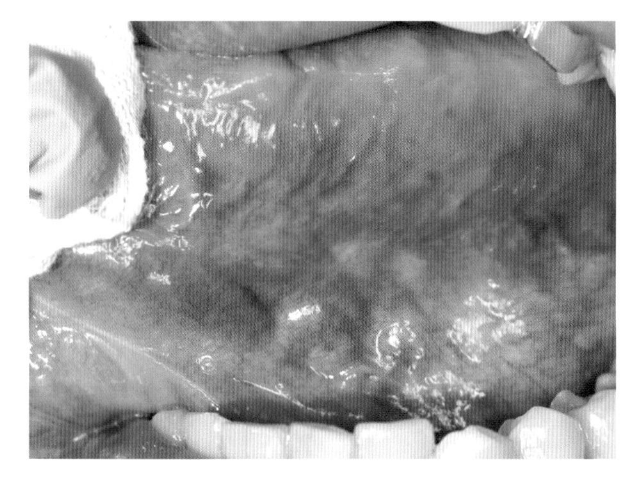

●●● **그림 2-2.** 설하부의 정맥류

- 설하정맥이 노장하여 정맥이 청자색으로 부풀어 오른 상태로, 정맥의 협착 내지 폐색 때문이다. 또 정맥벽의 일부가 얇아지고, 그 혈관이 부풀어 올라서 혹모양을 나타낸다.
- 고령자에게 흔히 볼 수 있다.

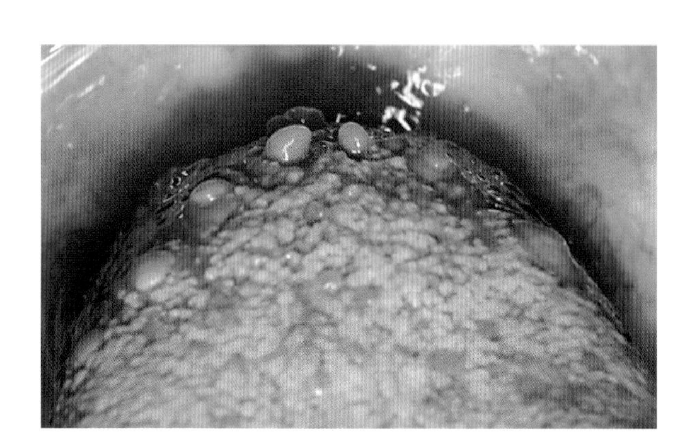

●●● **그림 2-3.** 유곽유두(circumvallate papillae)

설후방에 가로 일렬로 늘어선 큰 유두이며, 점막에는 각화가 보이지 않는다. 혀를 앞으로 내밀고 속까지 관찰할 수 있는 사람은 암이라고 착각하여 치과를 방문하기도 한다.

검진의 skill up point

치료과정은 진료기록부에 기재하며 가능한 영상으로 기록하는 것이 좋다.

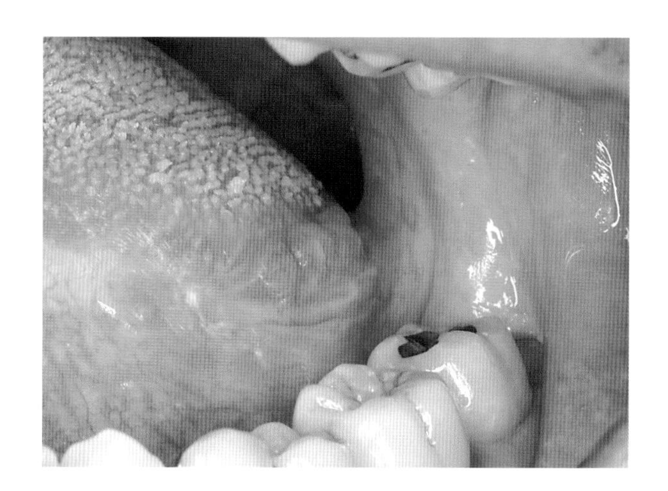

그림 2-4. 설편도(舌扁桃)

편도선에서 연속되는 소유두로, 때로 붉다. 이것도 암으로 착각하기 쉽다.

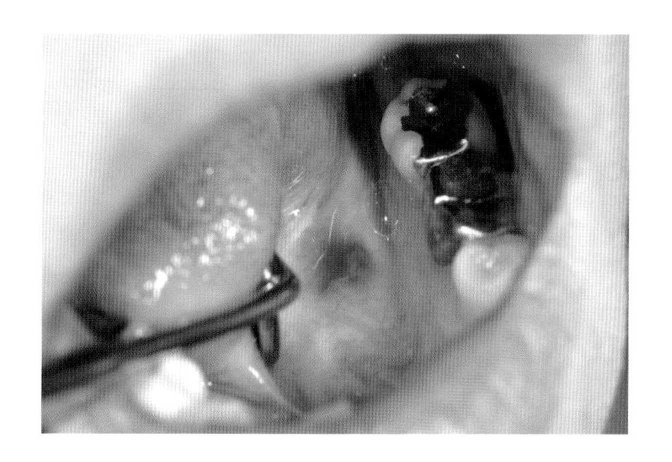

그림 2-5. 멜라닌색소 침착

갈색의 색소 침착으로, 협점막, 구순, 설연, 구개, 구강저에서 확인된다.

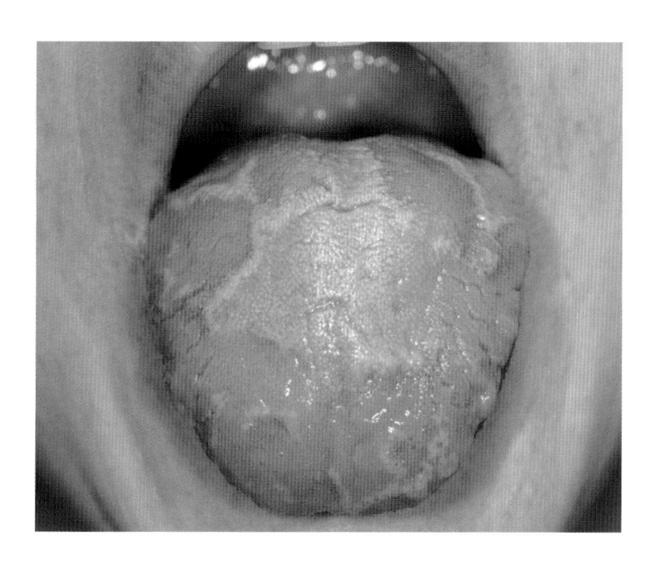

그림 2-6. 지도상 혀(geographic tongue)

사상유두가 발적하고 주변의 상피가 부풀어 오르며 백반을 확인한다. 지도 모양은 매일 변한다.

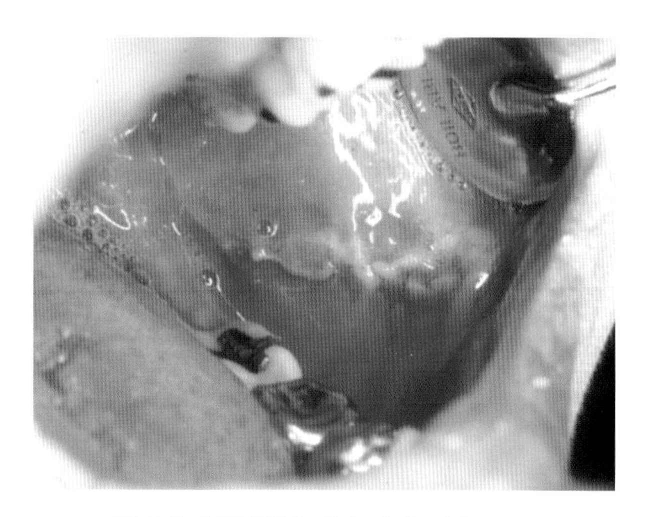

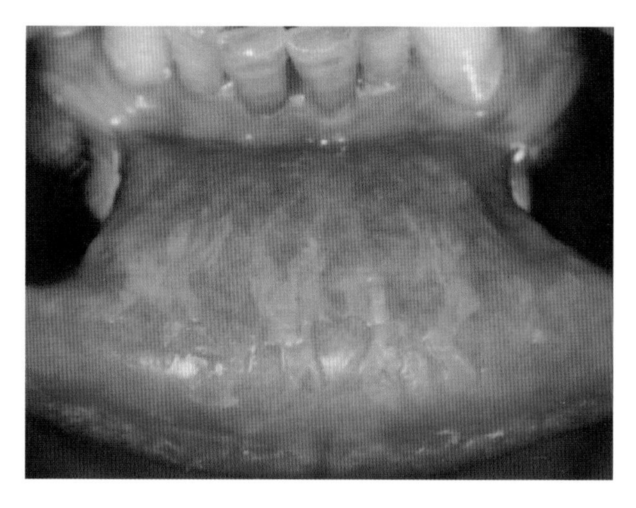

●●● **그림 2-7.** 협점막 압흔, 입술 깨무는 버릇

만성적인 찰과자극으로 교합선을 따라서 협점막이 각화되어 생기는 백색의 연속적인 융기이다. 치열의 압흔을 확인하고, 볼을 깨물거나, 흡인하는 버릇, 이를 악물 가능성이 있으며 구순에도 보인다(사진 좌 : 협점막 압흔, 우 : 입술을 깨무는 버릇).

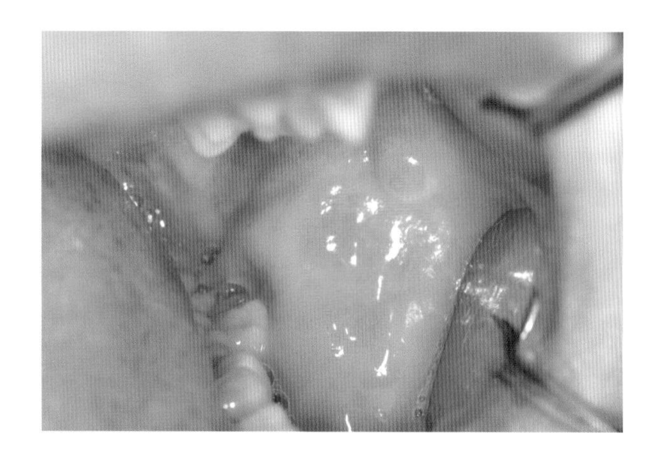

●●● **그림 2-8.** 이하선유두(耳下腺乳頭, parotid papilla)

이하선관 개구부는 상악 제1대구치부에 해당하는 협점막에서 확인하고, 때로 유두가 종류상을 나타내는 것이 있다.

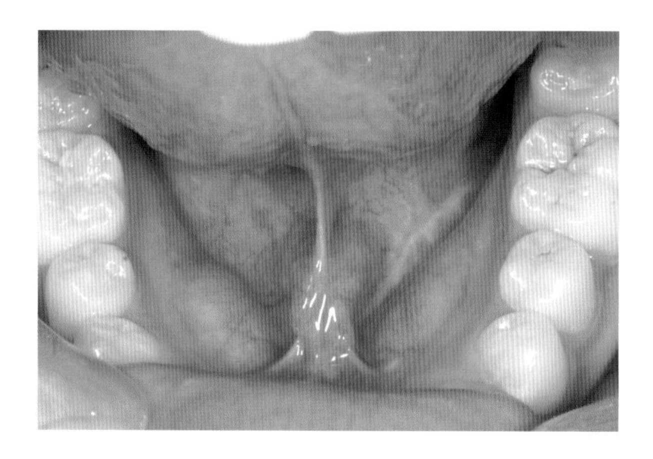

●●● **그림 2-9.** 설하소구(舌下小丘, lingual caruncle)

- 이하선관의 개구부, 설소대를 사이에 두고 좌우대칭에 있다.
- 이하선 개구부와 마찬가지로, 때로 큰 것이 있다.

❖ 언뜻 보기에 이상이 있어 보이는 정상조직-경조직에 나타나는 증상

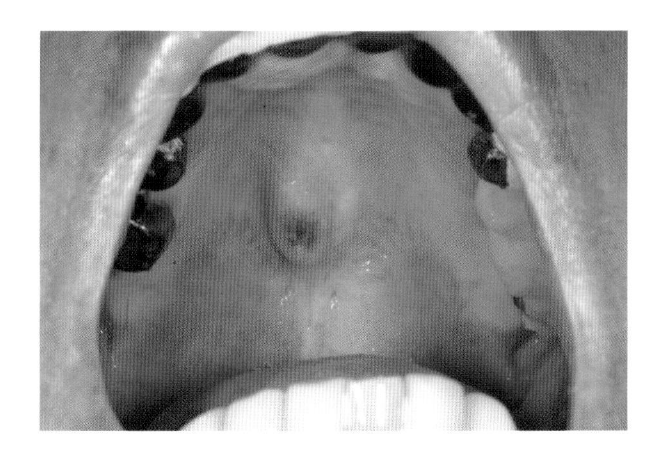

그림 2-10. 구개융기(口蓋隆起, palatal exostosis)

구개정중부의 골의 고조(高調, catapophysis)이다. 딱딱한 음식으로 상처가 나거나, 데었을 때에 자각하는 경우가 많다. 융기에는 여러 형태가 있으며, 점막에 상처가 난 경우에 악성을 의심케 하는 소견을 나타내기도 한다.

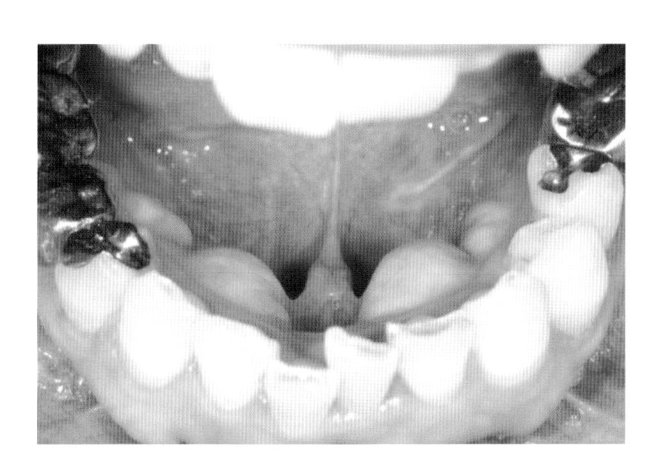

그림 2-11. 하악융기(下顎隆起, lingual torus)

하악 좌우 설측 소구치부의 골의 고조(高調)로, 구개융기와 같은 원인으로 생각하는 경우가 많다.

4. 감별진단에 관하여

초기 구강암의 특징은 그 대부분이 백반증, 홍반증이라는 전암병소와 유사하므로 악성병변뿐 아니라, 이와 같은 병변을 조기에 검출하는 것이 의의가 크다고 할 수 있겠습니다. 한편, 구강 전암병소에는 유사한 질환이 많이 있으므로 감별해야 하는 질환을 이해하는 것이 중요합니다.

1) 구강 전암병소의 임상적 특징

구강 전암병소는 WHO에서는 '형태학적으로 정상조직에 비해 암이 발생하기 쉬운 상태로 변화한 조직'이라고 정의되어 있습니다. 대표적인 병변은 구강백반증, 홍반증, 양자가 혼재하는 홍반백반증, 구강편평태선이 있습니다.

(1) 구강 백반증(백판증)

구강 백반증은 WHO에서 '임상적 또는 병리학적으로 다른 어떤 질환의 특징도 갖지 않는 백색의 편평하거나 융기된 덩어리'라고 정의되는 각화성병변입니다.

임상형으로 평탄, 파도상, 주름상을 나타내는 균일형(그림 2-12)과 사마귀상, 결절상, 반점상, 궤양상의 불균일형(그림 2-13)이 있습니다. 암화경향이 강한 것은 불균일형이며, 백색반에 적색반이 혼재되어 경결(induration)을 수반하고 있으면 암을 의심해 봐야 합니다.

백반증의 임상진단은 제외진단(rule out)으로 성립되어 있는 것이 중요한 포인트입니다. 이것은 유사한 각화병변이 흔히 존재하여 임상적으로 시진만으로는 감별하기 어렵기 때문입니다. 그림 2-14~22는 제외해야 할 백색병변입니다.

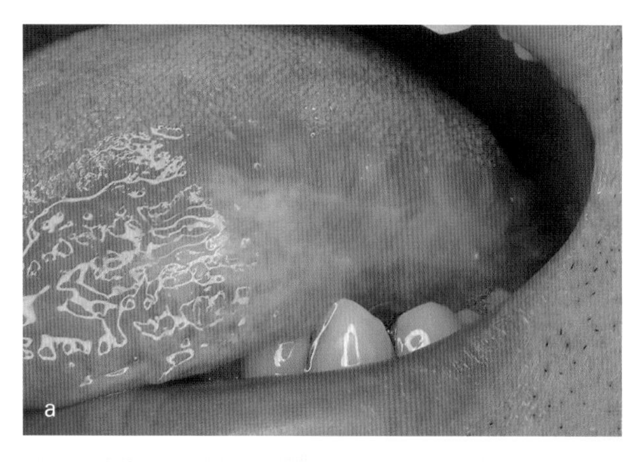

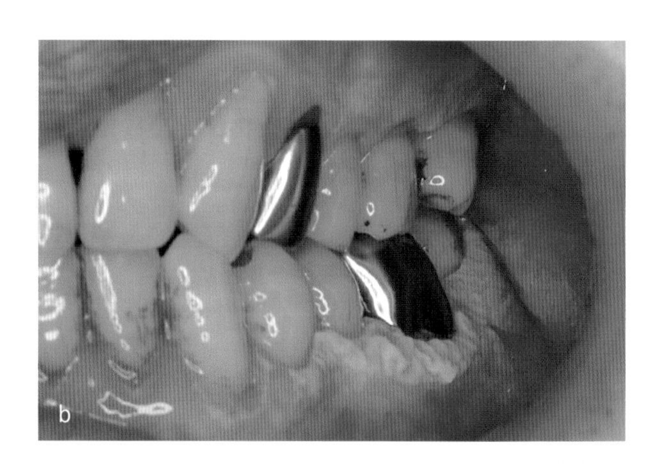

●●● **그림 2-12. 균일형 설백반증**

흐리고 붉은 반점을 수반하지 않는 백반(a), 얇은 주름상을 나타내는 백반(b)

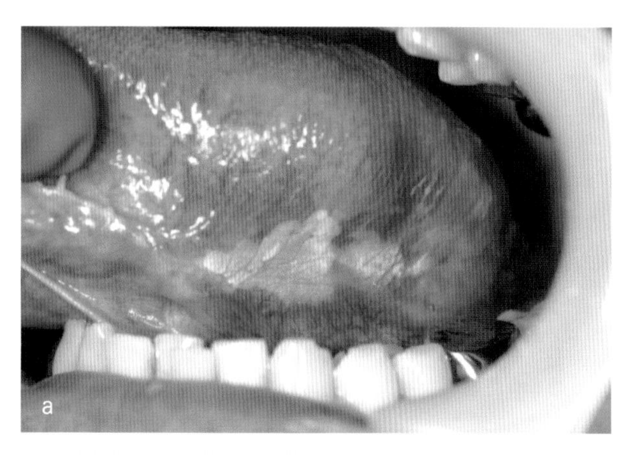

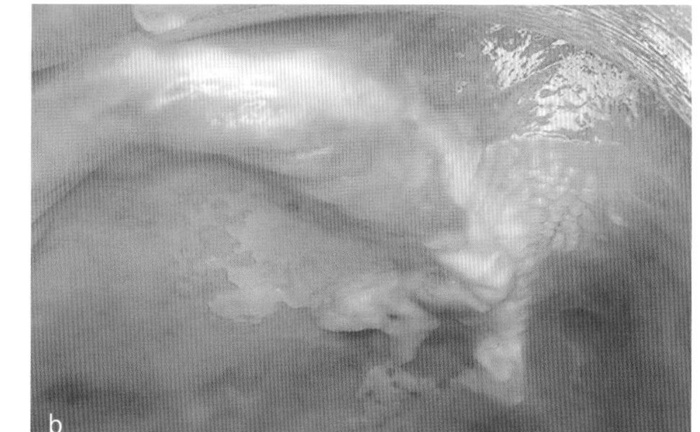

●●● **그림 2-13. 불균일형 백반증**

(a) 백반의 변연이 불규칙하고 홍반을 수반한다. (b) 백반의 일부가 비후된 사마귀상 백반증

❖ 제외해야 할 백색병변

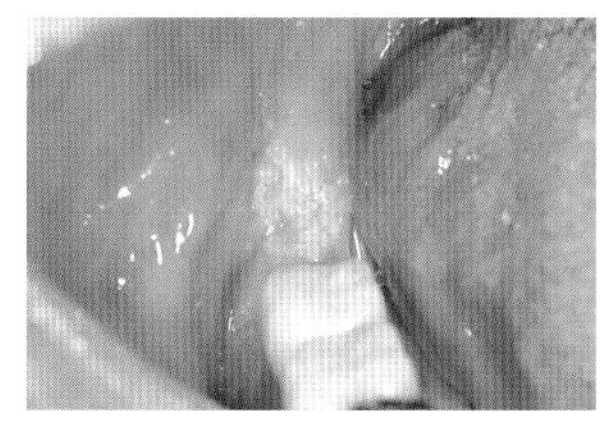

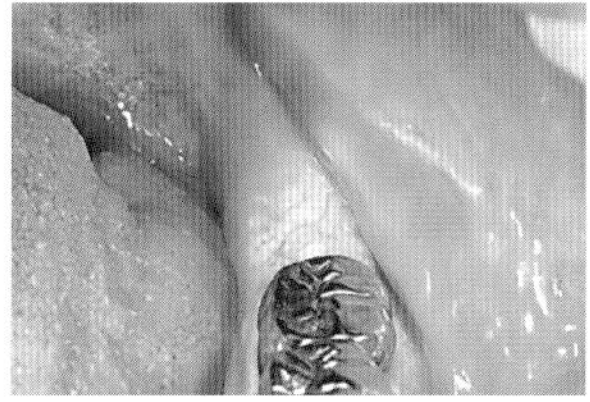

●●● **그림 2-14.** 찰과성 각화증

- 만성자극으로 생기며, 원인의 제거로 개선된다.
- 양측 구치부에 생긴 백반으로, 본 환자는 치은부분으로 강하게 저작하고 있다고 생각된다. 전암병변이 아니다.

*임상에서 접하는 빈도 : 높다

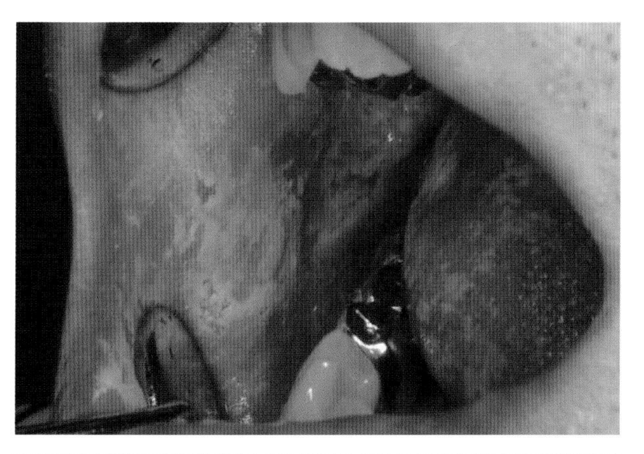

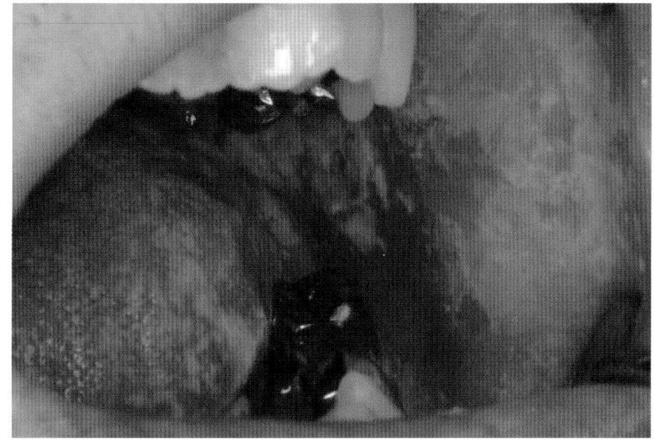

●●● **그림 2-15.** 급성 위막성 칸디다증

- 백반을 제거하면 홍반을 나타내는 점막이 나타난다.
- 전신적 원인으로 면역저하, HIV감염, 약제성(면역억제제, 항암제 등)을 들 수 있으며, 국소적 원인으로는 타액분비 저하, 구강위생불량, 의치의 장시간 장착, 경구섭취의 장기 중지 등이 있다. 구강점막에서 다수의 백반을 확인하며, 벗기면 붉은 점막이 보인다. 만성 진균감염은 구각염을 수반하는 경우가 많다.

*임상에서 접하는 빈도 : 비교적 높다.

(≫ p.16, 그림 1-12 참조)

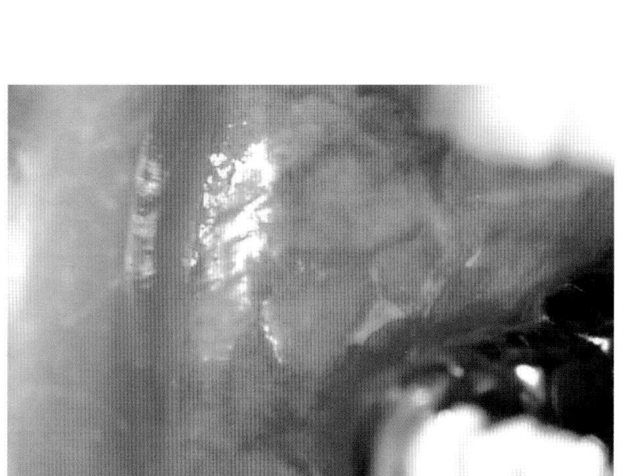

●●● **그림 2-16.** 구강편평태선(태선 유사반응) 반상 타입

- 망상 타입은 감별이 용이하지만 반점상(plaque) 타입은 어렵다.
- 본 증례는 패치테스트에서 파라듐, 코발트, 크롬에 강양성을 나타냈다.

*임상에서 접하는 빈도 : 비교적 높다.

(≫ p.16, 그림 1-11 참조)

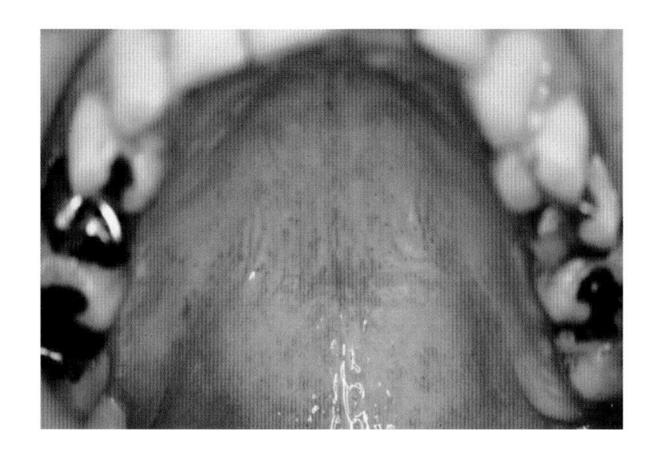

그림 2-17. 니코틴성 구개백색각화증

- 흡연으로 구개점막의 백색변화에서 소타액선 관부가 점상반점으로 관찰되는 것이 특징.

*임상에서 접하는 빈도 : 비교적 높다

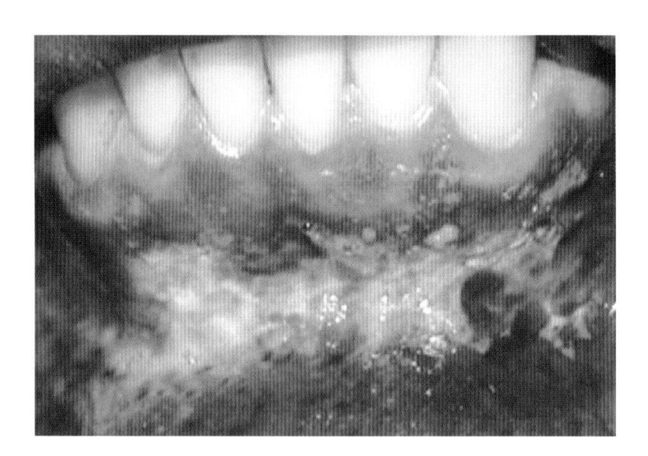

그림 2-18. 소석회(수산화칼슘)에 의한 화학적 손상

- 약제, 화학물질이 직접 점막에 작용하여 일어나며 통증을 수반한다. 원인제거로 신속히 개선된다.

*임상에서 접하는 빈도 : 낮다

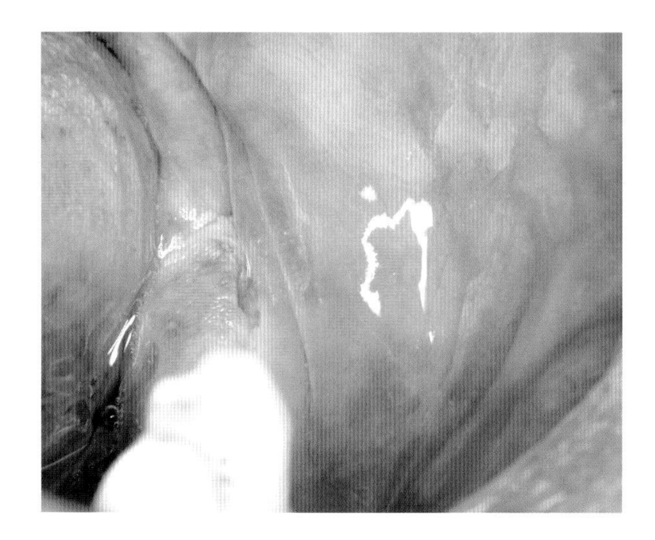

그림 2-19. 백색부종

- 흡연과 관련이 있고, 양측 협점막의 옅은 백색 반점이며 점막이 개구 등으로 잡아당겨지면 소실된다.

*임상에서 접하는 빈도 : 낮다

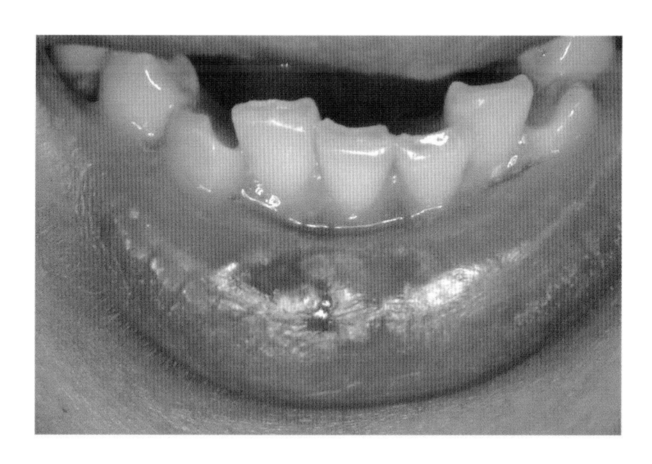

●●● **그림 2-20.** 원판형 홍반성낭창(lupus erythematosus)

- 방사형태의 백색 반점으로 둘러싸인 홍반을 나타낸다. 설구순에 생기기 쉽다.

*임상에서 접하는 빈도 : 낮다

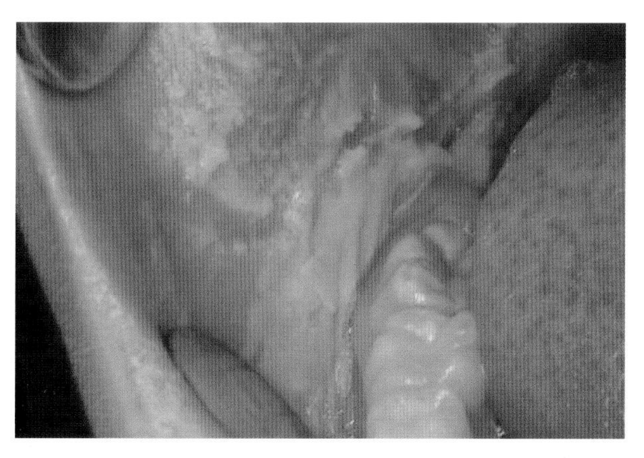

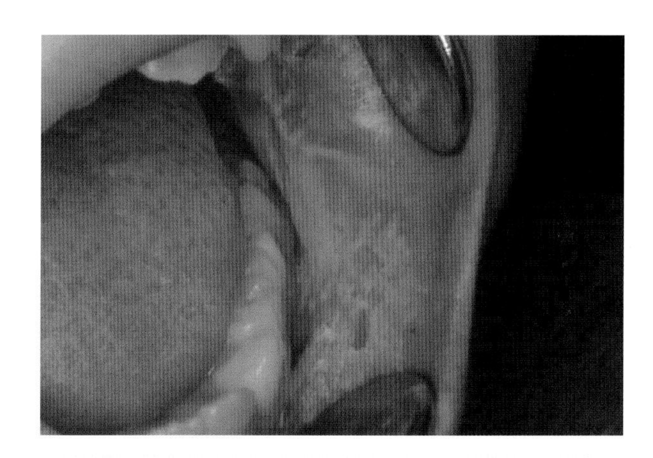

●●● **그림 2-21.** 백색해면상모반(white spongy nevus)

- 양측 협점막, 설연에 스펀지 형태의 백색 반점을 나타내는 드문 유전성질환이며, 가족성으로 나타나는 케라틴의 유전자변이가 원인이다.

*임상에서 접하는 빈도 : 매우 낮다

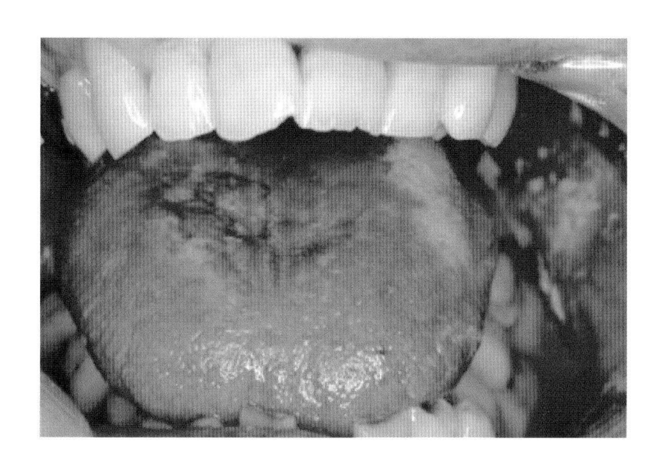

●●● **그림 2-22.** 모상백반증(coral hairy leukoplakia)

- HIV감염에 의한 양측 설연의 백색 세로주름이 특징이다.
- 본 증례는 HIV감염자로 AIDS가 발증하여 칸디다감염을 수반하고 있다.

*임상에서 접하는 빈도 : 매우 낮다.

(2) 홍반증(홍반백반증, erythroplakia)

홍반증은 WHO에서 '임상적으로나 병리학적으로 특징지을 수 없는 붉은 벨벳 모양의 반점 형태를 나타내는 백반증과 유사한 병변'이라고 정의되며, 백반증보다 드문 병변입니다. 그러나 악성경향이 좀 더 강하고, 병리조직학적으로는 중증도~고도상피이형을 나타내어 상피내암, 미소침윤암을 확인하는 경우도 드물지 않습니다.

정상점막과의 경계가 명료하고, 무증상성, 표면은 일부각화를 수반하며, 때로 육아모양을 나타내기도 합니다(그림 2-23). 역학적으로 흡연습관이 있는 남성에게 발생하기 쉬운데, 위험인자가 없는 중년이후의 여성에게도 확인되는 병변입니다.

(3) 구강편평태선

구강편평태선은 피부구강점막에 나타나는 만성염증성 각화병변입니다. 발생빈도는 여성이 남성의 3배로, 좌우대칭성 또는 다발성으로 나타나는 특징이 있습니다.

임상형은 구진형, 망상형(그림 2-24), 반점상형, 위축형, 미란형, 수포형이 있으며, 그 병태는 경시적으로 변화하고, 위축형, 미란형(그림 2-25)에서 암화경향이 강합니다. 또 편평태선과는 별도로 태선유사반응(그림 2-16 참조)이라는 카테고리에서 태선유사접촉성병변, 태선유사약진, 이식편대숙주병으로 분류되는 병변이 있는데, 양자의 감별은 임상적으로나 병리학적으로 어렵습니다.

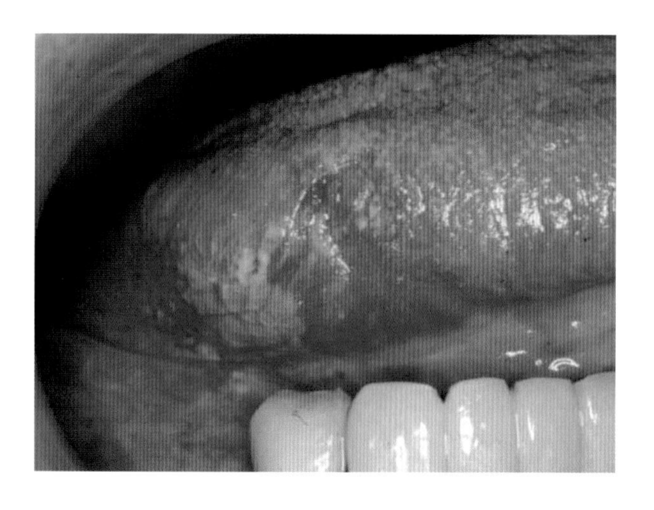

그림 2-23. 홍반증

- 백색 반점을 수반하는 것은 홍반백반증이라고 한다.
- 접촉통·자발통을 수반하는 경우가 많다.

(≫ p.13, 그림 1-5 참조)

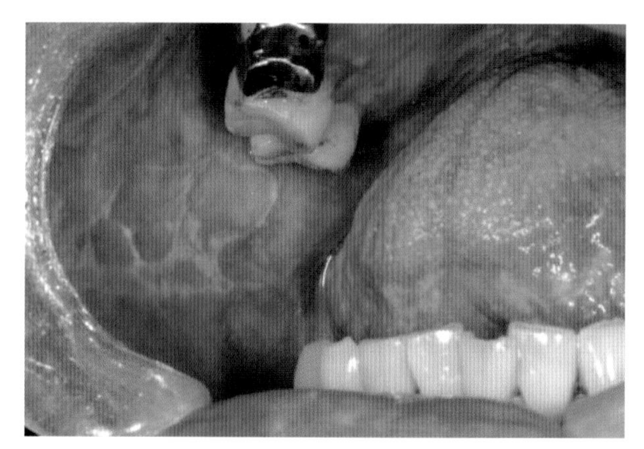

그림 2-24. 망상형 구강편평태선

- 양측 협점막에 생기는 것이 전형적인 구강편평태선이다.
- 본 증례는 설연에서도 확인된다. 반점상, 비늘상으로 보인다.

(≫ p.16, 그림 1-11 참조)

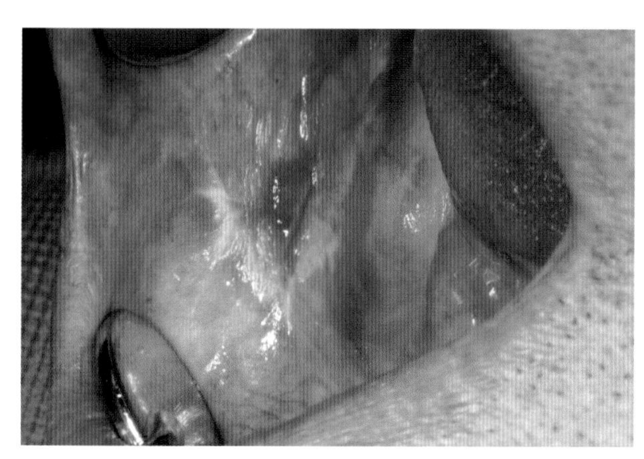

그림 2-25. 미란형 구강편평태선

- 백색 반점의 중앙부에 미란을 수반한다.
- 동통을 수반하는 경우가 많다.

2) 구강암과 양성질환의 감별진단

(1) 치주병과 치은암의 차이

잇몸에 발생하는 악성종양의 대부분은 치주조직에 침투하여 골파괴를 일으키므로, 치아의 동요가 초기증상인 경우가 많습니다. 그 때문에 치주병으로 오진하여 종양내의 동요치를 발치하고, 발치 후의 치유부전으로 전문기관에 의뢰되어 오는 경우가 있습니다. 이와 같은 상태에서도 의뢰의가 악성종양을 의심하지 않는 증례가 드물지 않습니다. 그 만큼 두 병소의 임상양상이 유사하다고 할 수 있는데, 초기 단계에서 악성변화를 반드시 발견하기 바랍니다. 치은암과 치성염증은 어떻게 감별할까요? 그림 2-26~29에 두 병소의 임상적 특징에 관하여 정리하였습니다.

(2) 치은에 발생하는 종류성병변과의 감별

에플리스(epulis)는 치은에 발생하는 대표적인 종류성병변으로 만성염증성 증식성병변의 하나입니다. 임상적으로 경계가 명료한 무통성 종류로 그 대부분은 표면이 각화되지 않아서 정상 점막색입니다(그림 2-30, 31). 외향성증식을 나타내는 치은암 증례에서는 이와 같은 염증성 증식성병변과 감별해야 합니다.

(3) 치은 이외의 구강점막에 발생하는 양성병변과 구강암의 감별

구강점막에 종류를 형성하는 병변은 궤양, 미란을 주증상으로 하는 것보다 감별이 비교적 용이합니다. 그것은 양성 종류성병변의 점막표면이 평활하고 정상 점막색을 나타내는 경우가 많기 때문입니다. 악성종양인 경우는 표면이 부정형으로 경결을 확인하며, 결막은 각화 때문에 백반을 확인하는 경우가 흔히 있습니다(그림 2-32~35).

치주조직 이외의 구강점막, 특히 혀, 협점막, 구순에서는 궤양, 미란을 수반하는 양성병변도 구강암과 똑같은 병태를 나타내기도 합니다(그림 2-36~40).

특히 설암의 경우는 보철물 등에 의한 외상성궤양과 감별해야 합니다. 이와 같은 증례에서는 반드시 촉진하여 경결이 있는지의 여부, 즉 주위조직에 침윤경향이 있는지를 검사해야 합니다. 또 병변의 표면조직이 괴사를 일으키는 경우도 볼 수 있습니다(그림 2-41). 이 경우, 악성종양의 독특한 악취를 풍기므로, 시진, 촉진뿐 아니라 냄새도 중요한 임상상의 징후가 됩니다.

시진, 촉진을 주체로 한 일차진단에는 한계가 있으며, 그 때문에 요드염색, 발색법(發色法) 등의 보조진단을 병용하는 것이 유용합니다. 양성병변을 바르게 양성이라고 판단하는 능력, 음성병변을 바르게 음성이라고 판단하는 능력을 키우기 위해서는 최신 진단기준에 따라서 진단능력을 표준화(calibration)하여 병변을 검출하는 것입니다.

(4) 신중한 병상설명-전문기관에 소개-그 후의 대응

의심스러운 병변이 있을 경우의 대응은 항상 준비해 두어야 합니다. 특히 환자에게 병상에 관해 설명할 때는 신중을 기해야 합니다. 정밀검사를 확실히 받게 하기 위해서 검사의 필요성을 충분히 설명하고, 또 검사결과에 관해서 상담을 받을 때의 대응이나 그 후의 전개에 관해서도 사전에 숙지해 둡니다. 오랫동안 치료하던 환자와 신뢰관계가 확립되어 있다면 더욱 그렇습니다. 어느 정도 시나리오를 준비하여 환자의 정신적·신체적 고통을 배려하면서 대응하기를 단골 치과주치의에게 기대하는 바입니다.

❖ 치은암과 치성감염증의 감별

Point ! 암의 임상적 특징은 증식속도가 양성질환보다 빠르므로, 악성종양이 의심스러우면 1주 이상 간격을 두지 말고 경과 관찰합니다.

	치성감염증	치은암
특징	☐ 염증의 5징후(발적, 종창, 동통, 열감, 기능장애)를 확인한다. ☐ 배농을 확인한다. ☐ 점막에서 각화가 보이지 않는다.	☐ 염증징후에 합치하지 않는 소견이 있다. ☐ 종양을 형성하지 않는다. ☐ 증상속도가 빠르다. ☐ 자발통을 수반하지 않는 경우가 많다. ☐ 각화경향으로 백색 반점을 나타낸다. ☐ 부정형을 나타낸다. ☐ 형성된 궤양에서 출혈을 확인한다.

임상병태

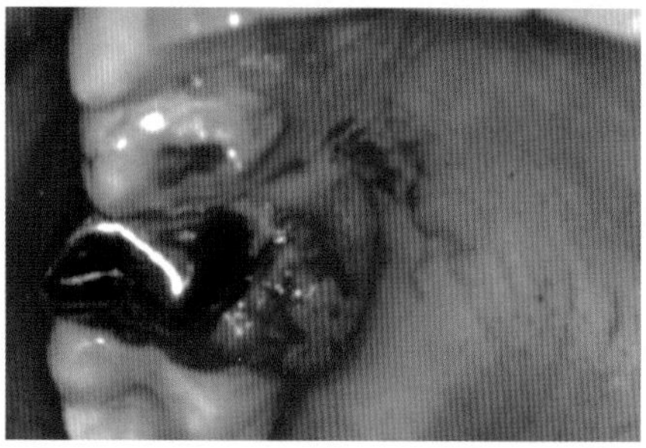

●●● 그림 2-26. 상악 치은암(미러상)

치은종양과 마찬가지로 종류를 형성하고 있지만 저작통이 없으며, 잘 관찰하면 점막표면에 하얗게 각화를 수반하고 있다.

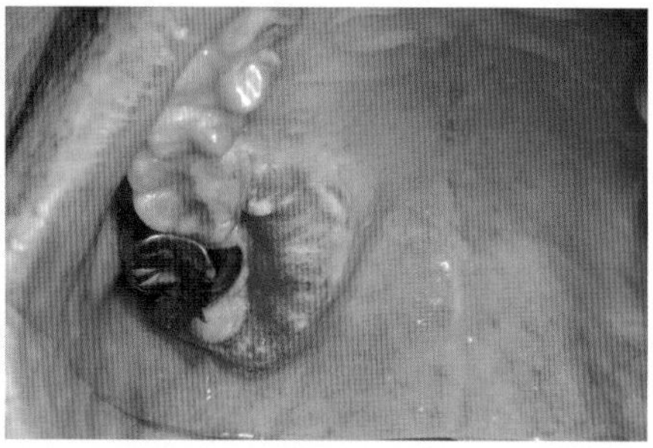

●●● 그림 2-28. 치은농양

저작통을 수반하는 경계가 명료한 종류가 나타나며 배농을 확인한다.

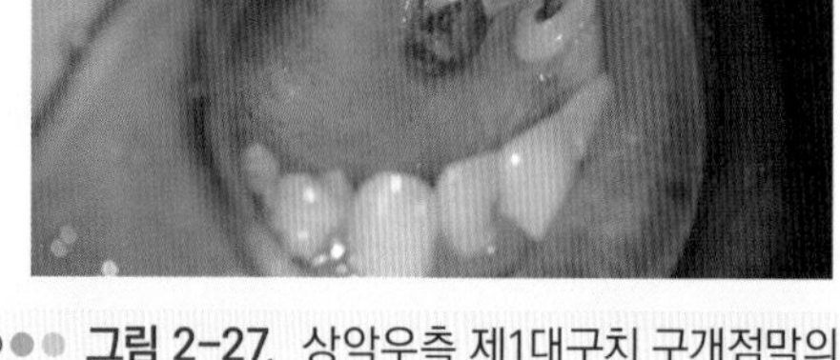

●●● 그림 2-27. 상악우측 제1대구치 구개점막의 궤양형성

변연성 치주염 때문에 구개측에 농양을 형성하고, 이것이 짓물러서 점막상피에 궤양을 형성하였다. 궤양면이 평탄하고, 각화경향이 확인되지 않으며 변연이 스무스한 점이 악성종양과의 감별포인트이다.

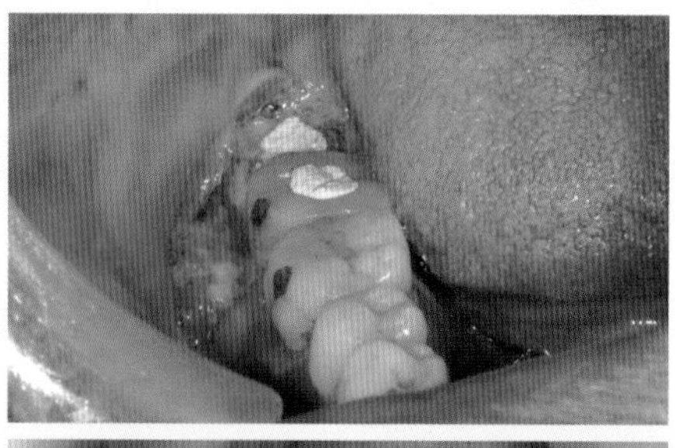

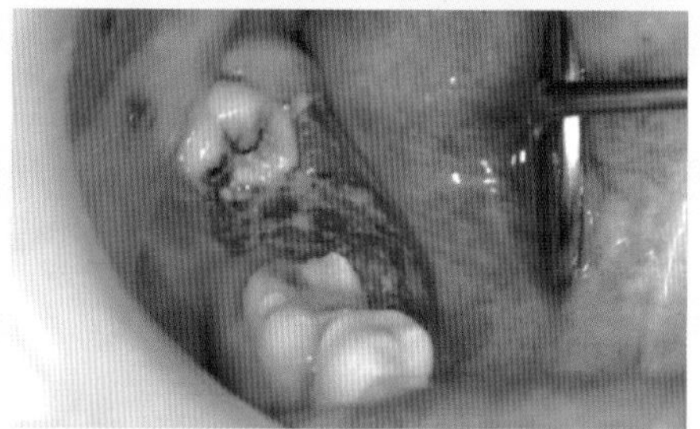

●●● 그림 2-29. 치은암

언뜻 보면 치은농양 같지만 모두 악성병변이다. 협측, 구저로 진전되면 촉진시 협점막에서 경결을 확인한다. 그러므로 이와 같은 병변은 반드시 촉진해야 한다.

❖ 치은에 발생하는 유사병변과의 감별

 Point ! 외향성 증식을 나타내는 치은암 증례는 염증성 증식성병변과 감별이 중요합니다.

감별 포인트

- 경계가 명료한가? 무통성인가?
- 각화되지 않고 정상 점막색인가?
- 치아 동요가 있는가?
- 단기간에 증대되었는가?

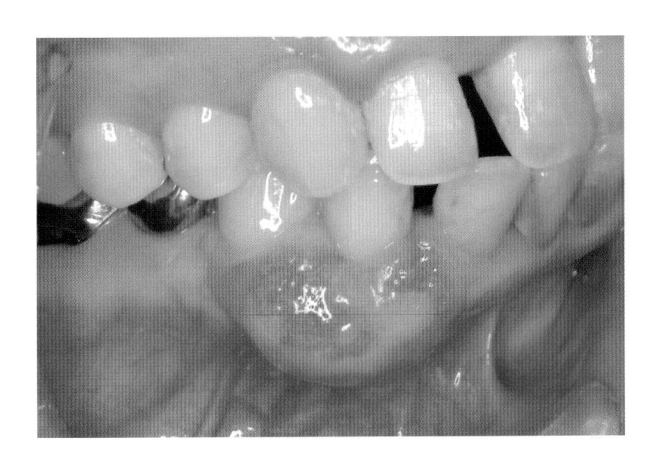

●●● 그림 2-30. 염증성 육아종(Inflammatory granuloma)

- 경계가 명료한 탄성경의 종류를 나타낸다.
- 원인이 되는 감염원이 존재한다.
- 치주병, 근단병소(根端病巢)에 의해서도 병발한다.
- 원인제거와 함께 절제한다.

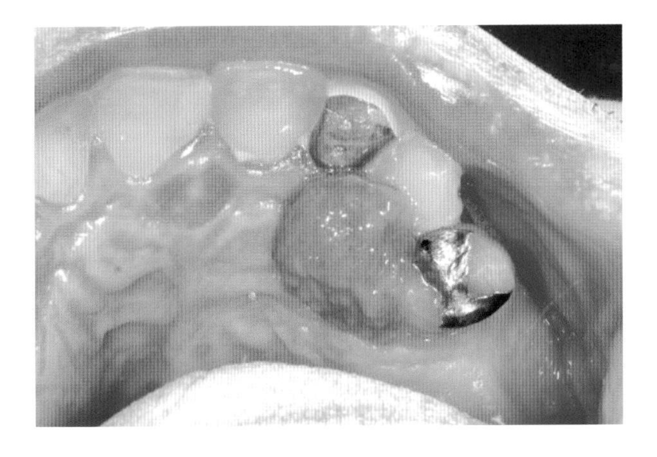

●●● 그림 2-31. 에플리스(Epulis)

- 양성병변은 경계가 명료하고 외향성이다.
- 유경종(有莖腫)이다. 줄기가 치경부에 있다.
- 치근막도 포함하여 절제한다.

❖ 치주조직 이외의 구강점막에 발생한 구강암과 양성병변의 감별

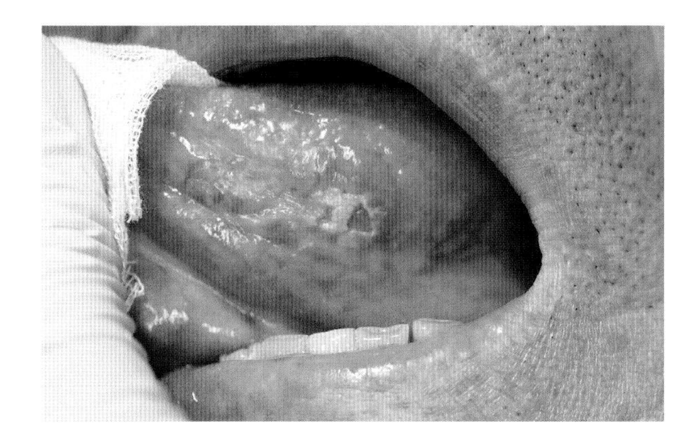

그림 2-32. 백반증의 암화 증례

그림 2-13(a)와 유사한 백반의 일부에서 홍반을 확인하는 백반증이지만, 병리조직진단에서 초기암이었다. 혀의 병변은 반드시 촉진을 명심해야 한다.

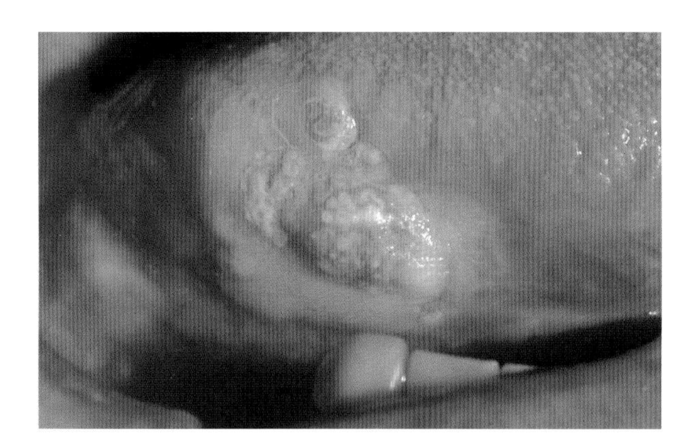

그림 2-33. 설백반증의 암화

기존의 백반부에서 부정형종류가 확인된다.

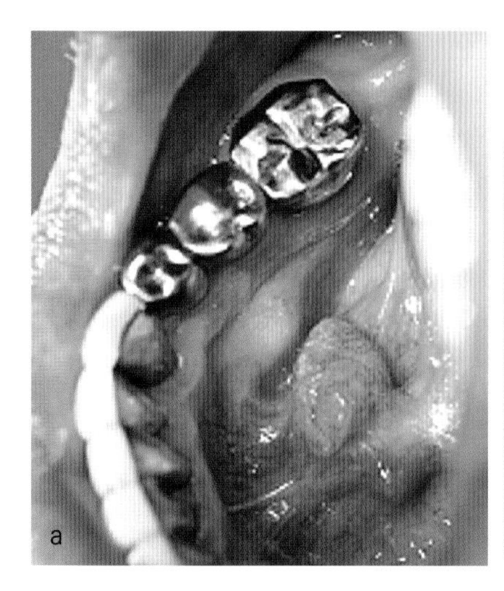

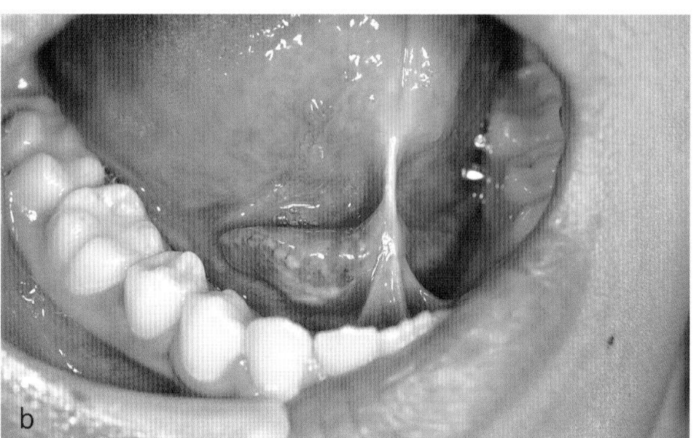

그림 2-34. 설하소구(舌下小丘)에 생긴 편평상피암(a)과 점액낭포(b)

(b)는 점액낭포이다. 보기에는 거의 똑같지만 (a)의 편평상피암에서는 주위점막조직에 경결을 수반하고 있다. 촉진이 감별에 중요하다.

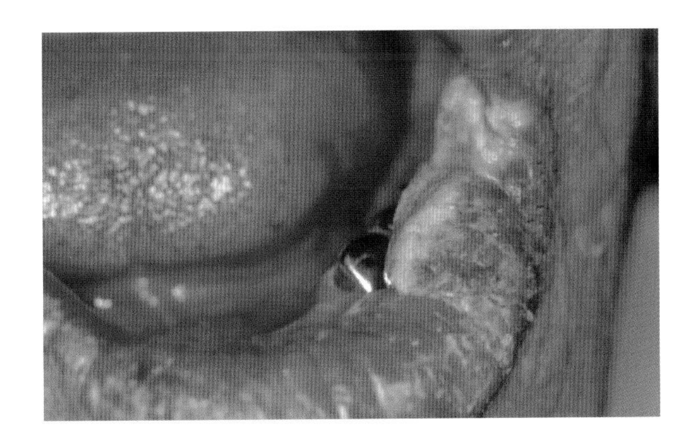

●●● 그림 2-35. 구순백반증의 암화 증례

- 대합치 선단부의 예리한 부위와 접하는 부분에서 발생하고 있다.
- 기존의 백색병변 때문에 경결과 종창이 생겼다.

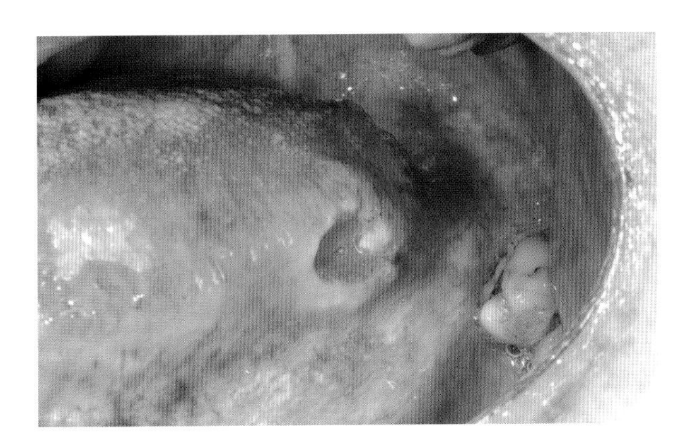

●●● 그림 2-36. 설측으로 경사진 사랑니로 인한 외상성 궤양

- 궤양면, 궤양변연이 부정형이 아닌 점과 촉진 결과 경결을 수반하지 않는 점이 악성종양을 배제하는 임상적 근거가 된다.
- 동통을 수반한다.

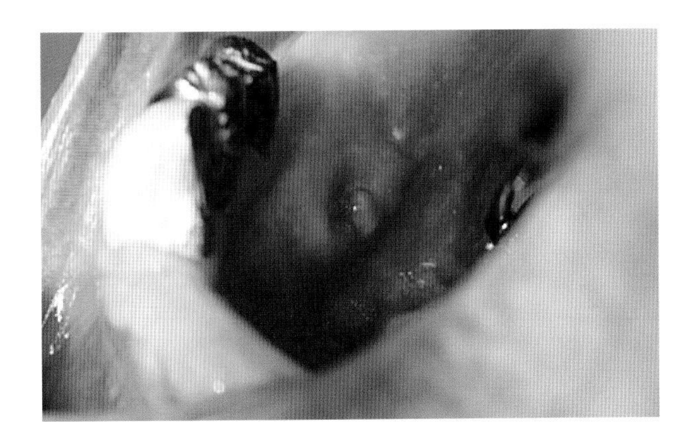

●●● 그림 2-37. 의치성 궤양

- 의치의 변연에 생긴 궤양성병변으로, 본 증례처럼 환자 자신이 잘 보기 어려운 부위는 주의깊게 관찰해야 한다.
- 동통을 수반한다.

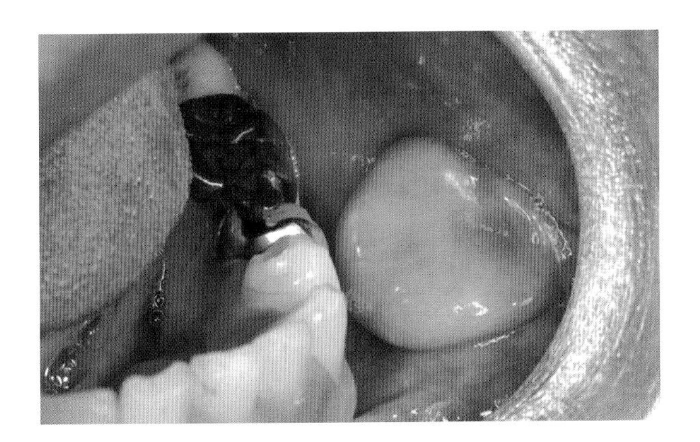

●●● 그림 2-38. 섬유성 폴립(fibroma, fibrous polyp)

- 경계가 명료한 탄성이 부드러운 종류이며 표면점막은 정상 점막색을 나타낸다. 증식속도는 완만하다.
- 유경성(pedicle)인 경우도 있다.

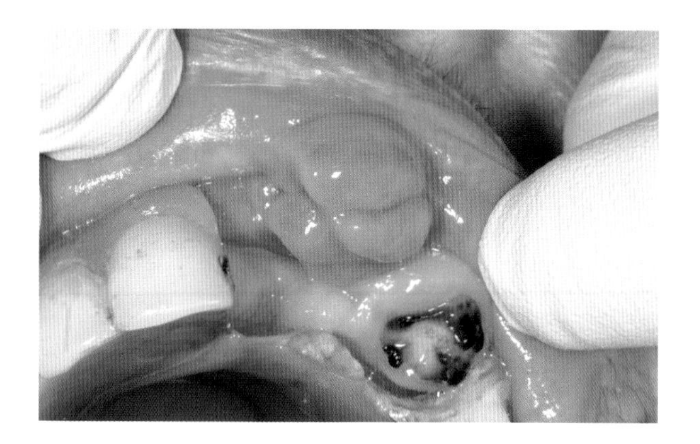

●●● **그림 2-39.** 의치성 폴립

- 의치가 구순점막을 오랫동안 자극해서 생겼다고 추정된다. 표면점막은 정상 점막색을 나타낸다.
- 탄성이 부드러우며 가동성, 무통성 종류이다.

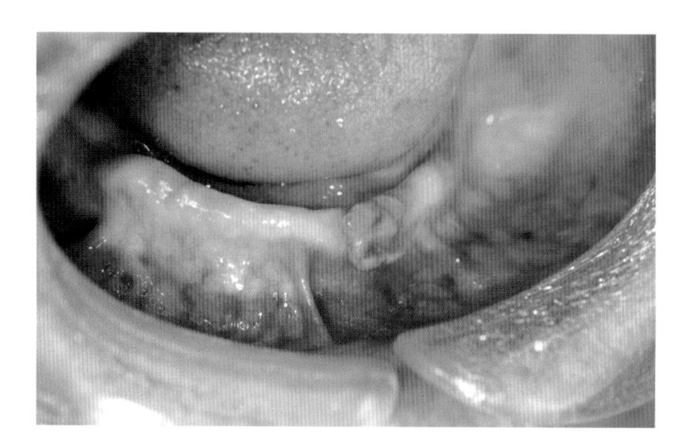

●●● **그림 2-40.** 치은섬유종

- 치조정(齒槽頂)에 발생한 유경성 종류로 탄성이 부드럽게 만져진다.
- 근원심으로 증대되어 플라비 검(flabby gum)을 나타낸다.

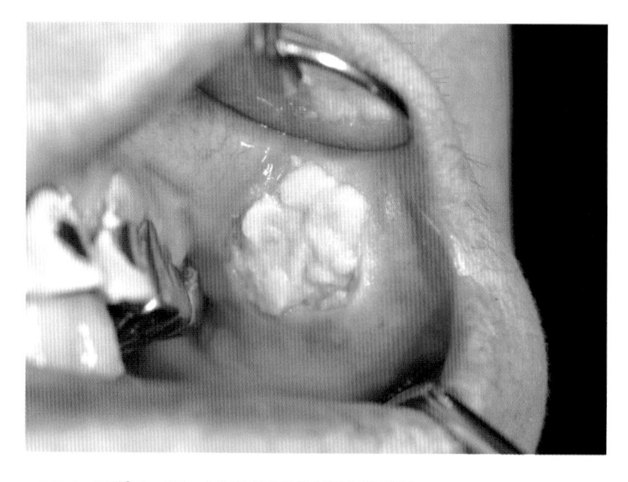

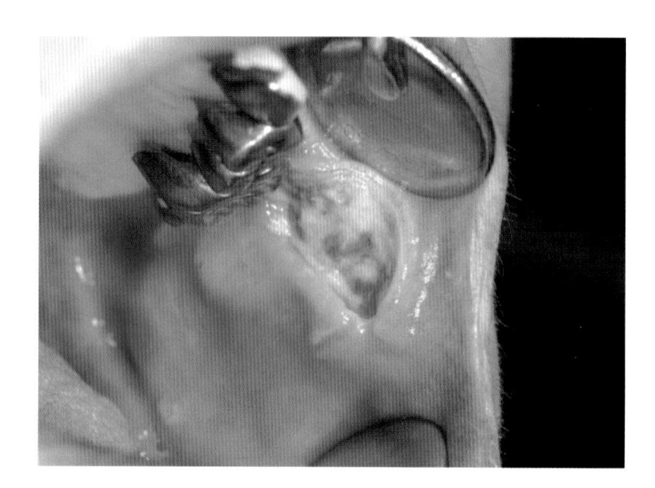

●●● **그림 2-41.** 갑상선암의 전이성 종양

타부위의 암이 구강으로 전이되는 경우도 드물지 않다. 본 증례는 표면에서 괴사조직과 경결을 확인하였다(왼쪽). 1주후에는 괴사조직이 탈락되고 궤양형성이 나타났다(오른쪽).

감별 포인트

암의 기왕증이 있는 환자에게는 전이성 암, 2차암을 고려해야 하며, 그 점에서 문진도 중요하다.

≫ 참고문헌

1) Warnakulasuriya S et al. : Nomenclature and classification of potentially malignant of disorders of the oral mucosa. J Oral Pathol Med. ; 36 (10) : 575-80, 2007.

2) 長尾 徹 : 구강외과 YEAR BOOK 일반임상가, 구강외과의를 위한 구강외과 핸드매뉴얼 '05 구강점막병변과 구강암의 감별진단. 퀸텐센스출판, 도쿄, 2005, 148-152.

⋙ Column | 진단력을 높이려면 어떻게 해야 하나? -간과해서는 안 되는 초기증상의 포인트

구강점막질환의 진찰에서는 우선 색, 형태, 경도, 기능감별을 하는 것이 중요합니다. 점막질환이 색을 나타낸다고 하면 적색, 백색, 누런색, 흑색 밖에 없습니다. 염증 등으로 결합조직 내의 혈관밀도가 높아지면 적색~선홍색병변이 되고, 상피층의 비후와 각화항진이 일어나면 백색병변, 지방계조직 등이 많은 부분 존재하면 누런색병변, 멜라닌색소의 과형성이나 금속이온이 침착되면 청자색~흑색병변을 나타냅니다. 특히 구강암이 되기 쉬운 병태가 나타내는 색은 '적색과 백색'입니다. 백반증 등의 백색병변은 2~5%, 홍반증 등의 적색병변은 50~60%의 비율로 암화된다고 보고되어 있으므로 주의해야 합니다.

형태에는 수포나 융기, 궤양, 육아 등 여러 가지 패턴이 있지만, 여기에서는 특히 신경을 써야 할 시진형 3가지를 나타냈습니다. 상피를 지나서 바깥쪽으로 증식하는 외향성, 상피화 결합조직 내로 침윤하는 내향성(침윤성), 물이 들은(적색과 흰색) 표재형으로 나뉩니다.
또 외향성은 유두형, 육아형, 내향성은 경결, 궤양형, 표재형은 백반, 미란형으로 각각 분류됩니다.

촉진의 포인트는 병변과 주위건강조직의 경계 상태를 파악하는 것입니다. 악성에서는 병변 주변에 융기와 경결이 있으며, 건강조직과의 경계가 불명료한 것이 특징입니다. 주의를 요하는 소견으로 백색보다 적색, 외향보다 내향, 그리고 특히 지각마비, 주위의 경결 등의 증상이 각각 주목해야 할 포인트입니다.

다음에 구강영역의 기능에는 저작, 연하, 발음, 개구 등의 운동, 그리고 안면피부의 지각이 있습니다. 이들의 신경장애가 확인되었다면 우선 중추계 장애를 부정하고 나서 국소의 병태를 정밀 검사해야 합니다. '입이 잘 벌어지지 않는다'→ '악관절증'이라고 결정짓지 말고, 우선 파노라마 엑스선사진을 촬영하여 악골내 병변의 유무를 확인해야 합니다. 악골내 중심성암 등이 있어서 골내에서 침윤 증식하여 지각신경마비, 저작근군으로 진전하여 개구장애를 일으키는 경우가 있기 때문입니다.

그 밖에 병변이 염증을 수반하거나, 보철물 등으로 자극받는 경우에는 구강 내를 청소하고 항균제를 투여하거나, 자극이 되는 보철물을 제거하고 관찰해야 합니다. 그러나 자극을 제거하기 위함이라고 해도 병변 속에 식립되어 있는 치아를 발거하는 처치는 금물입니다. 또 염증증상이 있어도 함부로 절개해서는 안 됩니다.

구강점막에 의심스러운 병변이 있고, 현 병력으로 1개월 이상 치유되지 않는 경우나, 기계적 자극을 제거하고 항균제를 투여하는 등의 처치를 했음에도 불구하고, 1~2주 이내에 치유되지 않는 경우는 확정진단과 치료를 위해서 환자를 즉시 상급의료기관에 의뢰합니다.

(시바하라 타카히코)

Oral Cancer Screening STEP 1·2·3

02 구강암이 의심스러운 경우 검진 진행법 검사의 견해

1. 구강암과 치과의료현장의 현 상황

위암·폐암·대장암 등의 관찰에는 파이버스코프(fiberscope) 등에 의한 검사가 필요하지만, 구강암의 대부분은 눈으로 바로 확인할 수 있습니다. 일본이나 서구 여러 나라의 구강암 발생빈도는 전체암의 불과 1~2%(두경부암에서 약 4%)에 지나지 않습니다. 그러나 구강암 환자의 대부분은 병이 어느 정도 진행된 상태에서 의료기관에 의뢰됩니다. 그 결과 일본의 구강암 사망자수(인두암 포함)는 2005년에는 6,800명을 돌파했습니다. 우리들 치과의료종사자는 이 사태를 심각하게 받아들여야 합니다.

그럼, 왜 구강암은 발견이 늦을까요? 그 원인으로 국민의 구강암에 대한 인식 부족이나 암검진을 비롯한 구강암에 대한 행정의 대처가 충분하지 않은 점 등을 들 수 있습니다.

그러나 최대 원인은 치과의료종사자측에 있으며, 이 문제의 신속한 해결이 필요합니다. 현재, 일본의 치과의사수는 약 10만명, 개원치과의원수는 약 7만곳, 또 취업치과위생사수는 10만명이라고 합니다. 적어도 약 20만명의 치과의료종사자가 전국 7만곳의 시설에서 매일 환자의 구강 내를 보고 있음에도 불구하고 구강암이 발견되지 않거나 발견이 늦어지고 있는 것입니다.

예를 들어, 치수염에 의한 통증을 호소하는 환자에게 대부분의 경우, 주소의 부위를 중심으로 하는 검사·진단·치료가 이루어질 것입니다. 그러나 그 환자의 설하면, 또는 하악설측치은-구강저부에도 암이 숨어 있을지 모릅니다. 기본적인 것이지만, 모든 환자에게 그림 2-42와 같은 흐름에 따라서 구강 내외를 철저히 진찰해야 합니다.

2. 구강을 구성하는 세포의 특징

구강점막은 저작이라는 기능압을 받아들이는 치은과 경구개의 저작점막, 탄성 있게 자유로이 변형할 수 있는 협·구순·구강저·혀의 복측(腹側) 피복점막, 혀의 배측(背側)과 점막·표피이행부에서 볼 수 있는 특수점막의 3가지 점막으로 이루어져 있습니다.[1] 저작점막에서는 두꺼운 진성 정각화, 착각화를 수반하고, 피복점막에서도 경구개, 설하면, 구저, 치조점막 등은 얇은 비각화성 중층편평상피가 주체이며, 협이나 구순에서는 두꺼운 비각화성 중증편평상피가 주체입니다. 특수점막인 설배부는 두꺼운 각화성 중층편평상피로 덮혀지고, 미뢰(味蕾)가 있는 설유두를 포함하고 있습니다(그림 2-43 / p.11, 12 참조).

구강은 치아 이외의 표면이 모두 편평상피로 이루어지는 점막으로 피복되어 있어서, 구강암의 80% 이상은 병리조직학적으로 편평상피암입니다. 구강편평상피암은 건강한 점막이 상피성이형성으로 변화하고, 또 장기적으로 암화된 것이 많아서 우리들 치과의료종사자는 '구강점막상피는 장래 암이 될 가능성이 높은' 것으로 세포레벨에서 인식·숙지한 후에 진찰에 임해야 합니다.

한편, 구강 내는 타액이나 세균총으로 항상 만성염증 상태에 있으며, 정상인 구강점막에서도 전신상태나 음식의 온도, 기계적 자극으로 색조 등에 항상 변화가 일어나고 있습니다.

따라서 매일 변화하는 구강 내에서 그 변화가 '암'인지를 감별하는 것이 쉽지 않으므로, 우선은 "의심하는 눈"을 길러야 합니다.

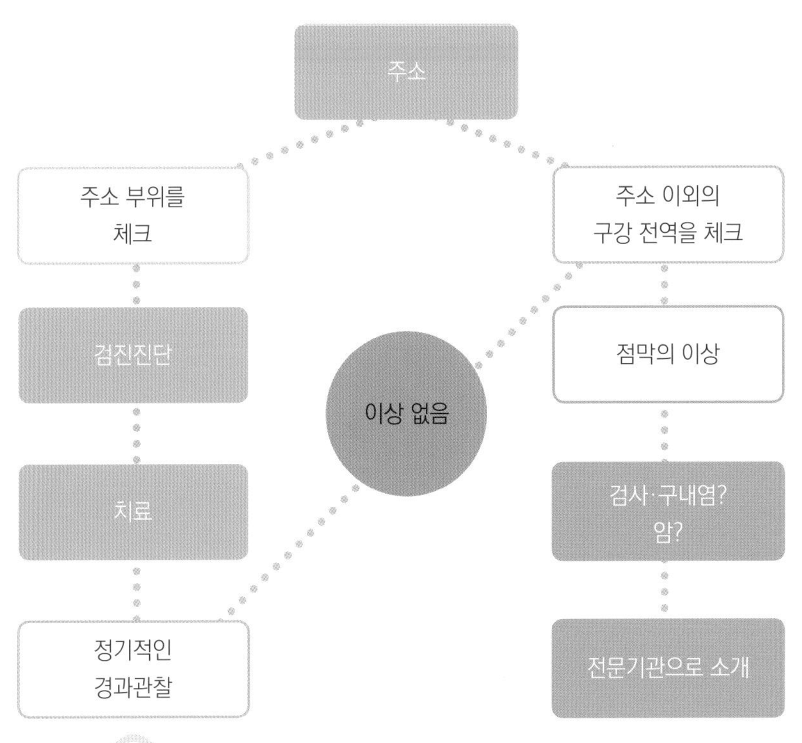

Point ! 주소 이외의 구강전역도 빈틈없이 검사하는 것이 중요하다.

그림 2-42. 구강암 검출의 flow chart

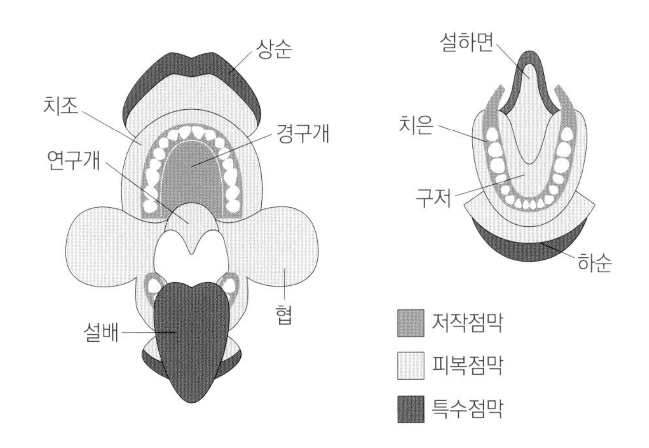

그림 2-43. 구강을 구성하는 저작점막(Roed-Petersen팀[1)]에서 개편)

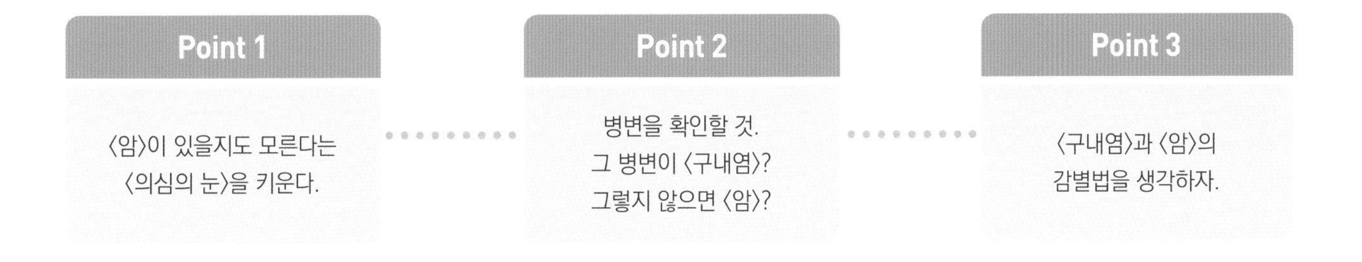

Oral Cancer Screening STEP 1·2·3

03 구강암이 의심스러운 경우 검진 진행법 검사 시에 덴탈스텝의 **역할분담**

1. 치과위생사의 직무

우선 치과위생사의 직무에 관하여 살펴봅니다. 치과위생사법의 기재내용을 요약하면, 다음과 같습니다.

(1) 치과의사의 직접 지도하에 치아 및 구강질환의 예방처치로, 치아 노출면 및 정상 치경의 유리연 아래의 부착물 및 침착물을 기계적 조작으로 제거할 수 있다.
(2) 치아 및 구강에 약물을 도포할 수 있다.
(3) 치과진찰을 보조할 수 있다.
(4) 치과보건지도를 할 수 있다.

많은 치과의원에서 치과위생사가 담당하는 업무는 치석제거나 관리가 주체가 되고 있습니다. 이것은 치과위생사법에 준한 정당한 행위입니다. 그러나 유감스럽게도 구강암을 비롯한 구강점막질환에 관한 업무는 앞에서 기술한 업무만으로는 불충분합니다. 치과위생사법에 구강점막에 관한 업무에 관하여 명확한 기재가 없는 것은 행정의 구강암에 대한 인식의 현 상황을 나타내는 하나의 예라고 할 수 있겠습니다.

한편, 치과위생사법 제13조 제2항에는 치과의사행위의 금지 등이 기재되어 있습니다. 여기에서는 구강 내를 치과위생사가 "관찰"하는 것에 관해서, "그 지식 및 기능에 따라서 일정한 한계가 있다"고 하면서도 절대적 금지행위라고는 기재되어 있지 않습니다.

따라서, '구강암을 비롯한 구강점막질환을 충분히 배운 치과위생사가 환자의 구강 내를 관찰하고, 뭔가 이상을 발견한 경우 담당치과의사에게 보고한다'는 행위는 결코 위법이라고 할 수 없으며, 오히려 의무라고 할 수 있습니다.

실제로, FDI(국제치과연맹)는 모든 구강보건전문직이 해야 할 역할로, '환자교육이나 효과적인 진단기술을 통해서 구강암의 조기발견과 높은 위험요인의 제거 등에 공헌해야 한다'고 강조하고 있습니다. 그 역할을 담당하는 것은 치과의사뿐 아니라 치과위생사가 포함된다는 것은 말할 것도 없습니다.

2. 뭔가 이상하다고 느끼는 것이 중요

실제로, 치과위생사 여러분이 평소 진단 중에서 "뭔가 이상하다"라고 점막의 변화를 확인한 적이 있을 것입니다. 매일 환자와 마주하는 치과위생사가 치아와 치주조직뿐 아니라, 혀·구강 저·협·구개 등 구강 전부로 눈을 돌림으로써, 그 때까지 찾지 못했던 병변을 발견할 수도 있습니다.

우선, 치과위생사를 비롯한 덴탈스텝이 관찰해야 하는 구강점막병변의 포인트는 색(백색·적색·흑색)과 형태(팽륭과 궤양)입니다[2)](그림 2-44).

❖ 덴탈스텝이 관찰해야 하는 구강점막병변 ❖

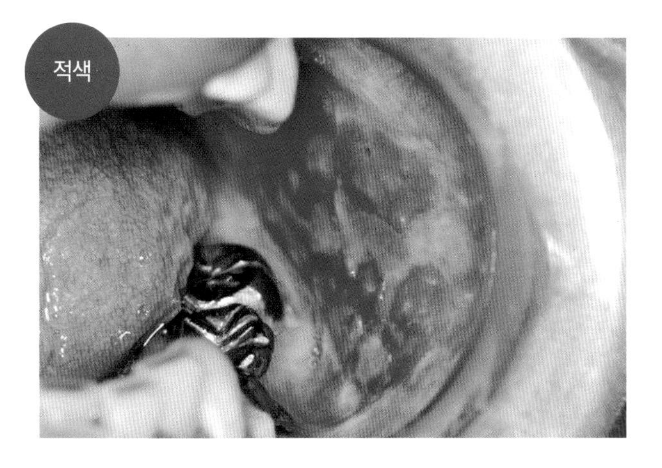

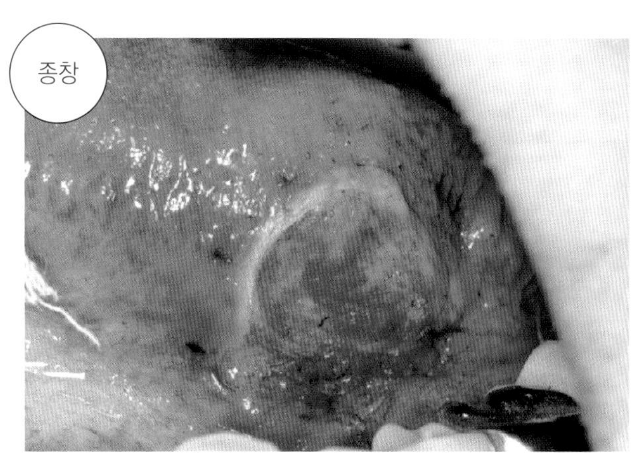

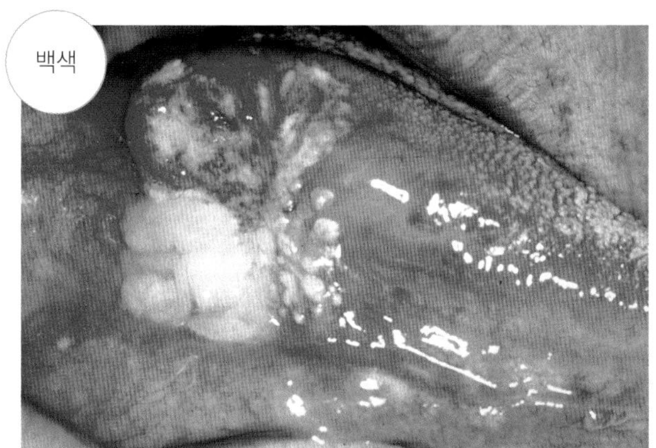

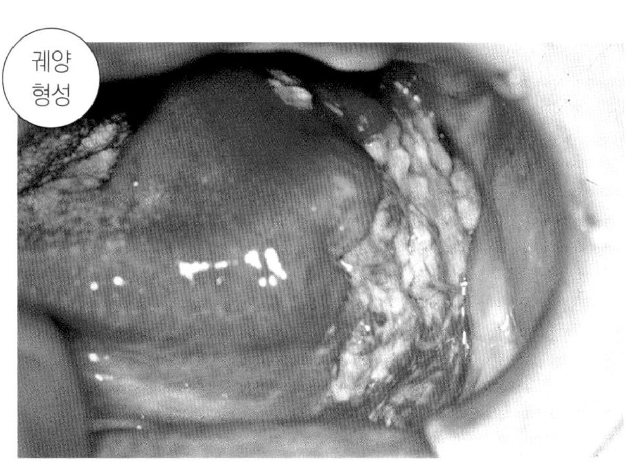

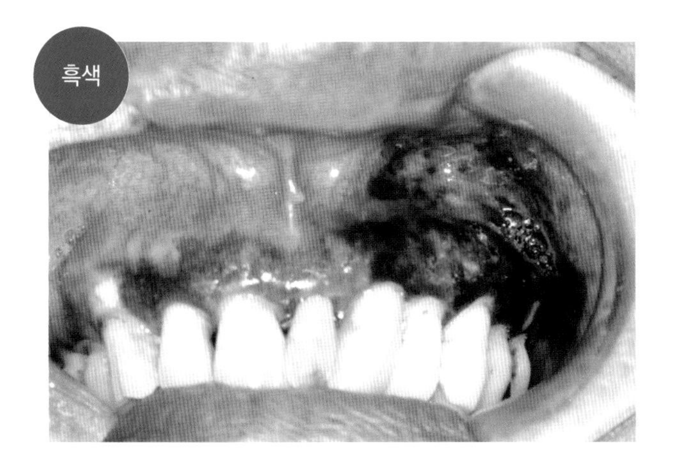

●●● **그림 2-44.** 세포검사의 대상질환

구강병변은 색조(적색·백색·흑색)와 형상(종창·궤양형성)으로 판정한다(문헌 2, 5, 6에서 인용).

(≫ Step 1-2 그림 참조)

Point 1	Point 2	Point 3
구강점막의 병변을 배우자!	모든 구강점막을 살펴보자!	〈적색·백색·흑색〉, 〈종창·궤양〉에 주목하자!

Oral Cancer Screening STEP 1·2·3

04 구강암이 의심스러운 경우 검진 진행법
환자에게 어떻게 **검사를 촉구하는가?**

1. 검사의 목적

일반적으로 검사는 환자에게 하는 생체검사와 환자에게서 채취한 재료를 이용하는 검체검사로 나뉩니다(그림 2-45). 전자는 파노라마엑스선이나 CT, MRI, 초음파검사 등이며, 후자는 세포검사·병리조직검사, 혈액검사 등입니다. 후자 검사의 첫째 목적은 그 병변이 염증(구내염)인지 종양(암)인지를 밝히는 것입니다.

개업치과의원에서도 임상진단을 뒷받침하기 위해서 필요한 검사(전문기관의 의뢰 포함)를 할 때에 환자로부터 informed consent를 얻어야 합니다.

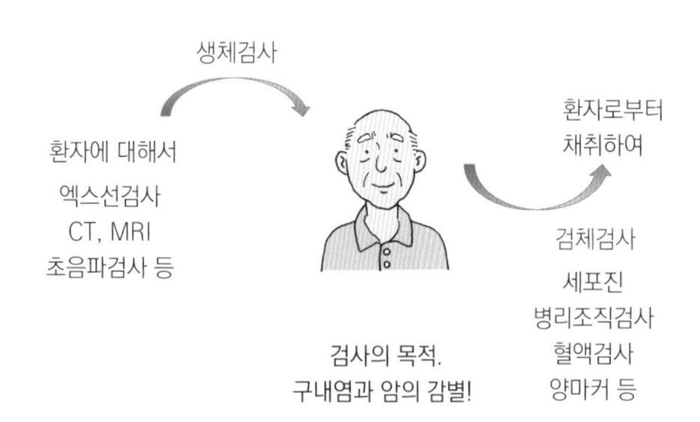

그림 2-45. 구강암의 검사법

환자에게 하는 생체검사와 환자로부터 채취한 재료를 이용하는 검체검사로 나뉜다. 검사의 목적은 구강염과 암의 감별이다.

2. Informed consent(설명과 동의)

여기에서 Informed consent라는 용어에 관하여 조금 언급해 보겠습니다. Informed consent는 '설명'과 '동의'를 2대요소로 하는데, 설명을 제대로 한다고 되는 것이 아닙니다. 한마디로 Informed consent라 해도, 검사, 치료행위, 장기제공 등 종류는 같아도 원인이 다르므로 설명의 범위도 상당히 달라집니다.

세포·병리조직검사를 할 때는 환자의 구강 내가 지금 어떤 상태에 있는가? 어떤 질환이 의심스러운가? 그것을 확정진단하기 위해서 어떤 검사가 필요한가? 라는 흐름을 알기 쉽게 "이해"시켜야 합니다.

우리들은 우선 "구내염"인지 "종기(암 포함)"인지를 검사해야 할 때 환자에게 세포검사를 권장합니다(그림 2-46).

그 때, '세포검사는 병변의 표면을 면봉으로 비벼서 세포를 채취하여 현미경으로 관찰하는 검사입니다. 양성인지 악성인지 판별하기 위해서 검사하는 것입니다'라고 설명하고 동의를 얻도록 합니다.

또 세포검사의 결과에 관해서는 세포검사에 사용하는 Papanicolaou의 Class 분류(양성에서부터 악성을 Class Ⅰ~Ⅴ로 분류)에 준해서, 왼손의 5손가락을 보이면서 '정상(엄지손가락, Class Ⅰ)에서 암 등의 악성이 의심스러운 것(새끼손가락, Class Ⅴ)을 5단계로 나눈 경우, 지금 있는 병변은…

Point 1
병변 확정에 필요한 검사를 생각한다.

Point 2
병의 상태를 알기 쉽게 설명한다.

Point 3
검사(세포검사)의 필요성을 환자가 이해하게 한다.

'이라고 설명합니다(그림 2-47).

치과진찰 시에는 치과의사나 치과위생사의 시선이나 앉는 위치에 따라서 환자에게 위압감을 주는 경우가 많으며, 반대로 환자는 치과의사·치과위생사의 일거일동을 민감하게 감지하고 있습니다.

우리들은 환자가 예민하다는 점을 항상 염두에 두고 쓸데없는 공포감을 조성하지 않도록 하면서 검사에 관해서 충분히 이해할 수 있도록 대처해야 합니다.

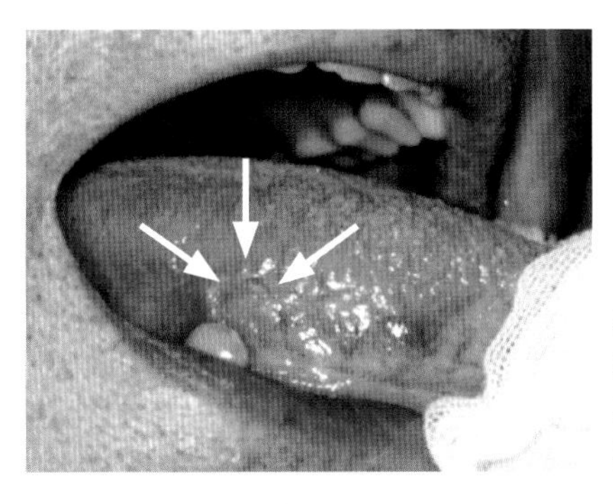

색조(적색·백색·흑색)와 형상(팽륭·궤양형성)의 이상을 발견하면 암을 의심한다. 왼쪽 사진(우측 설연부, 화살표)은 직경 7mm 정도의 궤양성 병변이지만, 세포검사에서 악성이 의심되어 병리조직검사를 했더니 편평상피암으로 진단되었다.

●●● 그림 2-46. 구강암이 의심스러운 병변을 발견했을 때의 대처 예

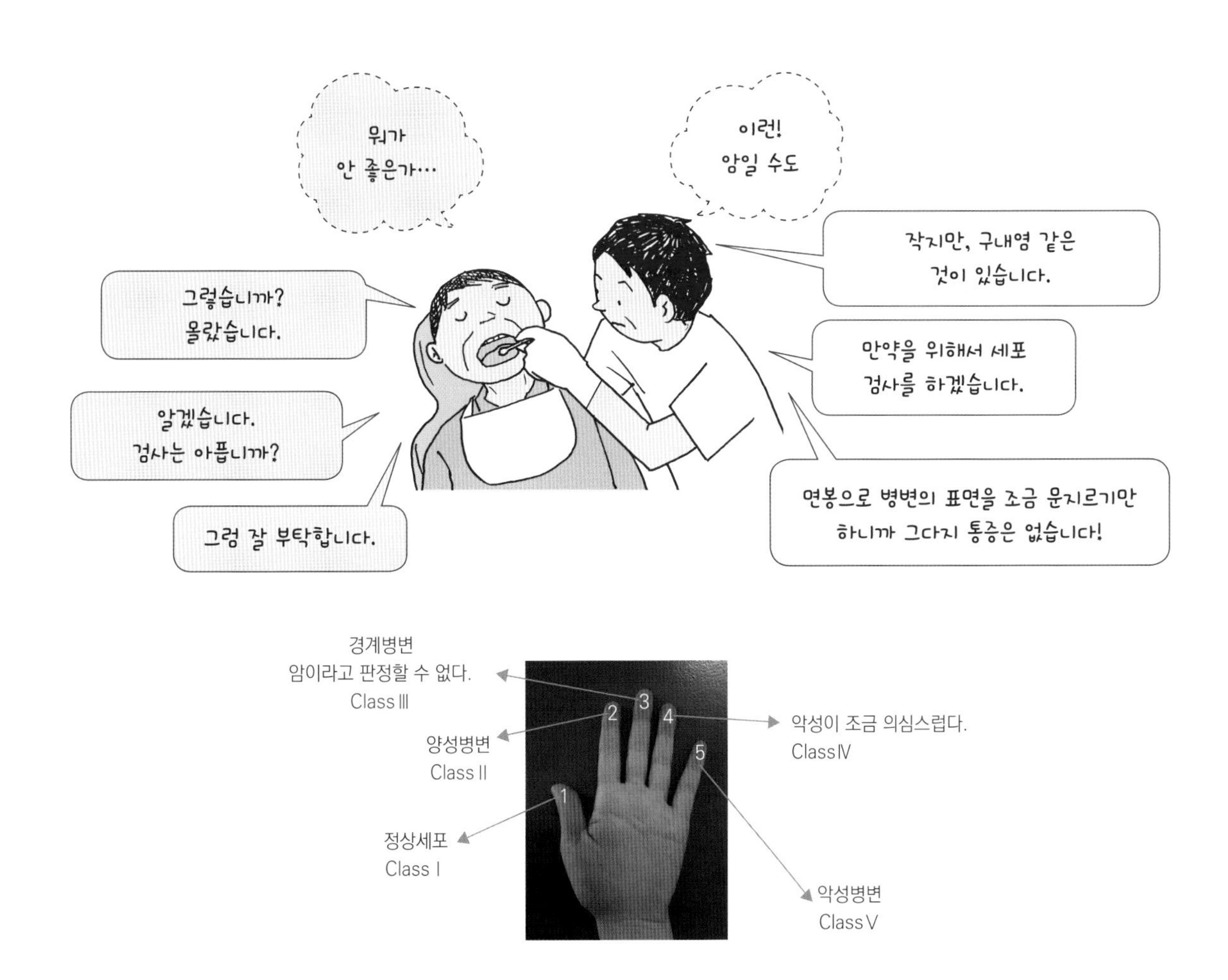

●●● 그림 2-47. 세포검사 시에 환자에게 하는 설명

손가락을 사용하여 엄지에서 새끼손가락까지 5단계 평가(Papanicolaou Class 분류)로 환자에게 알기 쉽게 설명한다.

Oral Cancer Screening STEP 1·2·3

05 구강암이 의심스러운 경우 검진 진행법
검사의 종류와 **특징**

1. 전문기관의 일반적인 검사법

국소소견에서 구강암이 의심스러운 경우, 다음에 필요한 검사는 병변의 크기나 진행의 정도, 경부림프절이나 전신으로의 전이 유무 정밀검사와 조직형의 확정입니다. 조직형의 확정에는 생검에 의한 병리진단으로 조직형 확정을 합니다.

2. 개원치과의원에서는 어떻게 하는가?

구강암이 의심스러운 환자를 만나면 우선 그것이 염증성 질환(구내염)인지 또는 진성 암인지를 감별해야 합니다. 대학병원에서는 암이 의심스러운 경우, 우선 세포검사를 합니다. 치과의원에서의 세포검사가 어려우면 신속히 전문기관으로 의뢰합니다.

구내염과의 감별이 어려운 경우에는 스테로이드 연고를 도포하고, 며칠 후에 체크하는 경우도 있습니다. 이 때, 병변에 변화가 없으면 세포검사가, 또는 전문기관으로 신속히 의뢰합니다. 전문기관으로의 전원시기는 환자의 예후를 크게 좌우하므로 그 타이밍을 확인하는 것이 중요합니다. 스테로이드 연고로 6개월 이상 경과 관찰하다가 재건수술을 한 증례도 있습니다(그림 2-48).

3. 병리진단

생검은 병변의 일부를 메스로 예리하게 절제·채취하여 병리조직학적으로 검사하는 것으로, 특히 암 진단에는 필수 검사입니다. 그러나 병변의 채취부위에 따라서 확정진단이 어려워지거나, 메스로 인한 침습이 그 후의 영상진단에 영향을 미치는 경우 등이 있습니다.[6] 암치료의 경험이 적은 치과의원에서는 생검은 하지 말고, 신속히 전문기관으로 의뢰하십시오. 개업치과의원에서 확정진단을 얻고자 하는 경우에는 침습이 적은 세포검사를 권합니다.

4. 구강세포검사

세포검사 역사는 1900년대 초 Papanicolaou에 의한 자궁경부세포검사로 거슬러 올라갑니다.[3] 그 후, 부인과세포검사는 진단기술·정도(精度) 모두 눈부신 발전을 이루어 진단도구의 하나로 확고한 지위를 얻으며 오늘날에 이르렀습니다.

구강외과임상의 세포검사는 부인과 세포검사보다 50년 정도 늦었지만, 근년 암검진을 포함한 구강병변의 진단도구의 하나로서 그 유용성을 다시 평가받게 되었습니다.[4]

Step 1	Step 2	Step 3
암과 구내염의 감별에 스테로이드 연고를 도포하고, 며칠간 경과를 관찰하는 것도 하나의 방법이다.	변화가 없으면 세포검사를 한다! 생검은 삼가하도록 한다.	이상이 있으면 신속히 전문기관으로 의뢰한다!

●●● 그림 2-48. 검사의 step

세포검사를 할 때 준비물은 면봉이나 치간브러시 등의 세포채취기구, 생리식염수, 유리슬라이드, 고정용 스프레이입니다.[2)]

병리진단에 필요한 검체는 이미 기술한 바와 같이 국소마취하에 메스로 절제하여 채취하지만, 세포검사 검체는 병변 표면을 면봉 등으로 문질러서 채취합니다. 점막하병변에서는 주사바늘 등으로 천자·흡인하여 채취하는 경우도 있지만, 대부분의 경우 국소마취는 필요 없습니다. 또 메스를 가하지 않으므로 CT나 MRI 등의 영상진단에도 거의 영향을 미치지 않습니다. 따라서 영상 촬영 전 환자에게 유용한 검사라고 할 수 있습니다.

5. 세포검사는 병리진단과 어떤 점이 다른가?

확정진단에 사용하는 병리조직학적 검사는 조직조각을 채취하여 고정·파라핀 포매·얇은 절개·염색 등을 거쳐서 병리전문의가 진단합니다. 세포검사도 세포채취 후, 고정·염색 등을 거쳐서 세포검사 전문의가 추정 진단하게 됩니다. 그럼 이것의 차이는 무엇일까요?

팥이 들어간 갈분떡을 예로 들어 설명하겠습니다. 그림 2-49의 a는 둥근 갈분떡입니다. 이 갈분떡을 세포라고 하면 투명하게 보이는 내부의 검은 부분이 핵, 주위의 새하얀부분이 세포질에 해당됩니다. b는 한가운데를 자른 갈분떡입니다. 갈분떡을 둥글게 통째로 그대로 보고 있는 것이 세포검사, 잘라서 내부구조를 관찰하는 것이 병리진단에 해당됩니다.[5, 6)]

6. 세포검사의 대상질환

세포검사의 대상질환은 그림 2-44(p.47 참조)에 나타낸 대

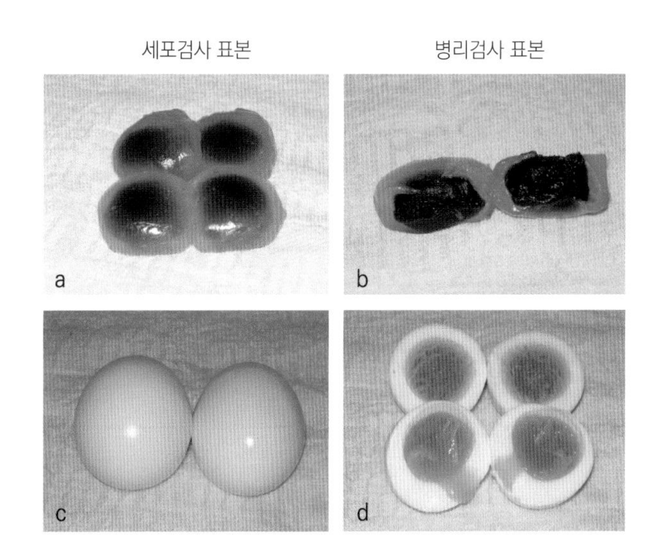

●●● **그림 2-49. 세포검사와 조직검사 표본의 차이**

상단에는 갈분떡을 나타낸다. 통째인 갈분떡(a)을 세포검사 표본에 비유하면, 가운데에서 자른 b는 조직검사 표본에 해당한다. 또 c에 나타내는 삶은 달걀을 세포검사 표본에 비유하면, 상세한 내부구조(완숙인가 반숙인가?)는 절편(조직표본, d)으로 하지 않으면 알 수 없다(문헌 5에서 인용).

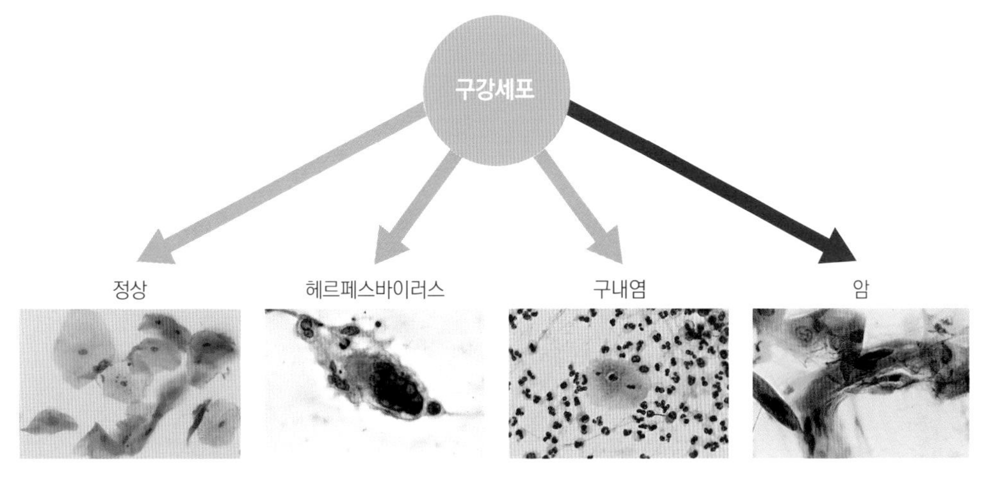

●●● **그림 2-50. 구강세포검사로 알 수 있는 것**

염증(구내염)과 종양(암)의 감별은 물론, 바이러스감염세포도 추정할 수 있다(문헌 5에서 인용).

로입니다. 구강점막질환의 진단 포인트는 "색조와 형태"입니다.[6] 즉, 백색·적색·흑색을 나타내고, 팽륭 또는 궤양형성을 수반하는 병변을 확인하는 것이 중요합니다.

그럼, 구강세포검사에서 무엇을 알 수 있을까? 우선, "염증"과 "종양"을 감별할 수 있습니다. 종양성 변화가 의심스러운 경우는 세포상의 특징에 따라서, 양/악성의 감별도 가능합니다[2](그림 2-50).

7. 세포검사, 문제점과 위험성?

세포검사는 기본적으로 병변표면에서 세포를 채취하여 진단하므로 대부분의 경우 중층편평상피의 표층세포가 주로 채취됩니다. 여기에서 '표층세포만으로 진단이 가능한가?'라는 과제에 직면하게 됩니다.

초기 구강암은 일부에서 점막 아래에 침윤되어 있어도 표층에는 비교적 분화된 세포가 보이는 수가 있으며, 미란이나 궤양형성을 수반하는 경우는 세포검사에서 심층의 이형세포가 채취되므로 진단이 용이합니다 그림 2-51에는 구강암 발생의 모식도와 세포상을 나타내고 있지만, 각화를 수반하는 편평상피에서는 표층세포만으로 악성의 추정이 어렵습니다. 즉, 구강암은 표층이 아니라 심층의 보이지 않는 곳에서 침윤이 시작되고 있는 것입니다.[7]

또 타액이나 세균총이 존재하는 구강이라는 특수환경에서는 양성세포가 핵이형을 수반하도록 변화하거나, 방사선·화학요법에 의해서 핵종대를 나타내는 수가 있어서 판정이 어렵습니다(그림 2-52).

그림 2-53은 시마네(島根)대학에서 하고 있는 세포진단의 흐름입니다. 통상, 세포검사는 음성(양성, Papanicolaou분류의 ClassⅠ과 Ⅱ)·위양성(경계병변, ClassⅡ~Ⅲ, Ⅲ, Ⅲ~Ⅳ)·양성(악성, ClassⅣ와 Ⅴ)이라고 판정되지만, 여기에서 문제가 되는 것은 ClassⅡ~Ⅲ, Ⅲ, Ⅲ~Ⅳ라고 추정되는 경계병변입니다. 우리들의 시설에서 시행된 과거 1,443례의 구강세포검사 증례에서는 312례(21.6%)가 경계병변이라고 진단되었으며(그림 2-54), 그 중 생검에서 악성으로 진단된 것이 60례였습니다. 여기에서 주목해야 할 것은 표 2-1과 같이 Class 분류가 높을수록 악성의 비율도 높은 점입니다. 따라서 경계병변은 전문기관의 병리조직검사를 권장합니다.

또 세포검사의 판정에는 향후 Papanicolaou의 Class 분류가 아니라, 음성, 위양성, 양성이라는 판정법이 주류가 되는 것을 부기해 두겠습니다.

변화가 없는 상피
상피성이형성
암

●●● 그림 2-51. 정상상피에서 암으로의 변화

구강점막의 표층에서는 아무런 변화가 없는 듯이 보여도 중층편평상피의 심층에서는 그림과 같은 변화가 일어나고 있다. 암을 조기에 발견하려면 심층세포의 식별(identification)이 필요하다(문헌 2, 5, 6, 7에서 인용, 일부 개편)

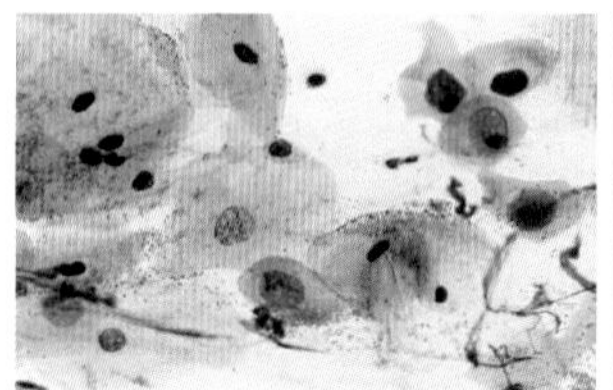

방사선치료로 영향을 받은 편평상피암

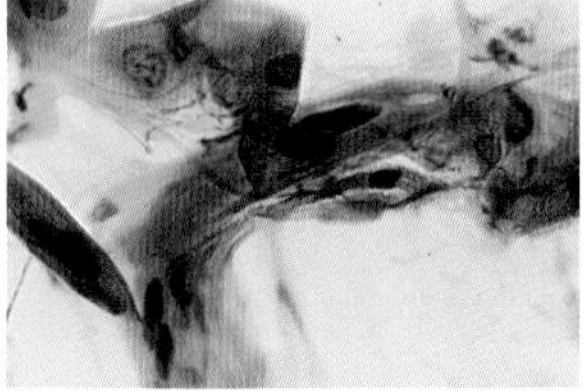

구강편평상피 세포암

●●● 그림 2-52. 방사선치료 후의 정상세포와 편평상피암의 세포상

왼쪽사진은 정상세포이지만, 방사선조사에 의한 세포변성과 핵이형이 있어서 언뜻 보면 상피성이형성증이라고 진단하게 된다. 그러나 편평상피암(오른쪽사진)과 비교하면 핵크로마틴농도나 세포질의 두께 등에 현저한 차이가 있다(문헌 2, 5, 6에서 인용, 일부 수정).

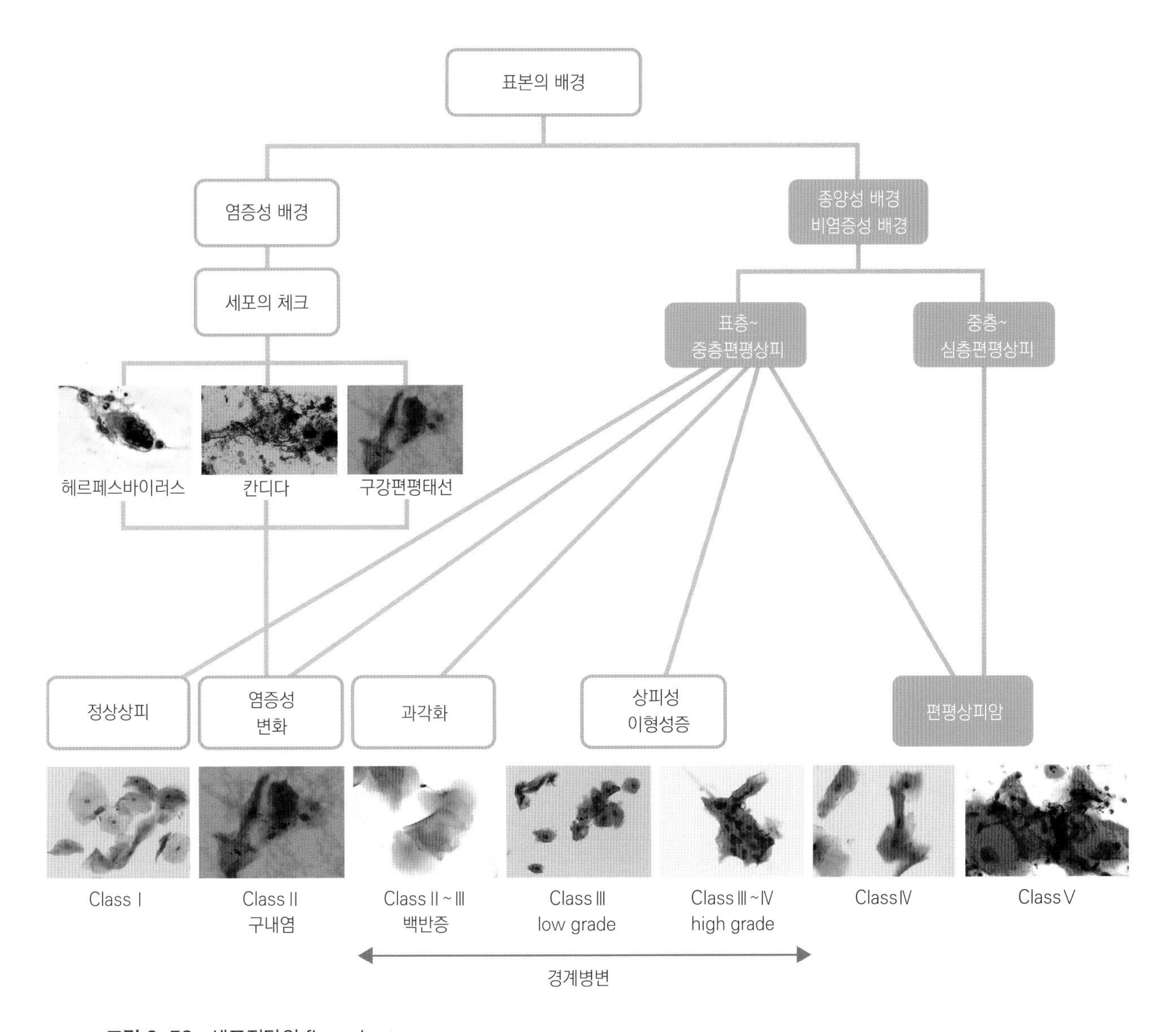

그림 2-53. 세포진단의 flow chart

우선, 염증과 종양을 감별한다. 이어서, 발현세포의 유래와 핵을 본다. 세균이나 바이러스감염세포의 유무를 체크한다. 편평상피의 표층세포에서는 각화와 세포질의 두께를 체크한다. 경계병변의 판정에는 병력이나 임상소견을 참고한다(문헌 2, 5, 6에서 인용, 일부수정).

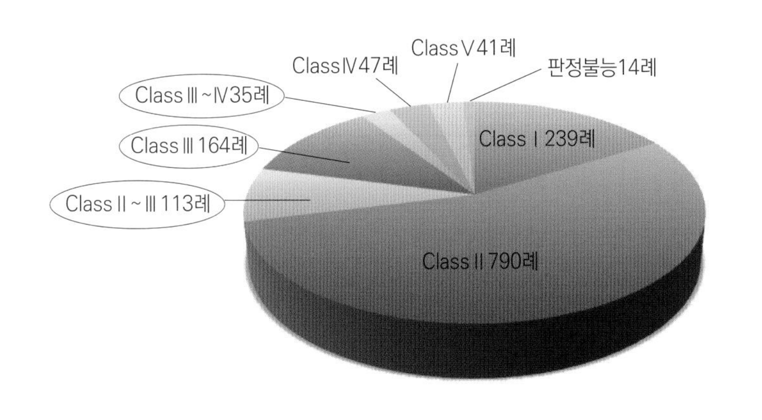

그림 2-54. 시마네(島根)대학 의학부 부속병원에서의 세포검사증례

Class II ~IV경계병변의 판정이 어려운 경우가 많다.

표 2-1. 생검 등의 결과

Class	II~III	III	III~IV
전 증례수(예)	113	164	35
생검·수술시행 증례수(예)	46	54	21
악성 증례수(예)	12	30	18
전 증례에 대한 악성의 비율	10.6%	18.3%	51.4%

Point 1

암을 확정하기 위해서 필요한 검사법을 이해한다!

Point 2

각종 검사의 장점과 단점을 이해한다!

Point 3

치과의원(개원가)에서 할 수 있는 검사법을 확립한다.

Column | 세포진단전문의(전문치과의)에 관하여

통상 세포진단은 일본임상세포학회가 주관하는 시험에 합격한 세포검사사와 세포진단전문의에 의해서 진단됩니다. 세포검사사 시험은 전문의 시험 이상으로 어려워서 그 합격률이 25% 정도입니다. 또 치과의사의 전문의 시험 수험은 2000년에 겨우 인정되어 의사와 똑같이 전신의 세포진단시험(종합과목)이 치러지게 되었습니다.

2011년까지 치과의사로서 이 시험을 통과한 세포진단전문의는 불과 24명입니다. 그러나 2012년에 일본임상세포학회 세포진단 전문의시험제도가 크게 개편되어 치과의사에게는 새로운 문호(세포진단전문치과의)가 개방되었습니다. 시험내용을 구강(총론에는 전신세포진단에 관한 설문이 포함된다)으로 특화하여 수험에 유리한 환경이 갖추어진 셈입니다. 그 결과, 2012년도에는 개업 치과의사를 포함한 17명이 합격했습니다. 세포진단전문치과의 시험합격자에게는 다음 해부터 세포진단전문의 시험의 수험자격이 주어지게 됩니다.

세포진단전문의는 이와 같은 시험을 돌파한 전문가이며, 구강암의 조기발견을 목표로 많은 치과의사가 이 시험에 도전하기를 바랍니다.

(세키네 조지)

Oral Cancer Screening STEP 1·2·3

06 구강암이 의심스러운 경우 검진 진행법 검사의 실제

1. 구강 밖의 시진

우선, 환자의 정면에 서서 안모의 좌우대칭성을 봅니다.

다음에 환자의 뒤쪽에서 안면을 내려다보면, 정면에서는 관찰할 수 없었던 상순부나 안와하부의 미만성종창을 진찰할 수 있습니다(그림 2-55).

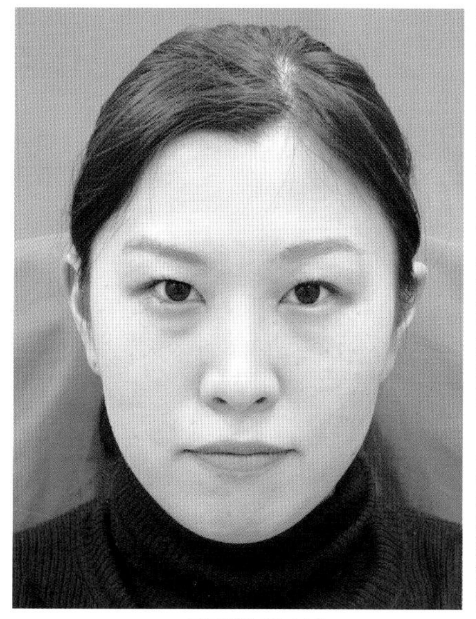

정면에서의 시진

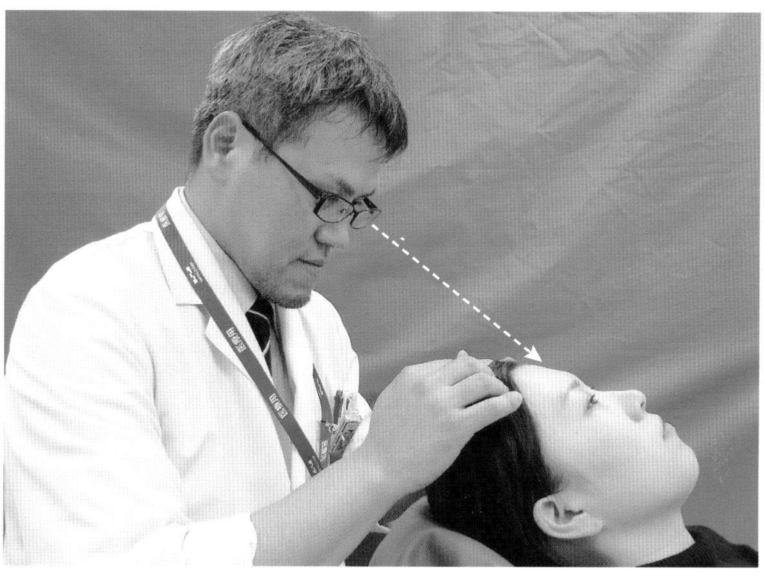

후상방에서의 시진

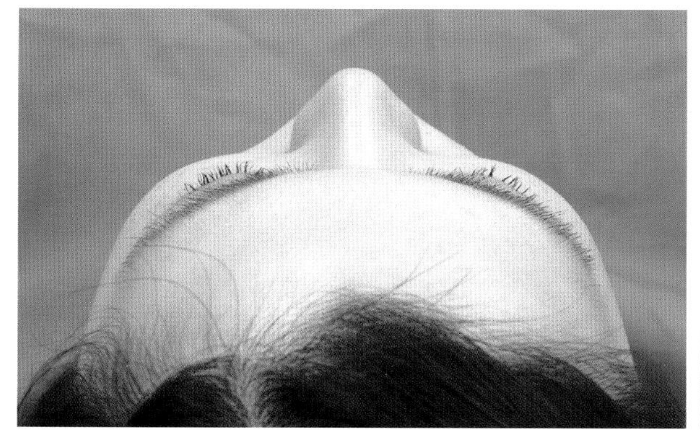

좌우차가 확인되지 않는다.

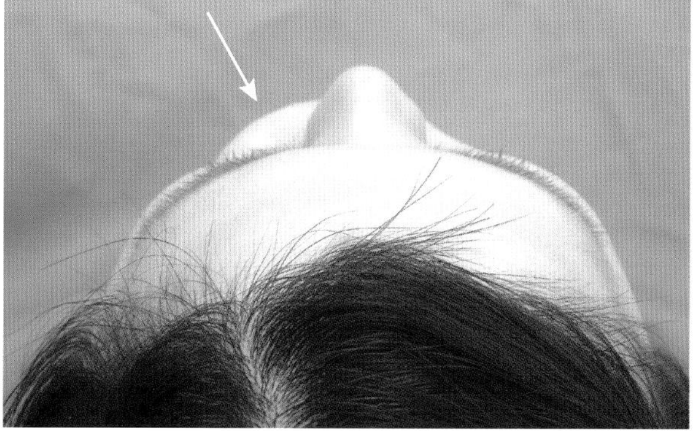

좌측상순에서 종창을 확인한다.

그림 2-55. 안모소견 보는 법

정면뿐 아니라 환자의 등 뒤에서 안면을 내려다보면(점선), 좌측상순의 전방으로의 종창(화살표)이 확인된다.

2. 구강 밖의 촉진

다음에, 악하부~경부의 림프절을 촉지합니다. 악하부는 엄지손가락 이외의 네 손가락으로 악하삼각 안쪽에서 하악골 하연을 향해서 마치 갈퀴로 낙엽을 긁어모으듯이 촉지하면 됩니다(그림 2-56). 구저부의 병변(설하선이나 악하선의 종창 등)을 발견하려면, 구저와 악하부를 양손으로 더듬어 찾습니다.

경부림프절은 흉쇄유돌근을 양손 엄지손가락 이외의 네 손가락으로 앞뒤에서 감싸듯이 촉지합니다. 쇄골상와에서는 네 손가락으로 림프절의 종창 유무를 촉지합니다(그림 2-57).

다음에 환자에게 입을 벌리게 한 후, 하악의 편위나 악관절의 동통 유무 등을 체크합니다.

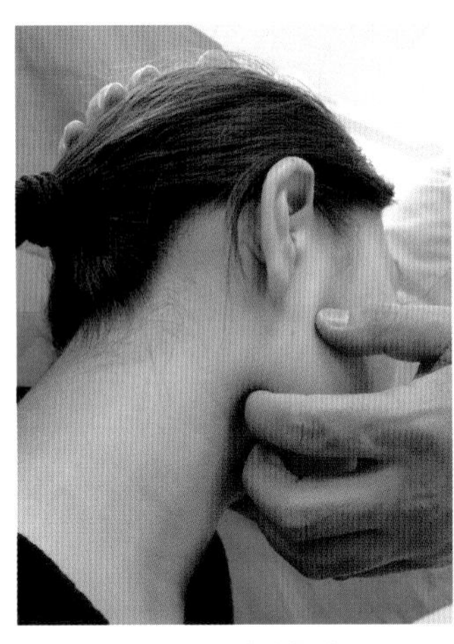

악하림프절의 촉진

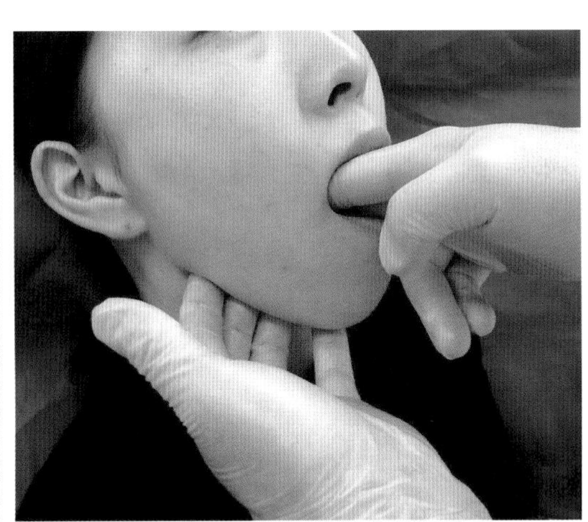

구저측과 악하측에서의 쌍수진

●●● **그림 2-56.** 악하림프절의 진찰법

환자에게 아래를 향하게 하고, 술자의 손가락으로 갈퀴로 본뜨듯이 촉지한다. 또 구강 안팎에서 두 손으로 촉진도 함께 한다.

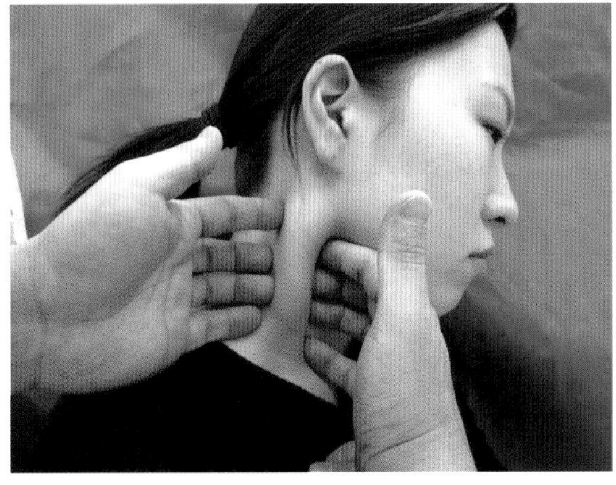

경부림프절(내경정맥을 따른 림프절)의 촉진

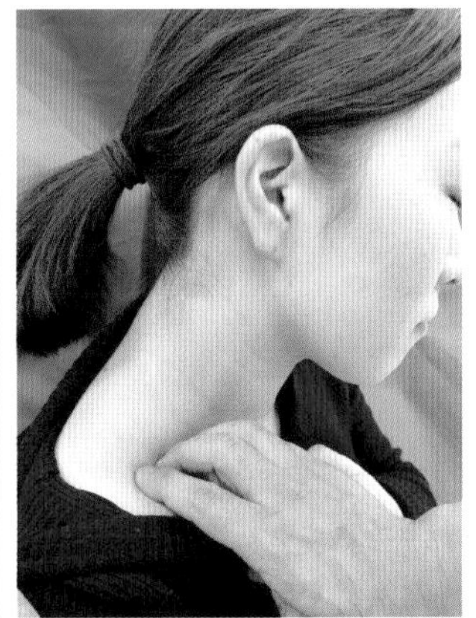

쇄골상와림프절의 촉진

●●● **그림 2-57.** 경부림프절의 진찰법

내경정맥 주위의 림프절을 촉지하기 위해서 흉쇄유돌근을 앞뒤에서 양손 손가락으로 감싸듯이 촉지한다. 쇄골상와도 조심스럽게 촉진한다.

3. 구강 내의 진찰

1) 구강 내의 시진 포인트

구강점막질환의 시진 포인트는 색조와 형태입니다.[2] 그림 2-44(p.47 참조)와 같은 적색·백색·흑색을 나타내며, 종창 또는 궤양형성을 수반하는 병변에는 세포검사를 권장합니다.

2) 구강 내의 촉진 포인트

구강 내를 보기 전에, 우선 양측 악관절부에 손가락을 대고 개구운동을 체크합니다(그림 2-58). 다음에 구강 내를 시진과 촉진을 하고, 그곳에서 색조와 형태의 이상을 발견하면 실제로 손가락으로 만져 보는 것이 중요합니다. 최대로 개구한 환자의 구강 내를 들여다보는 것만으로는 많은 병변을 간과하게 됩니다.

구강점막 전부를 촉진합니다. 볼이나 구저는 양손으로 촉진해 보는 것이 중요합니다(그림 2-59).

구강암의 호발부위인 혀는 거즈로 혀를 앞쪽으로 당겨서 손가락으로 조심스럽게 촉진하여 경결이나 궤양의 유무를 체크합니다(그림 2-60). 손가락으로 점막을 촉진함으로써, 시진에서 못보고 놓친 형태변화를 더블 체크할 수 있습니다.

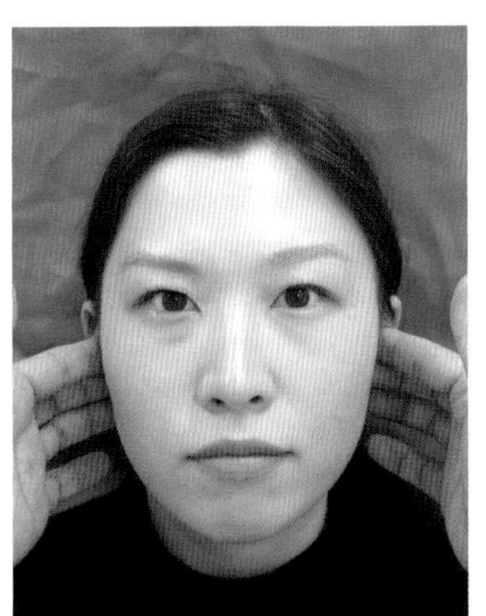
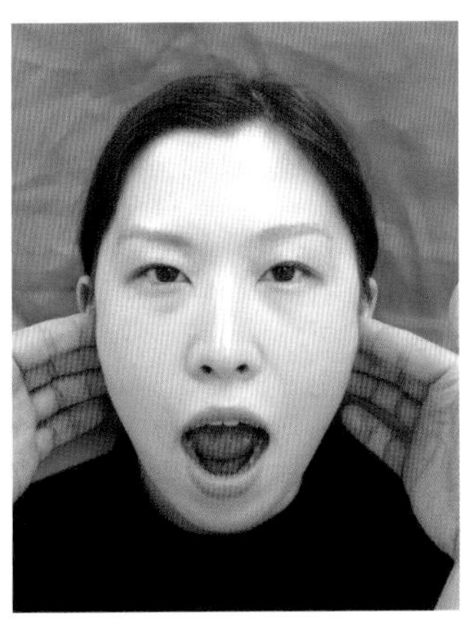

하악두에 손가락을 대고 개폐구시의 턱의 움직임을 체크

그림 2-58. 개구정도와 악운동의 체크

양측 악관절부에 손가락을 대고 악운동을 체크한다.

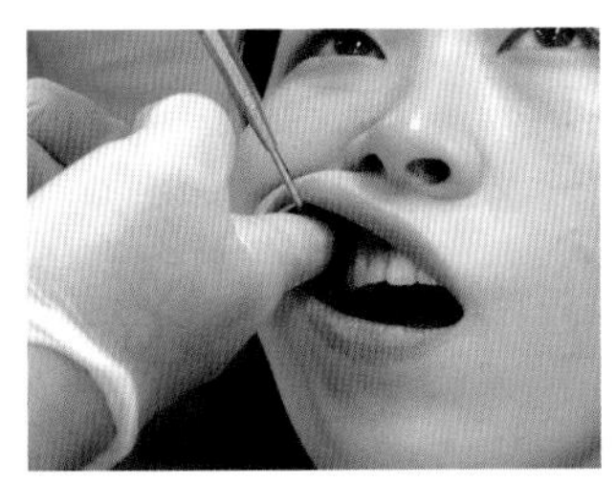
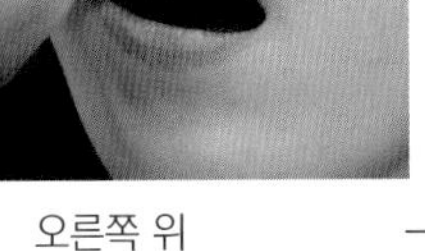
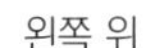
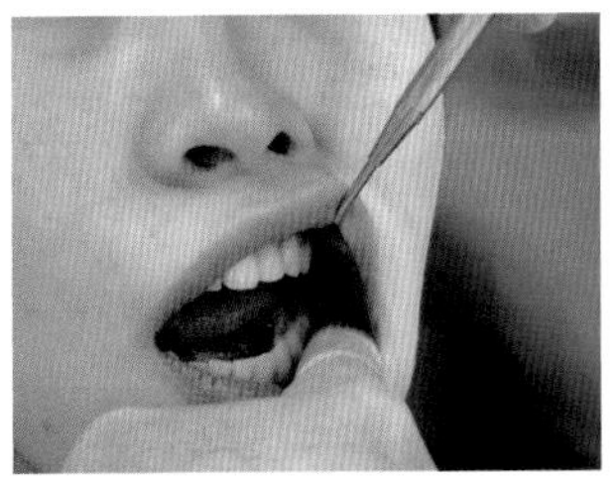
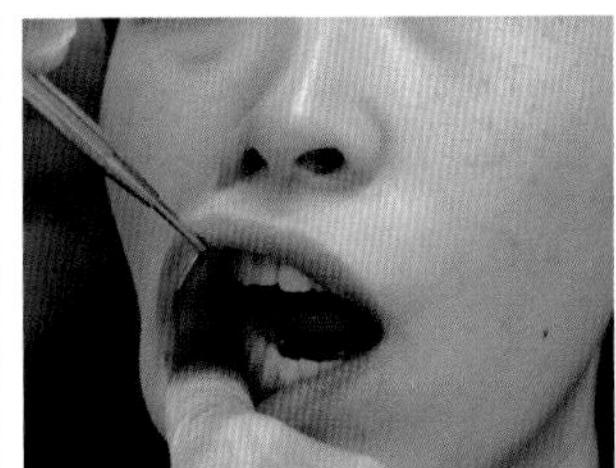

오른쪽 위 → 왼쪽 위 → 왼쪽 아래 → 오른쪽 아래

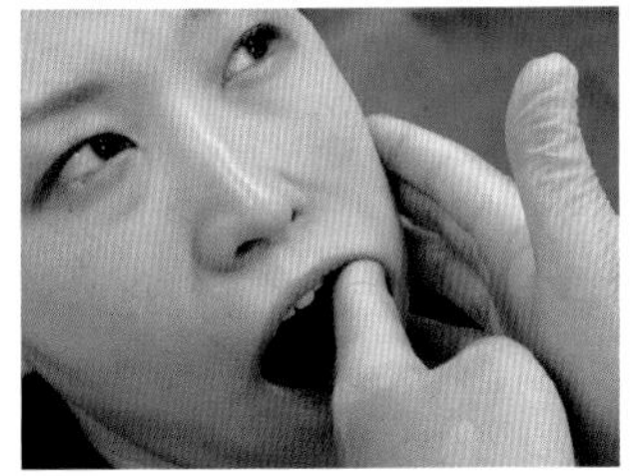

협점막의 양수 촉진

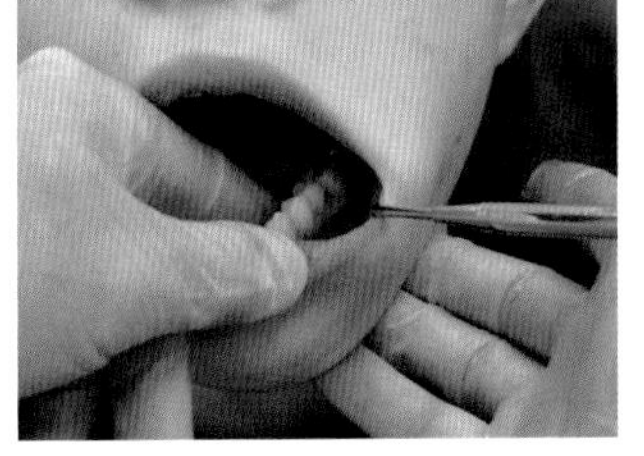

하악설측~구저의 양수 촉진

그림 2-59. 구강점막의 진찰법

치과검진과 같이 오른쪽 위→왼쪽 위→왼쪽 아래→오른쪽 아래의 순서로 양손의 손가락을 사용하여 촉지한다. 협(순)측·구개(설)측도 모두 손가락으로 만져 본다. 협점막은 구강 안팎에서 양손으로 촉진한다.

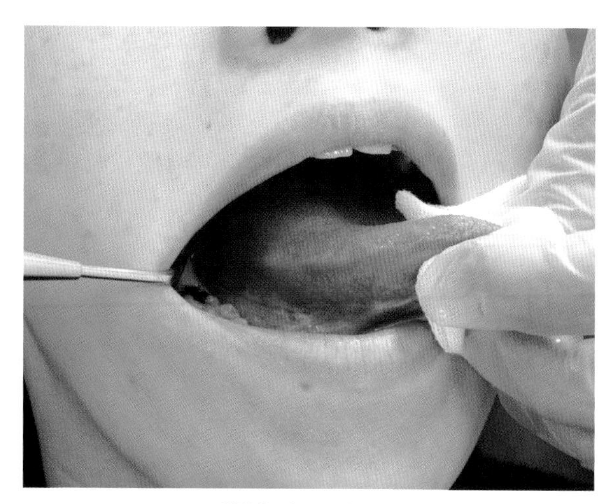
혀끝을 거즈로 잡는다.

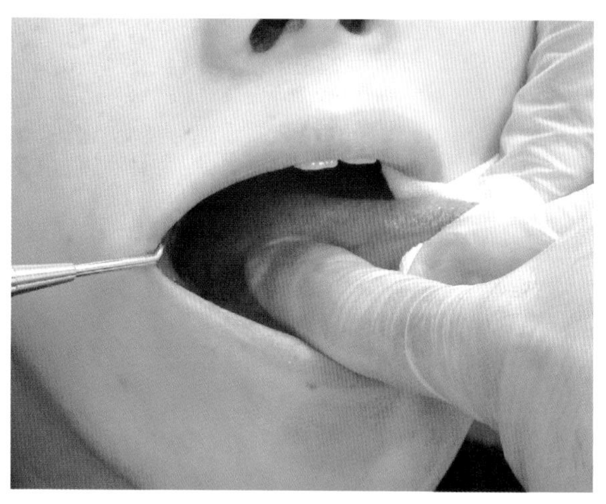
손가락으로 설연부를 촉진

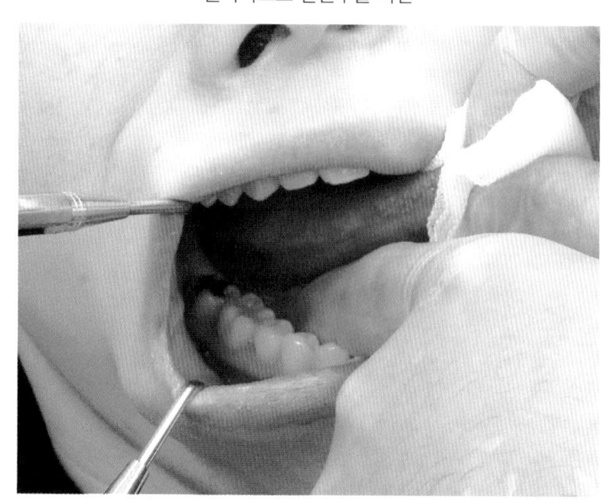
구강저를 향해서 촉진

●●● 그림 2-60. 혀의 진찰법

구강암의 호발부위인 혀는 설연~설하면~구강저에 이르기까지 확실히 손가락으로 만져보며 궤양이나 경결의 유무를 진찰한다.

4. 세포검사의 실제

면봉으로 문지를 때 수포나 궤양을 수반하는 병변에서는 약한 통증과 출혈을 수반하는 경우가 있는데, 국소마취는 기본적으로 필요 없습니다. 면봉을 생리식염수에 적신 다음 잉여의 수분을 제거하고 문지르는데, 이 때 같은 부위에서 3회 찰과하는 것이 중요합니다. 이것으로 표층에서 심층에 미치는 세포를 채취할 수 있습니다. 이미 기술한 대로 암은 편평상피의 기저층 부근의 심층에서 발생하므로 가능한 한 심부에서의 세포채취가 바람직합니다(그림 2-61).

채취에 사용한 면봉은 유리슬라이드에 가볍게 압접하면서 굴린 후, 신속히 고정액을 스프레이합니다. 이 때 점액의 확인을 목적으로 Giemsa 염색용 건조표본도 함께 제작하면 좋습니다. 구강점막질환의 대부분은 면봉 찰과로 충분량의 세포채취가 가능합니다[2, 4](그림 2-62).

세포진단검사 신청용지에는 방사선 조사·항암화학요법의 유무 등을 포함한 병력, 채취부위, 채취방법(찰과·천자흡인 등), 판정희망사항(악성소견의 유무, 염증과의 감별, 세균의 유무) 등을 명확하게 기재합니다.

임상경과, 임상소견, 임상진단 등을 병리·세포진단전문의에게 충분히 전달하는 것이 협력을 위한 기본이 됩니다(그림 2-63).

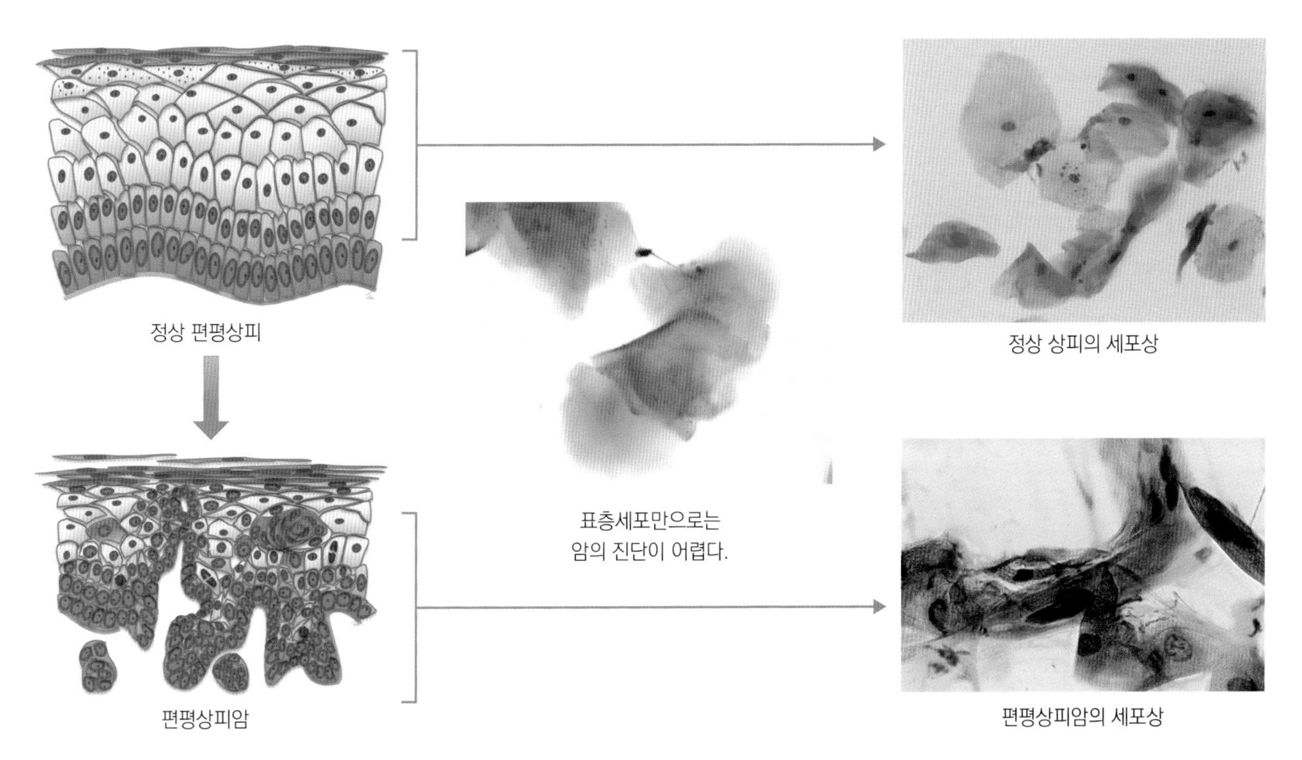

●●● 그림 2-61. 구강암의 발생과 세포진단

편평상피암은 상피의 기저층 부근에서 발생한다. 표층세포의 채취만으로는 진단할 수 없는 경우가 있으므로 가능한 한 심층에서 세포를 채취하는 것이 중요하다(문헌 2, 5, 6, 7에서 인용, 일부수정).

Point 1

모든 각도에서
구강 밖을 관찰한다.

Point 2

구강 내를
빠짐없이 관찰한다.

Point 3

손가락을 사용하여
구강 안팎을 철저히
만져본다.

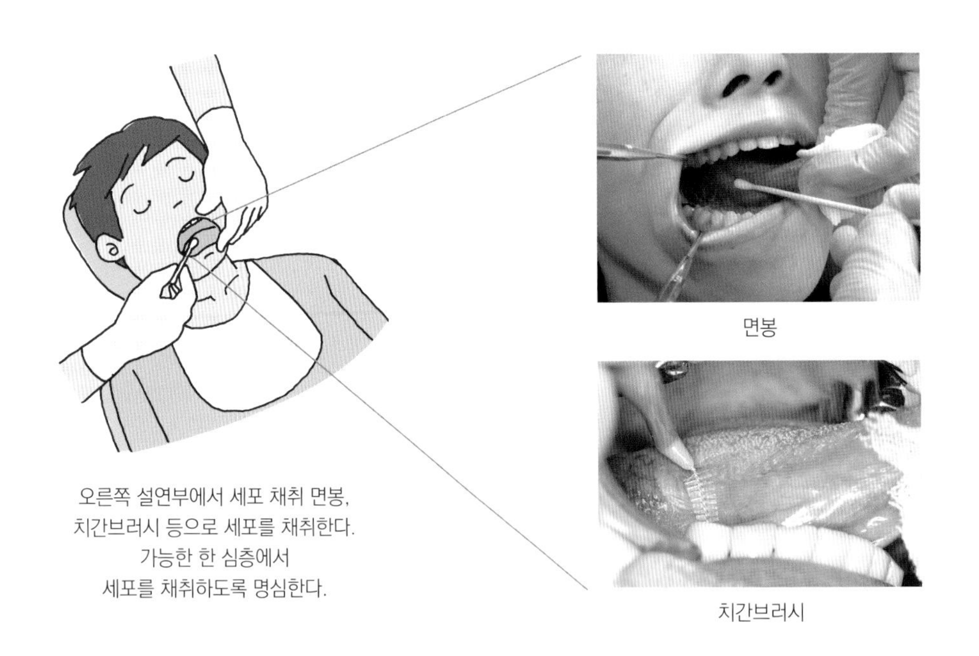

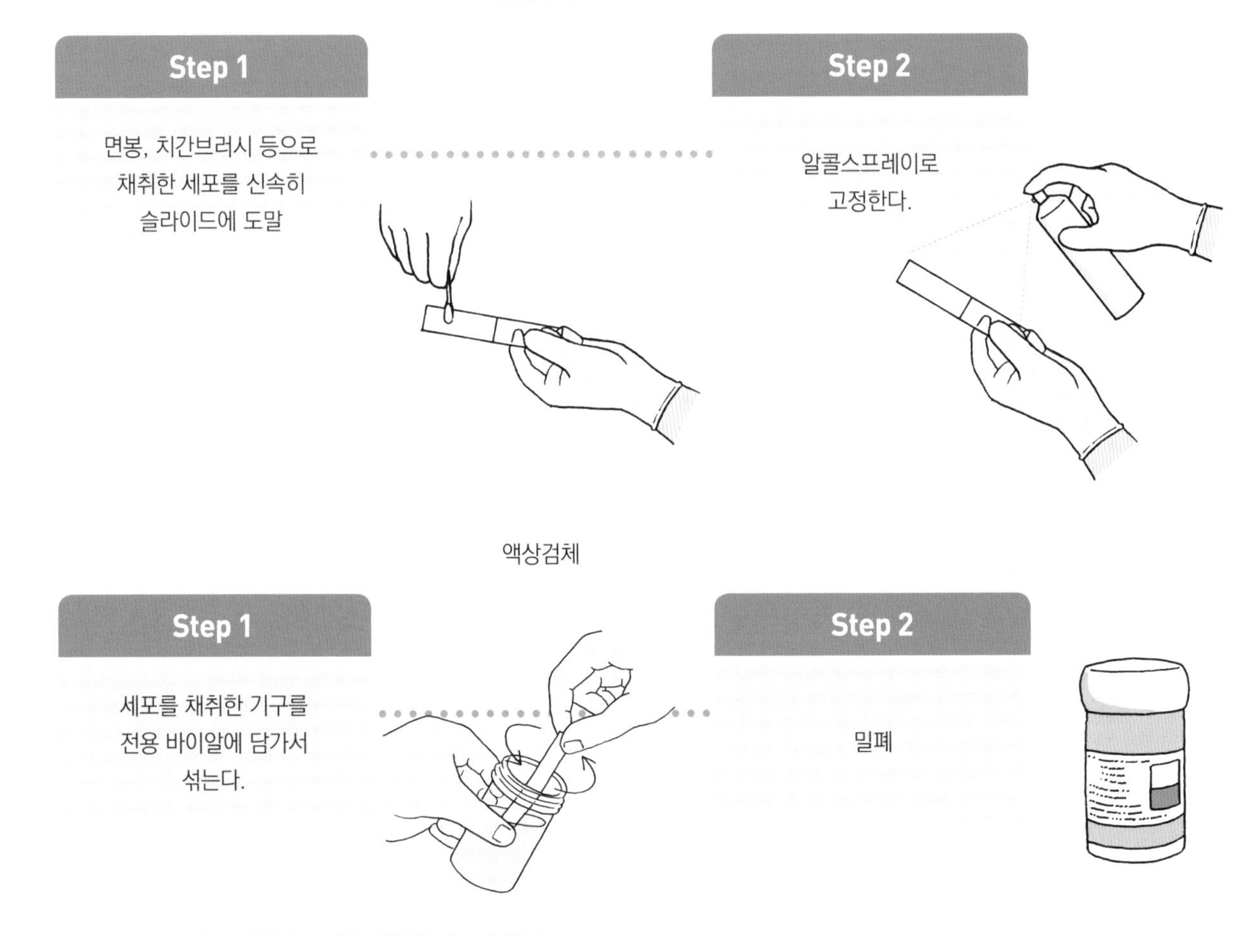

그림 2-62. 세포 채취의 순서와 채취한 세포의 처리

(문헌 2, 5, 6에서 인용, 일부수정)

그림 2-64는 보고서의 예입니다. 시마네(島根)대학에서는 일본구강외과지도의, 일본암치료공인의(치과구강외과)의 자격이 있는 세포진전문의, 전문치과의가 진단하므로, 임상에 입각한 충고를 제시할 수 있는 이점이 있습니다.

시마네(島根)대학의학부부속병원 세포진단신청서

세포진단신청서 2013/01/20 17:10:34

2013000603

표본번호 [ ]

환자ID	900056	의뢰일	2013/01/20	채취일시	2013/01/21 09:00
생년월일	H 19년6월28일	연령	5세 06개월	성별	남
환자성명	테스트환자 0006		영문성명	test 환자 0006	
의뢰과	치과구강외과		의뢰의		
진료과			주치의		

의뢰재과 체험구분 : 통상

혀 1곳

임상진단
오른쪽 설연부 악성종양(의심)

임상소견
오른쪽 설연부에 10×8mm의 궤양성병변이 있으며, 경계가 불명료하고 궤양저는 육아상, 출혈성, 동통이 있으며, 주위에 10mm 정도의 경결이 촉지된다. 오른쪽 악하부에 공알 크기의 가동성 림프절이 1개 촉진되며, 그 밖의 림프절은 촉지되지 않는다. 기왕력, 가족력에 특기사항 없음. 면봉 찰과로 검체 채취.

검사목적
양악성의 판정을 부탁드립니다.

치료

감염증
HBV (-)
HCV (-)
HIV (-)
매독 (-)
결핵 (-)

부인과기왕력

월경		임신	회
주기	일	분만	
폐경	세		
최종월경		부터	일간

제출자	수취자

시마네(島根)대학의학부부속병원 병리부

Step 1
임상진단을 기재!

Step 2
병변을 도시하고, 부위, 크기, 경도 등의 정보, 세포채취법 등도 잊지 않고 기재!

Step 3
기왕력, 가족력, 현병력 등도 가급적 상세히 기재!

치과의원에서의 세포진단신청서

세포진단검사의뢰서(의원용)

공익재단법인 헬스사이언스센터 시마네 TEL(0653)20-0368 FAX(0853)20-0806

접수No. 123-45	의뢰일 13년 1월 10일	실시과(한 부위에 한함)
시설명 ○○치과의원	채취일 13년 1월 10일	□부인과 150점
성 명 島根太郎 (남)여 연령 75세		☑기타 190점

검사재료
□요 □생객담 □자궁경부 □유선(천자흡인)
□복수 □축객담( )일간 □자궁경부 □유선(유즙)
□흉수 □기관지세정액 □자궁체부 □갑상선
□수액 □기관지브러시 □절단끝 ☑기타(혀(구강))

최종월경 : 월경주기 : □규칙 □불규칙 세폐경
호르몬제사용 □유 □무 방사선요법 □유 □무

임상경과 검사소견 ☑초진 □재검
임상진단 : 우측설연부 악성종양 의심
우측설연부에 10×8mm의 궤양성병변이 있음.
경계가 불명료하고 궤양저는 육아상, 출혈성,
동통 있음. 주위에 10mm 정도의 경결을 촉지한다.
우측 악하부에 콩알 크기, 가동성 림프절을
1개 촉지한다. 그 밖의 림프절은 촉지되지 않는다.
기왕력, 가족력에 특기사항 없음.
(면봉찰과로 검체채취)

No.
No.

10×8mm의 궤양 주위에
약 10mm의 경결 있음

제출의 ●●太郎

세포진단 : Negative Suspect Positive Class (Pap분류)

Screening Dr 보고일 년 월 일

본 보고서의 내용을 학회 등에 발표할 때에는 진단자에게 연락하십시오.

●●● **그림 2-63. 세포진단 신청서**

왼쪽은 시마네(島根)대학 의학부 부속병원 세포진단신청서, 오른쪽은 공인재단법인 헬스센터시마네(島根)의 외주용 세포진단신청서이다. 모두 임상진단, 병변부위(그림으로 표시), 크기, 경도 등의 정보, 세포채취법 등을 정확히 기재한다. 또 기왕질환, 현병력 등에 관해서도 가능한 많은 정보를 기재한다. 검사목적은 '악성소견의 유무 정밀검사'또는 '양/악성 판정 정밀검사'라고 기재한다.

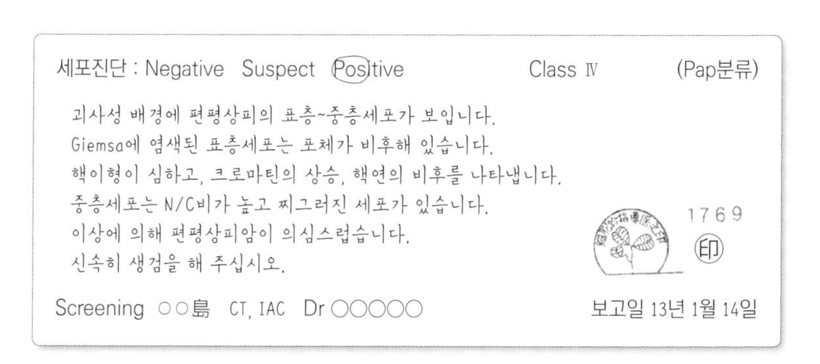
세포진단 : Negative Suspect Positive Class Ⅳ (Pap분류)

괴사성 배경에 편평상피의 표층~중층세포가 보입니다.
Giemsa에 염색된 표층세포는 포체가 비후해 있습니다.
핵이형이 심하고, 크로마틴의 상승, 핵연의 비후를 나타냅니다.
중층세포는 N/C비가 높고 찌그러진 세포가 있습니다.
이상에 의해 편평상피암이 의심스럽습니다.
신속히 생검을 해 주십시오.

1769 印

Screening ○○島 CT, IAC Dr ○○○○○ 보고일 13년 1월 14일

●●● **그림 2-64. 세포진단 보고서**

치과의원의 세포진단 신청에 대한 진단보고의 일례이다. 신속한 생검을 권장하고 있다.

≫ 참고문헌

1) Roed-Petersen B, Renstrup G : A topographical classification of the oral mucosa suitable for electronic data processing. Its application to 560 Leukoplakias. Acta Odontol Scand, 27 (6) : 681-695, 1969.

2) 關根淨治 : 구강외과진료를 위한 세포진단. 구강외과의를 위한 구강외과 핸드매뉴얼 '13. 일본구강외과학회편. 퀸텐센스출판, 도쿄, 2013, 176-181.

3) Papanicolaou GN, Trout HF : Diagnosis of uterine cancer by the varginal smear. The Common-Wealth Fund. New York, 1943.

4) 柴原孝彦, 千葉光行, 淺野紀元, 長尾 徹, 石橋浩晃, 關根淨治 : 구강암 검진의 현 상황과 전망. 더 퀸텐센스 2011. 퀸텐센스출판, 도쿄, 2011, 77-96.

5) 秀島克巳, 石橋浩晃, 關根淨治 : 치과의 최신테크놀로지 구강암 조기발견을 위한 세포진단. 덴탈다이아몬드. 덴탈다이아몬드사, 도쿄, 2013, 84-88.

6) 秀島克巳, 石橋浩晃, 關根淨治 : 알고 계십니까? 구강세포진단. DHstyle. 덴탈다이아몬드사, 도쿄, 2013, 80-81.

7) 田中陽一 : 제2부 세포진단의 실제와 토픽스 15. 치과구강영역, 병리와 임상, 문광당, 도쿄, 2013, 294-304.

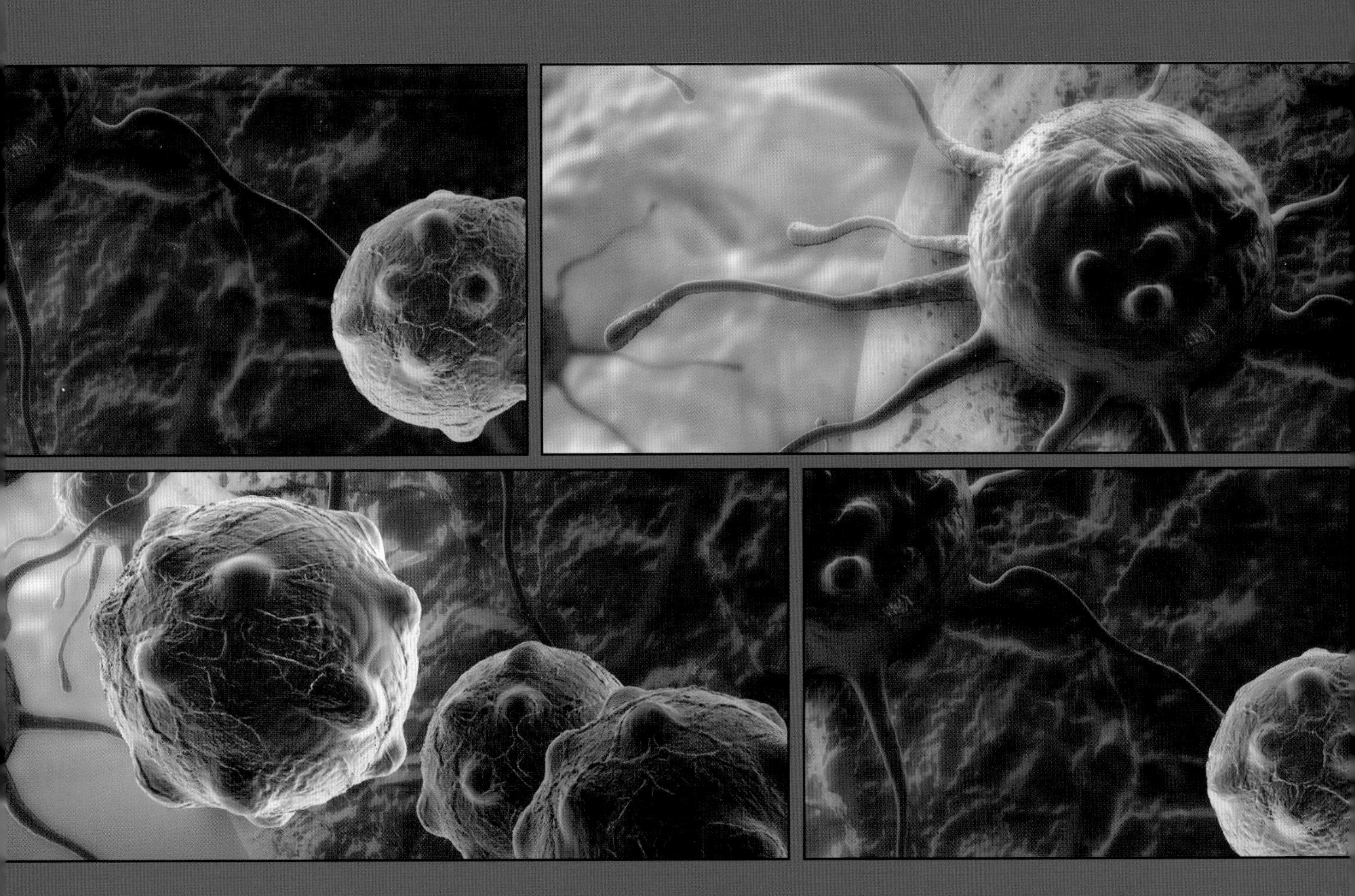

Step 3
진단 후 전문기관과의 협력 채택법과 환자의 애프터케어

Oral Cancer Screening STEP 1·2·3

01 진단 후 전문기관과의 협력 채택법과 환자의 애프터케어

암이 의심스러운 경우 **환자에 대한 설명법**

암은 현재, 전체 사인(死因) 중 top으로 매년 사망자 총수의 3분의 1정도를 차지하고 있습니다. 따라서 가족의 누군가가 암에 걸리는 일이 드물지 않고, 주변사람 중에 암을 체험한 사람이 많다고 할 수 있습니다.

그만큼 일반적인 병으로 조기발견, 조기치료를 하면 치유가 가능함에도 불구하고, 암은 여전히 죽음으로 직결되는 이미지가 강한 질환입니다. 암이 의심스러운 경우 환자에게 설명을 신중히 해야 합니다. 고지에 익숙하지 않은 경우는 전문기관에 맡겨도 되고, 가능한 한 조기에 전문기관에서 치료받을 수 있게 하는 것이 중요합니다.

여기에서는 처음으로 치과주치의가 설명하는 방법을 기술한 후에, 전문기관의 암환자에 대한 병명 고지의 견해, 암 고지에 대한 환자의 정신적 반응 등을 기술하려고 합니다.

1. 치과주치의의 구체적인 설명 방법

전문치료기관이 아닌 개원치과의인 경우, 환자의 감정이나 입장을 중요시하면서 조기에 치료를 받도록 하는 점을 주안점으로 설명하는 것이 중요합니다. 일반적으로 환자에 대한 치료나 병상을 설명하는 경우는 어디까지나 환자의 시점에서 치료의 단점까지 포함하여 정중히 상세하게 해야 하며, 환자의 이해도를 보면서 설명해야 합니다. 구강암이 의심스러운 환자에게 전문기관을 소개할 때는 더욱 배려가 필요합니다.

1) 설명 환경

설명할 때는 다른 일 사이에 하지 말고 충분히 시간을 할애하여 합니다. 환자의 프라이버시를 배려하는 의미에서 가능하면 다른 환자가 없는 진료시간 후 등에 합니다.

2) 설명하는 방법

어디까지나 직접 본인에게 전달하는 것이 원칙입니다. 전화나 선 채 하는 설명은 환자나 그 가족에게 소홀히 대하는 인상을 주게 됩니다. 또 가족에게 먼저 알리지 말고, 환자의 양해를 얻게 되면 가족의 동석 하에 얘기를 하는 편이 가족의 협력도 얻을 수 있으며, 환자도 전문기관을 내원하기가 쉬워집니다. 설명에는 전문용어를 사용하지 말고 평이한 말로 하며, 글자나 그림으로 내용을 적으면서 설명하며, 그 서면을 남겨 두는 등의 배려가 필요합니다.

확정진단 전인 경우가 많으므로 '시진과 촉진뿐인 임상적인 진단입니다'라고 전제하고, '이 증상(궤양·종양 등)은 양성종양이나 감염 등에 의한 염증, 의치나 치아가 점막에 반

복적으로 닿아서 생긴 '상처'(욕창성 궤양)인 경우도 있습니다. 그러나 악성일 가능성도 있습니다'라고 똑같은 증상을 나타내는 양성종양이나 염증, 점막질환, 만성외상일 가능성을 얘기하면서, 어디까지나 구강암의 의심이 있다는 취지를 설명하는 편이 좋습니다.

기본적으로 큰 병원에는 가고 싶지 않은 것이 대다수 환자의 심리입니다. 구강암일 가능성을 설명해도 전문기관을 바로 방문하지 않는 환자도 흔히 있습니다. 다음 페이지에 기술하였듯이, 환자의 심리적 반응으로서 기다리고 있으면 그 동안에 나을 것이라고 생각하는 사람도 많습니다. '정확한 병명은 일부 병변을 채취하여 현미경으로 관찰하는 병리조직학검사를 해야 알 수 있습니다. 모르는 채 불안한 것보다 빨리 정확하게 검사하는 편이 안심이 되지요'라고 촉구하는 것도 한 방법입니다.

단, 정확히 설명은 해야 하지만, 환자의 상태도 고려하지 않고 단지 일방적으로 사실만 말한 후, 다음은 환자측에서 알아서 대처하도록 하는 자세는 절대로 안 됩니다.[3] 확정 진단은 병리검사에서 하기 때문에 어디까지나 의심일 뿐이라는, 냉정한 듯한 표현도 삼가야 합니다.

설명 당일 밤에 환자의 자택에 전화하여 격려하면서 확실히 전문의료기관의 검진을 받도록 배려하는 것도 효과적입니다.

2. 암고지에 대한 환자의 정신적 반응[2)]

암을 고지 받은 후에 환자가 나타내는 통상적인 반응으로, Holland, JC 팀(1990)은 다음과 같은 단계모델을 제시하고 있습니다. 즉, 고지 후 처음 1주간, 특히 2~3일은 환자가 고지 받은 내용을 믿지 않으려 하거나 일시적으로 부인하는 특징이 나타납니다. 환자는 나중에 그 때의 일을 '머리가 새하얘져서, 마치 나 자신에게 일어난 일 같지가 않았다'라고 말하기도 합니다. 또 '역시 그렇구나'라는 절망감을 경험하는 사람도 있습니다.

다음 1~2주는 고뇌, 불안, 억울, 불면, 식욕부진, 집중력의 저하 등의 증상이 교대로 몇 번씩 나타나는 시기입니다. 불안감이 심하고 집중력이 저하되어 있으므로 같은 말을 반복해서 묻는 시기이기도 합니다.

그리고 고지 후 2주 정도 지나면 환자는 현실 문제에 직면하면서 새로운 사태에 순응하게 됩니다. 즉, 자신의 암에 관한 정보를 가능한 모으려고 하고, 어떤 치료를 선택하는 것이 자신에게 가장 좋은지를 생각하는 등 병에 적극적으로 대처하려고 합니다. 이와 같은 적응의 시기에 이르는 기간은 환자마다 다르지만 늦어도 3개월 이내에는 적응하게 됩니다(그림 3-1).

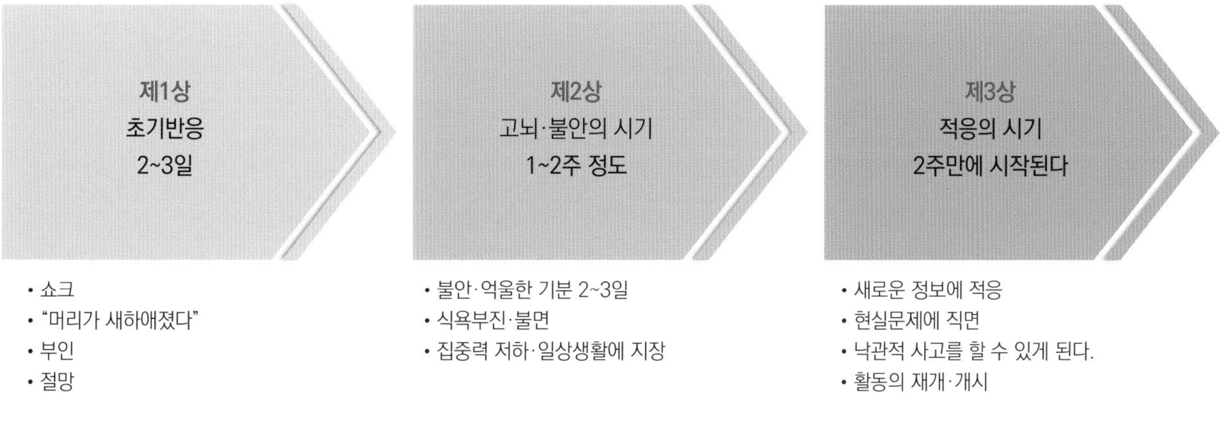

제1상 초기반응 2~3일	제2상 고뇌·불안의 시기 1~2주 정도	제3상 적응의 시기 2주만에 시작된다
• 쇼크 • "머리가 새하얘졌다" • 부인 • 절망	• 불안·억울한 기분 2~3일 • 식욕부진·불면 • 집중력 저하·일상생활에 지장	• 새로운 정보에 적응 • 현실문제에 직면 • 낙관적 사고를 할 수 있게 된다. • 활동의 재개·개시

●●● 그림 3-1. 암진단에 대한 통상의 심리적 반응

(Stiefel FC, Kornblith AB, Holland JC : Changes in the prescription patterns of psychotropic drugs for cancer patients during a 10-year period. Cancer 65 : 1048-1053, 1990에서 일부 개편)

3. 전문기관에서의 고지의 견해

현재는 Informed consent의 개념이 보급됨에 따라서 암 환자에 대한 병명고지는 일반적이 되었습니다. 이미 '알릴 것인가, 알리지 말 것인가?'하는 의논은 과거의 일이며, 게다가 '단지 기계적으로 병명을 알릴 것'이 아니라, '어떻게 사실을 전달하며, 그 후 어떻게 환자에게 대응하고 보조할 것인가?'하는 고지의 질을 묻게 되었습니다.[1)]

실제로 ①의료기술의 진보로 치유율이 상승하고 있다, ②환자자신이 내용을 잘 이해하지 못하면 충분한 치료를 할 수 없다, ③QOL의 개념에서 환자자신이 여러 치료법 중에서 선택할 수 있다, ④환자가 고지를 받지 않고 나중에 진실에 접근한 경우는 주위에 대한 불신감이 심해진다, ⑤ 대부분의 구강암환자 자신도 병명고지를 희망하고 있다.[1)] 등의 이유에서, 전문기관에서는 거의 100% 환자에게 병명을 고지하고 있습니다. 예외적으로, 환자가 질환에 관해서 이해할 수 없는 경우 자살기도의 가능성이 높은 경우 등은 고지를 삼가는 경우도 있습니다. 그러나 그 경우에는 가족들이 교대로 병상(病狀)을 설명하거나 상담을 반복하면서 치료합니다.

특히 구강암 치료는 절제수술로 저작기능의 저하나 심미적 장애가 생깁니다. 또 방사선요법이나 화학요법의 부작용으로 큰 고통을 겪을 가능성이 있어서 환자의 육체적, 정신적 부담도 적지 않습니다. 따라서, 충분한 치료를 하기 위해서는 환자의 이해와 협력이 전제조건이 됩니다. 또 고지를 받지 않고 치료가 진행되어도 많은 의료정보가 넘치는 현대에서 환자자신이 병명을 알지 못하는 경우가 드물며, 진실을 계속 감추다가 나중에 환자가 알게 되는 경우 지금까지의 설명이나 검사, 치료를 모두 의심하게 되어 치료를 진행할 수 없게 되는 경우도 있습니다.

고지환자에 대한 병상 설명시에는 치료방법 등의 기본적인 정보를 가능한 자세히 전달하고, 예후에 관해서는 비관적인 사실을 단지 기술할 것이 아니라, 절망감을 갖지 않게 설명합니다. 환자나 가족 중에는 '왜 좀 더 빨리 진찰받지 않았는지' 후회하는 사람도 많이 있습니다. 그 경우도 '과거로는 되돌아갈 수 없으니까 환자가 건강해지기 위해서는 앞으로 최선의 방법을 함께 생각해 봅시다'라고 한 마디 덧붙이는 것이 좋습니다.

또 치유가 불가능하다고 설명한 환자에게도 남겨진 시간을 의미있게 보내기 위해서 고지가 필요하다고 생각하며, 환자의 정신적 또는 신체적 상태를 고려하면서 설명합니다. 실제로 많은 환자는 병상의 진행을 늦출 수 있다고 생각하며 적극적으로 항암화학요법이나 방사선치료를 희망합니다.

≫ 참고문헌

1) 小國昌子, 梅田正博, 尾島泰公 등 : 구강암환자의 암고지에 관한 임상적 검토 : 특히 재발·전이시의 불치의 고지에 관하여, 일구진지(日口診誌), 20 : 275-278, 2007.

2) 岡村 仁, 內富康介저 : 정신과에서 본 가이드라인, 竜崇正, 寺本龍生편저, 암고지 환자의 존엄과 의사의 의무 제1판, 의학서원, 2001, 23~28.

3) 국립암연구센터병원 : 암고지 매뉴얼. http://ganjoho.jp/professional/communication/communication01.html. Accessed January 13, 2013.

Oral Cancer Screening STEP 1·2·3

02 진단 후 전문기관과의 협력 채택법과 환자의 애프터케어
전문기관으로의 **의뢰방법**

구강암이 의심스러운 경우는 가능한 조기에 전문기관에 의뢰하는 편이 낫다고 생각합니다. 진단을 내리지 못한 채 '상태를 본다'면서 몇 개월이나 방치되는 암 증례도 적지 않습니다. 욕창성 궤양이라고 생각되는 증례에서도 자극을 제거하고, 길어야 1~2주 경과를 보고 치유되지 않는 경우는 바로 행동해야 합니다. 또 환자는 질병에 관해서 신경이 예민해 있으므로 전문기관에 소개할 때는 환자의 육체적, 정신적 상태나 가정환경을 배려하는 것이 중요합니다. 소개의를 알고 있는 경우는 미리 전화로 연락하고, 예약합니다. 전문기관에서의 MRI나 CT 등의 영상검사는 예약이 필요한 경우가 많기 때문입니다. 특히 먼 곳으로 통원하는 경우는 병원 방문 횟수를 적게 하는 의미에서도 예약을 하는 편이 환자가 원활하게 진찰을 받을 수 있습니다. 또 전문기관의 지도나 전화번호를 전달하여 내원하기 쉽도록 하는 배려도 중요합니다.

소개방법은 전화나 FAX, 최근에는 E-mail로 이루어지기도 하지만, 가장 일반적인 것은 진료정보제공서나 편지로 소개하는 방법입니다. 내용은,

(1) 기본정보(의료기관명, 주소, 연락처, 치과의사성명, 이용자의 성명, 생년월일, 성별, 주소, 연락처 등)

(2) 환자의 병상, 경과 등(병명, 소개목적, 기왕력 및 가족력, 병상경과 및 검사결과, 치료경과, 현재의 처방 등)

을 기재합니다. 진료정보제공서의 서식에 관해서는 '치과점수표의 해석'을 참고로 하십시오1). 서류인 경우, 드물기는 하지만, 환자 자신이 읽는 경우가 있는 점을 염두에 두고 작성해 주십시오.

소개장의 일례를 그림 3-2에 나타냈습니다.

구강 내의 진찰은 내과나 이비인후과에서도 하지만, 그 기회가 가장 많은 것은 치과의사입니다. 따라서 치과의사에게는 구강암을 발견할 기회가 주어져 있다고 생각해야 하며, 이것이 치과의사의 사회적 의의를 보다 높이리라 생각합니다. 그런 의미에서도 치과의사회와 전문기관의 협력 구축이 향후 더욱 중요하다고 생각합니다.

≫ 참고문헌

1) 사회보험연구소 : 치과점수표의 해석 2012년 4월판. 사회보험연구소, 도쿄, 2012, 157, 384

전문기관에 소개

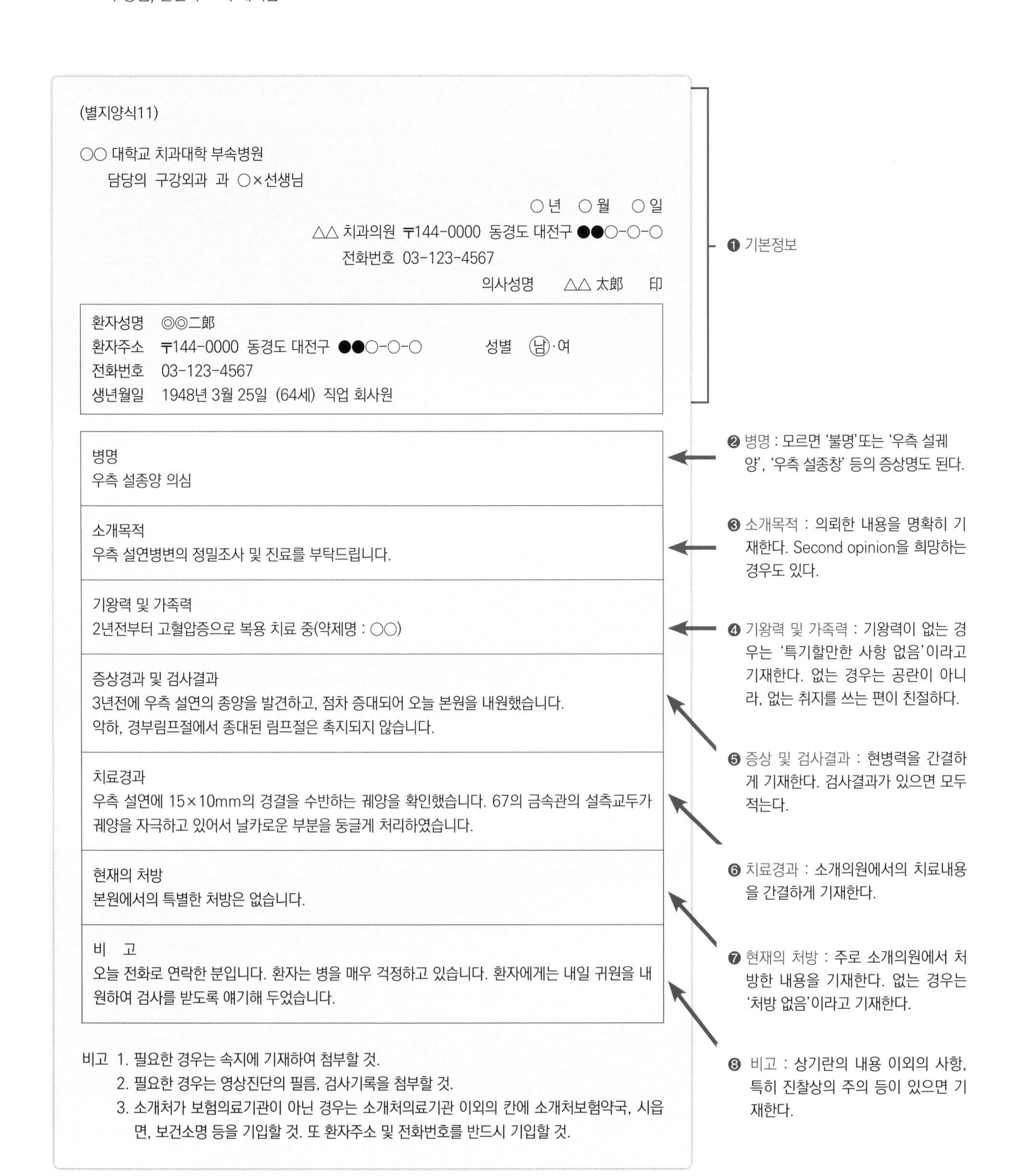
(별지양식11)

○○ 대학교 치과대학 부속병원
담당의 구강외과 과 ○×선생님

○년 ○월 ○일
△△ 치과의원 〒144-0000 동경도 대전구 ●●○-○-○
전화번호 03-123-4567
의사성명 △△ 太郎 印

환자성명 ◎◎二郎
환자주소 〒144-0000 동경도 대전구 ●●○-○-○ 성별 (남)·여
전화번호 03-123-4567
생년월일 1948년 3월 25일 (64세) 직업 회사원

병명
우측 설종양 의심

소개목적
우측 설연병변의 정밀조사 및 진료를 부탁드립니다.

기왕력 및 가족력
2년전부터 고혈압증으로 복용 치료 중(약제명 : ○○)

증상경과 및 검사결과
3년전에 우측 설연의 종양을 발견하고, 점차 증대되어 오늘 본원을 내원했습니다.
악하, 경부림프절에서 종대된 림프절은 촉지되지 않습니다.

치료경과
우측 설연에 15×10mm의 경결을 수반하는 궤양을 확인했습니다. 67의 금속관의 설측교두가 궤양을 자극하고 있어서 날카로운 부분을 둥글게 처리하였습니다.

현재의 처방
본원에서의 특별한 처방은 없습니다.

비 고
오늘 전화로 연락한 분입니다. 환자는 병을 매우 걱정하고 있습니다. 환자에게는 내일 귀원을 내원하여 검사를 받도록 얘기해 두었습니다.

비고 1. 필요한 경우는 속지에 기재하여 첨부할 것.
2. 필요한 경우는 영상진단의 필름, 검사기록을 첨부할 것.
3. 소개처가 보험의료기관이 아닌 경우는 소개처의료기관 이외의 칸에 소개처보험약국, 시읍면, 보건소명 등을 기입할 것. 또 환자주소 및 전화번호를 반드시 기입할 것.

그림 3-2. 진료정보제공서 예

Oral Cancer Screening STEP 1·2·3

03 진단 후 전문기관과의 협력 채택법과 환자의 애프터케어
전문기관에서의 회신서의 이해와 **그 후의 대응법**

소개장에 대한 회신서 서식에는 정형적인 특별한 것은 없고, 시설마다 정해져 있습니다. 대부분의 시설에서 초진시에 첫 보고로서 환자가 내원한 취지에 대해 간단히 회신하고 있습니다. 환자는 소개장을 받고 바로 전문기관을 방문한다고는 할 수 없습니다. 한참이 지나도 내원을 알리는 회신이 없는 경우는 의원측에서 환자에게 문의해 보는 것도 구강암이 의심스러운 경우에는 필수입니다.

회신서의 예를 그림 3-3에 나타냈습니다. 이것은 2번째로 중간경과를 알리는 내용입니다.

암환자는 재발이나 전이의 가능성이 있으므로 첫 회 치

보고서

○년 ○월 ○일

△△ 치과의원 △△ 太郎 선생님

등록번호 123-456-7890
성 명 ◎◎二郎 님
생년월일 1948년 3월 25일 성별 남성(63세)

의뢰하신 상기 환자에 관하여 보고드립니다.

본과진단·소견 기타
○년○월○일에 본과에서 검진하였습니다. ①우측 설연에 8×5mm의 궤양을 수반하는 15×5mm의 경결이 보입니다. ②우측 설암의 임상진단으로 초진 시에 ③US검사를 했습니다. 동년 ○월○일에 MRI 검사, ○월○일에 PET 검사를 했습니다. 어느 검사에서도 ④소속림프절 전이, 원격전이는 보이지 않고, ⑤병기는 T1N0M0로 Stage I 으로 생각됩니다. ⑥환자본인과 가족분들에게 치료 일정을 설명하고, 동의를 얻었습니다.
향후, ⑦○월○일에 입원하고, ○월○일에 전신마취하에 우측설종양절제술을 예정하고 있습니다. 또 ⑧수술 10일전에 병리조직검사로 확정진단을 내릴 예정입니다.
퇴원시에 절제물의 병리결과를 포함한 수술결과와 술후 경과를 보고하겠습니다.

구강외과 담당의 ○×인

❶ 초진시 소견
❷ 소견에서 의심스러운 진단이며, 확정진단이 아니다.
❸ 암의 범위, 전이의 유무를 검사하기 위한 영상검사. US 검사 : 초음파검사, MRI 검사 : 각 자기공명검사, PET검사 : 양전자방사단층촬영
❹ 원발소의 크기나 부위, 조직형이 같아도, 소속림프절 전이나 원격전이의 유무에 따라서 치료법이 다르다.
❺ 병기분류는 검사결과 판명한다. 상세한 내용은 구강암진료가이드라인 1)을 참조
❻ 치료 시에는 원칙적으로 환자본인과 가족의 동의가 필요하다.
❼ 치료는 외과요법, 방사선요법, 화학요법의 단독 또는 병행하여 시행한다.
❽ 암치료를 개시하려면 병리조직검사에 의한 확정진단이 필요하다. 병리검사도 외과적 침습이므로, 소견에서 암의 확률이 높은 본 증례의 경우는 외과요법 직전에 병리검사를 했다.

●●● 그림 3-3. 회신서의 예

료 후에 엄격한 follow up이 필요합니다. 특히 치료 후 1년 미만은 통계적으로 재발이나 전이가 많기 때문에 1개월에 1~2회의 외래로 경과를 관찰합니다. 이 경과 관찰은 내원 간격이 시설에 따라서 다르지만, 3년, 5년으로 이어지며, 현재는 치료 후 10년 정도 걸립니다.

또 근년, 암환자의 구강케어에 관한 병진 협력이 추진되고 있습니다. 특히 2012년 4월 보험진료점수 개정으로 산정하게 된 주술기 구강기능관리계획서는 전문기관에서 작성하며, 퇴원 후에 개원치과의를 방문하는 경우 전문기관을 단골 치과의의 계속적 환자관리정보로서 활용할 수 있습니다(상세한 내용은 p.86 참조).

또 개원치과의와 전문기관의 협력은 구강관리뿐 아니라, 치료 후 환자의 종양의 경과 관찰에서도 중요합니다. 환자에게 재발이나 전이 등의 이상소견이 나타나는 경우, 환자가 바로 의논할 수 있는 것은 근처의 다니던 치과의원입니다. 전문의와 밀접한 협력을 유지하면서 함께 환자를 follow up해야 합니다.

≫ 참고문헌

1) 일본구강종양학회 구강암치료가이드라인 작성 Working · Group. 일본구강외과학회 구강암진단가이드라인 책정위원회합동위원회 편 : 진단 구강암진료가이드라인 2009년도판. 金原출판, 도쿄, 2009, 22.

Oral Cancer Screening STEP 1·2·3

04 진단 후 전문기관과의 협력 채택법과 환자의 애프터케어

전문기관의 **치료 흐름**

1. 치료의 흐름의 요점

환자가 내원하면 ①문진(주소, 현병력, 기왕력, 가족력), ②현증의 파악(시진, 촉진), ③검사, ④진단, ⑤치료의 순으로 이루어집니다(p.72).

치료 전에는 반드시 진단이 있습니다. 여기에서 말하는 진단이란 간단히 질환의 종류를 결정하는 협의의 의미의 진단이 아니라, 질환의 정도, 범위의 파악을 포함한 것을 말합니다. 암환자의 치료는 같은 부위, 같은 조직형이라도 크기나 전이의 유무에 따라서 치료방법이 크게 달라집니다. 또 환자의 성격이나 사회적 배경, 가족배경 등도 고려해야 합니다. '암'이라는 병명 때문에 성급한 치료를 희망하는 환자도 있지만, 반대로 진단을 내리지 못한 경우는 치료를 진행해서는 안 됩니다(치료의 상세한 내용에 관해서는 전문서를 참조하십시오).

2. 치료의 종류

구강암 치료는 종래부터 수술요법, 방사선요법, 화학요법이 주체로 이루어지고 있습니다. 그 밖에 면역요법, 온열요법 등이 있습니다. 단독으로 하는 경우는 외과요법과 방사선요법이 국소요법으로, 암조직이 원발소에 국한되어 있는 환자에게 이용되고 있습니다. 한편, 화학요법은 전신요법이라고 하며, 원격전이가 있는 환자에게 이용되고 있습니다. 그러나 최근에는 이 몇 가지 치료법을 병행하여 각 한계를 서로 보완하여 치료하려는 집학적 치료가 시행되고 있습니다(그림 3-4). 구강암 치료는 구강기능이나 심미적 측면에서, 형태의 보존이 강하게 요구되는 치료입니다. 그래서 방사선요법과 동시에 화학요법을 병용하는 화학방사선요법이 시행되고 있습니다.

한편, 경부림프절로의 전이가 있을 경우에는 경부곽청술

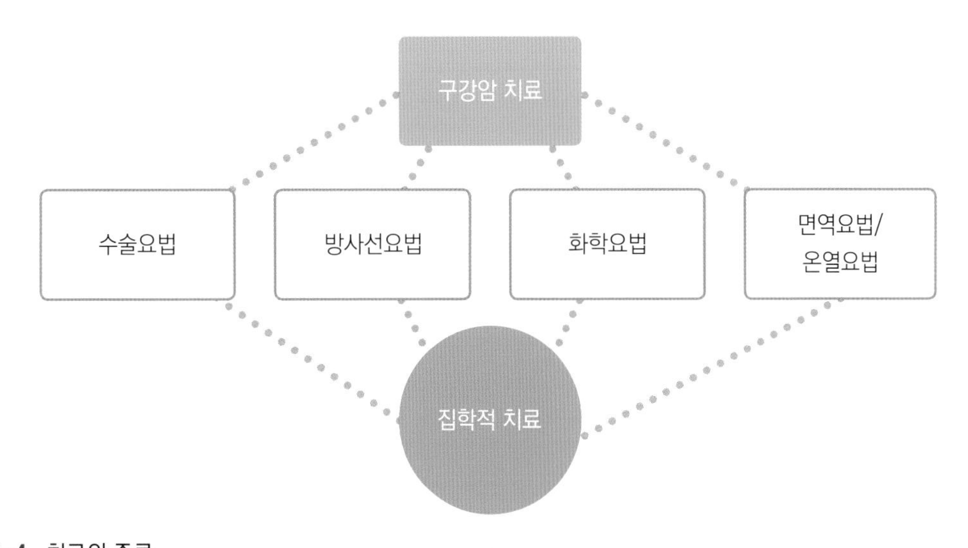

그림 3-4. 치료의 종류

구강암 치료는 방사선요법과 동시에 화학요법을 병용하는 화학방사선요법이 시행되고 있습니다.

❖ 치료의 흐름

- 다른 질환과 마찬가지로 주소, 현병력, 기왕력, 가족력 순으로 한다.
- 가족력을 확인함으로써 가족구성도 파악할 수 있으므로, 반드시 확인한다.
- 증상의 시간경과에 주목한다.
  구강암은 증상의 변화가 주 또는 월단위인 경우가 많으며, 종창이나 궤양 등이 급속히 확대되고, 시간이 경과하거나 자극을 제거해도 개선되지 않는 것이 특징(예외 있음).
- 신경증상에 주의한다.
  증상 중, 지각마비 등의 신경증상이 의외로 중요. 외상 등의 전형적인 신경손상의 기왕이 없는 경우는 구강암을 고려할 것.

- 시진(점막질환이나 피부질환은 색과 형태로 분류)
- 궤양·미란형, 육아형, 종류형, 백반형, 유두종형의 임상시진형으로 분류된다(Step1② p.47 참조).
- 〈공통항목〉색 : 백색과 적색의 혼재/형태 : 경계가 불명료하고 거친 느낌의 병변, 시진상에서 암조직의 색조나 3차원적 형태에 불균일성이 나타나는 경향이 있다.
- 촉진
  암조직 특유의 "경결"이라는 촉진소견은 암의 중요한 임상상의 진단근거.
  특히 구강암은 특별한 기구나 환자의 고통 없이 시진과 촉진을 할 수 있다. 숙련된 전문의라면, 이 2가지 소견으로 대다수의 구강암을 발견할 수 있다.

- 일반적인 채혈에 의한 혈액학, 생화학검사
- 종양마커(AFP나 CEA, SCC 등)
- 영상검사(단순X선사진, CT, MRI, 초음파검사, PET* 등)
  원발소의 크기뿐 아니라, 경부림프절이나 폐 등의 원격장기로의 전이 유무를 검사하는 데에 사용.
  치료지침의 결정에 큰 역할을 담당한다.
  (※ PET란 : 핵의학이미지의 하나. 양전자방사성약제를 환자에게 투여하고, 체내에서 약제가 모이는 부분을 입체적으로 보는 것. 대표적인 투여약제에, 글루코스의 하나인 탄소(C)를 불소(18F)로 치환한 18FDG가 있다. 암조직은 당대사가 활발하므로 투여한 18FDG를 영상으로 파악할 수 있다. 현재는 단순히 PET라고 하지만 통상은 FDG-PET를 말한다).
- 병리조직학 검사(세포검사, 생검, 수술표본의 검사, 술중 신속병리진단)
  병변의 조직형과 함께 악성도도 판단한다.
  생검은 확정진단으로 시행한다. 병변부조직과 주위의 비병변부조직을 포함하여 방추상으로 절제하며, 통상 이것을 구강병리전문의 또는 병리전문의가 진단한다.

문진, 현증파악, 검사로 종양의 조직형, 확대범위, 악성도 등을 포함하여 진단한다.

이나 방사선요법이 시행됩니다. 또 암처럼 생명을 위협하는 질환에 직면하고 있는 환자 및 그 가족의 QOL을 개선하기 위한 완화의료가 있습니다.[3] 암치료에서는 어떤 시점에서나 완화의료를 필요로 합니다. 특히 말기에는 동통, 출혈, 호흡장애, 영양장애, 심리적 장애 등에 대한 많은 접근이 이루어지고 있습니다.

구강암 치료는 발증부위나 조직형, 임상병기가 같아도 전문기관에 따라 조금씩 견해가 달라 많은 선택의 조합이 존재합니다. 치료방침의 결정에는 환자의 의견을 중심으로 사회적 환경, 몸의 상태, 연령, 가족의 희망 등의 요소를 고려해야 합니다.

여려 가지 치료의 선택을 이해하기 위해서 문제해결의 모델로 코칭(Coaching) 등에 이용되는 GROW 모델(그림 3-5)[4]을 소개합니다. 이 모델은

- GOAL(목표 : 무엇을 목표로 하는가?)
- REALITY(현 상황 : 현재 어떤 상황인가?)
- OPTIONS(해결방법 : 어떤 방법으로 개선·실행하는가?)
- WILL(착수 : 언제부터 실행에 옮기는가?)

의 머리글자를 딴것입니다. 위에 기술한 진단은 현증의 파악 결과(Reality)이며, 환자의 상황에 맞추어 완치를 목표로 할 것인가, 완화요법을 중심으로 할 것인가, 굳이 적극적인 치료는 하지 않을 것인가 등의 최종 목표(GOAL)를 어디에 설정할 것인가를 현증의 파악과 동시에 환자 및 가족과 함께 명확히 합니다. 그 후의 치료방침은 현증과 치료목표를 결부시키는 해결방법(OPTIONS)에 해당됩니다.

구강암 치료는 여러 가지 마이크로서저리(microsurgery)에 의한 유리조직이식의 재건이나 분자표적 치료를 비롯한 화학요법 등이 계속 진보하는 분야입니다. 해당 주치치과의사는 구강암에 관한 최신 정보를 항상 추구하는 것도 중요합니다.

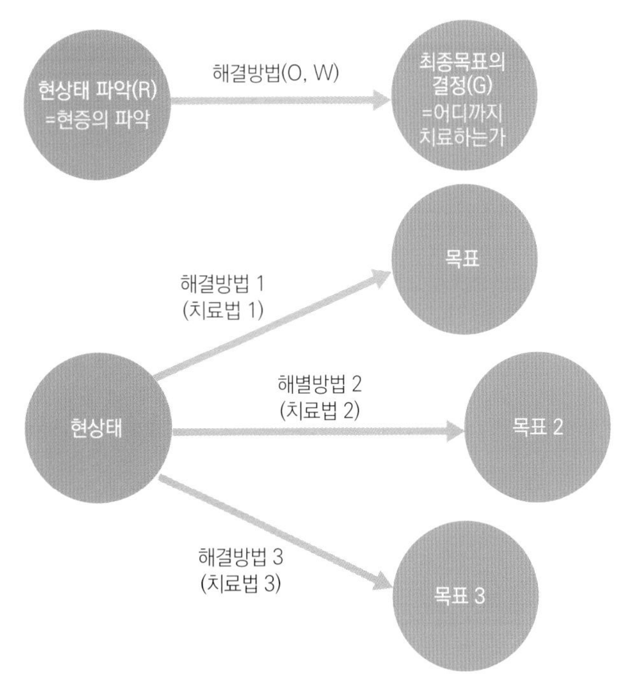

●●● 그림 3-5. GROW 모델

≫ 참고문헌

1) 일본구강종양학회 구강암치료 가이드라인 작성 Working·Group. 일본구강외과학회 구강암진단 가이드라인 책정위원회 합동위원회 편 : 진단 구강암진료가이드라인 2009년도판. 金原출판, 도쿄, 2009, 22.
2) 일본구강종양학회 '구강암 취급지침' Working·Group : 설암 취급지침 Working·Group. 구강종양, 17 : 13-85, 2005.
3) 일본구강종양학회 구강암치료 가이드라인 작성 Working·Group. 일본구강외과학회 구강암진단 가이드라인 책정위원회 합동위원회편 : 완화의료 구강암진료 가이드라인 2009년도판. 金原출판, 도쿄, 2009, 143.
4) 코칭(Coaching) GROW 모델에 관하여. http://www2.com.ne.jp/~honeybee/communication/coaching/Coaching-Grow-Model.html.Accessed January 13, 2013.

Column | 간과하면 어쩌나(오진의 불안)

치과의사의 구강 검진에서는 종종 '암의 간과'가 문제가 됩니다. 구강암에 익숙하지 않은 치과의사가 구강암 검진에 참가하는 것에 불안을 느끼는 것은 당연합니다.

구강암 이외의 일반암의 간과가 일어나는 경우로는, (1) 직장 등에서의 집단건강검진, (2) 개별건강검진, (3) 통상 개개의 진료를 들 수 있습니다. 집단건강검진에서 암을 간과한 경우는 짧은 시간에 많은 사람을 진단해야 하는 성질상의 한계를 드는 판례가 많습니다. 한편, 개별 건강검진은 건강관리에 높은 관심을 가진 사람이 자발적으로 내원하는 것으로, 진단을 확정할 수 없는 경우에는 정밀검사 또는 재검사를 받아 진단을 확정하도록 촉구하는, 보다 고도의 주의의무를 수반합니다. 이에 반해서 통상 개개의 진료 중의 간과는 진료가 암 이외의 특정질환의 검사나 치료를 위해서 시행되므로, 의사의 의식이 기본적으로 암을 발견하는 것에 있지 않다는 특징이 있습니다.

암의 간과가 소송의 쟁점이 되는 것은, ① 처음부터 의사는 병변을 알고 있어야 하는 거 아닌가? (주의의무를 게을리했는가?), ② 주의의무를 게을리한 것과 현실적으로 생긴 결과 사이에 인과관계가 있는가 하는 점입니다.[1] 이 주의의무의 기준은 진료 당시 이른바 임상의학의 실천에 있어서 의료수준, 즉 의료기관의 성격, 지역, 의료환경에 따라서 다르며, 일률적이지 않습니다.[2~4]

그럼, 구강암 진단인 경우는 어떨까요? 검진을 하는 치과의사의 기량, 검진 환경에 따라서 상황이 크게 달라지는데, 이상이 의심스러운 징후가 있으면, 이것을 피험자에게 통지하고, 진단을 확정할 수 없는 경우에는 정밀검사 또는 재검사를 받아서 진단을 확정하도록 촉구하는 것이 바람직합니다. 또 일반치과진료 중인 경우 구강암의 간과는 어떨까요? 역시, 일반치과진료라고 해도 환자의 상태나 진찰환경 등 여러 가지 상황이 고려됩니다. 개구장애가 있으면 구강 내를 상세히 관찰하기가 어려우며, 재택에서의 진료는 진찰실에서의 진료와는 크게 조건이 다릅니다. 또 암병변 자체도 부위나 크기에 따라서 진료조건이 좋아도 진단이 어려운 경우가 있습니다. 초기의 작은 구강암은 전문적으로 진찰하더라도 임상진단이 어려워서 병리조직검사에 맡기는 경우도 많습니다. 그러나 한편, 대학병원에서 진료하는 구강암 환자 중에는 좀 더 일찍 의뢰되었으면 하는 증례도 있습니다.

이미 현재는 구강암 검진에서 암의 간과를 두려워하기보다 치과의사가 구강암을 발견할 수 있는 입장에 있다고 생각하며, 적극적으로 구강암을 발견하기 위한 최선의 노력을 다 해야 하는 시대라고 생각합니다.

(수기야마 요시키)

1) 森脇江津子, 武市尙子, 岡住愼一 : 부작위 인과관계에 관하여 -간암 간과 사건. 병원, 65 : 908-913, 2006.
2) 稲葉一人 : 실천적 판례 대처술 주의의무의 기준이 되는 의료수준(해설). Nursing BUSINESS, 2 : 258-259, 2008
3) 菅野耕毅저 : 의료사고의 법. 의사법학개론 제2판. 의치약출판, 도쿄, 2004, 201-226.
4) 山口光哉 : 의료소송을 생각한다. 의료에서의 주의의무(일반), Biomedical Perspectives, 10 : 69-72, 2001.

Oral Cancer Screening STEP 1·2·3

05 치과의원의 입원 전후의 환자케어 - **치과위생사가 하는 구강케어**

진단 후 전문기관과의 협력 채택법과 환자의 애프터케어

1. 입원 전-치과의원에서 하는 구강케어

1) 수술

(1) 치과의원에서 하는 수술 전 구강케어

구강암 수술 전의 구강케어라 해도 실제로 하는 내용은 치과의원에서의 일반적인 치석제거, 전문적 기계적 치면청소(PMTC)와 크게 다르지 않습니다(그림 3-6). 단지, 구강암이라는 병의 특징을 이해하고, 처치나 구강위생지도를 하는 것이 필요합니다.

(2) 차이는 거기에 '암'이 있다는 것

구강암의 경우, 구강 내 자체에 '암'이 있어서 칫솔이 종양에 접촉하면 통증이 생기므로 셀프케어가 어려워집니다. 또 종양의 특성상 출혈이 잘 되므로 케어 시에 종양을 자극하지 않도록 주의해야 합니다(그림 3-7).

구강암수술은 구강 내세균이 많은 환경하에 시행되므로 창상 감염의 위험이 매우 높지만, 반대로 말하면 시각적으로 유일하게 청소가 가능한 영역이기도 합니다. 술전·술후는 종양을 자극하지 않고, 청결하게 유지하는 관리가 중요

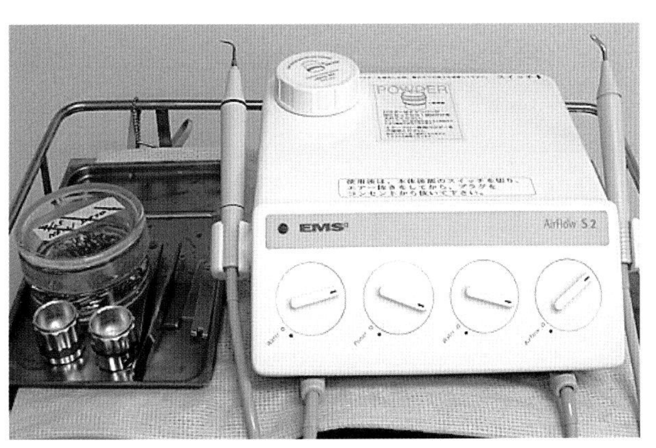

초음파스켈러·치면청소기

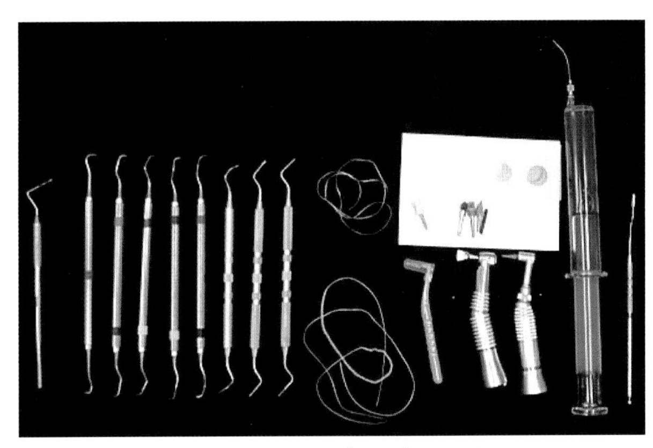

스켈러·엔진브러시(연마용)·소독액

●●● 그림 3-6. 기구

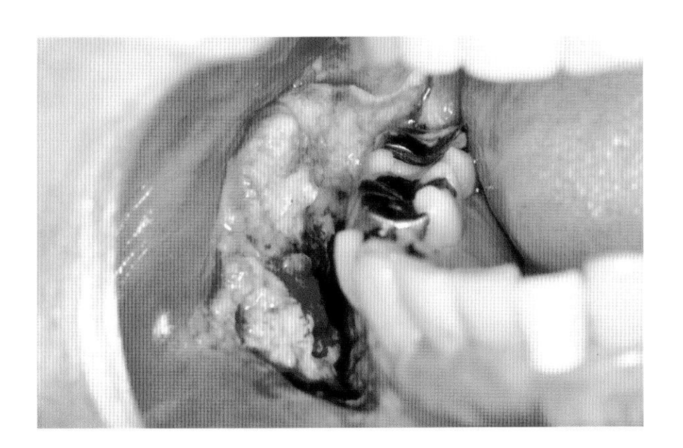

- 출혈이 잘 된다.
- 자극하지 않는다.
- 하지만 깨끗하게
- 할 수 있는 치과치료는 지금부터

●●● 그림 3-7. 하악 우측 치은암(편평상피암)

육아형 T4aN0M0(59세 여성)

• '치조골흡수를 확인한 치은암에서의 출혈'

합니다(그림 3-8). 종양에 포함되는 치아는 스켈링은 하지 않고, 연모의 칫솔이나 약솜 등으로 조심스럽게 청소합니다.

또 구강암은 종양절제로 인한 구강의 중도 기능장애를 수반하여 식사·대화가 어려워지는 경우가 많은 질환입니다. 혀나 구저 등의 부위를 광범위하게 절제한 술후에는 식사나 대화에 지장을 줄 뿐 아니라, 치과치료 자체도 어려워지는 경우가 있습니다. 술후 형태변화에 의한 인두폐쇄부전 때문에(그림 3-9a), 치과치료에서 사용하는 에어터빈이나 스켈링에 사용하는 초음파스켈러 등의 물을 구강 내에 유지할 수가 없어서 술후 치과처치에서는 주의를 요합니다(그림 3-9b). 그 점을 고려하여 술전에 치과치료가 필요한 곳은 가능한 미리 해 두는 것이 좋습니다.

(3) 술후의 형태 · 기능의 변화를 고려한 구강위생지도

구강암 수술 후에는 구강 내 여러 기관의 운동장애, 감각장애, 연하장애를 비롯하여 여러 가지 기능적 손실이 있습니다. 또 종양절제 때문에 일어나는 형태변화에 따라서 자정작용이 저하되므로, 술전부터 그 점에 대해 구체적으로 설명하고, 셀프케어의 중요성을 지도합니다.

특히, 술후 창부에 근접한 치아는 동통, 불안 때문에 환

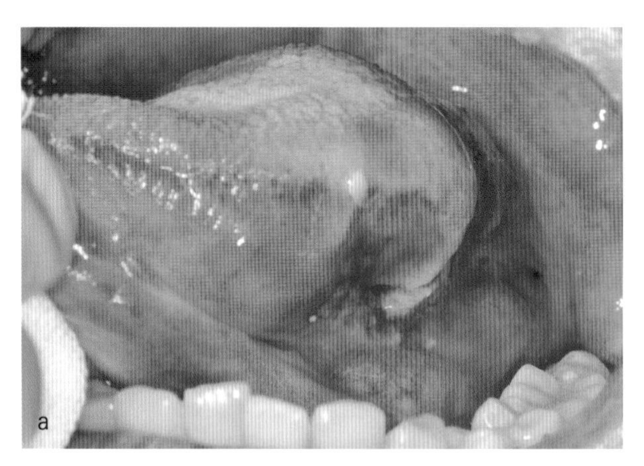

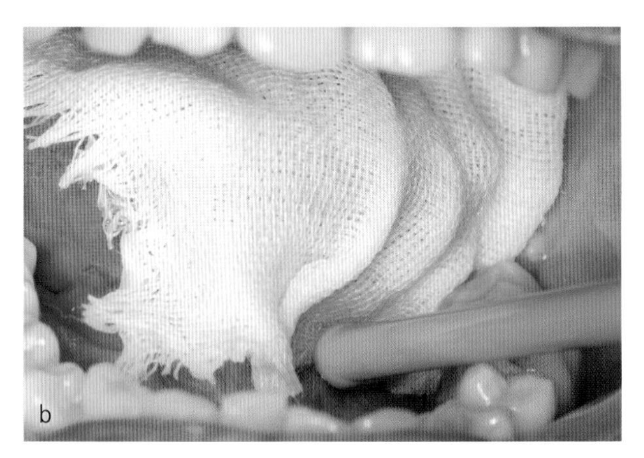

●●● **그림 3-8.** 좌측 설암(편평상피암), 궤양형 T4aN0M0(30세 남성)

거즈(guaze)로 종양을 보호하면서 브러싱한다(b).

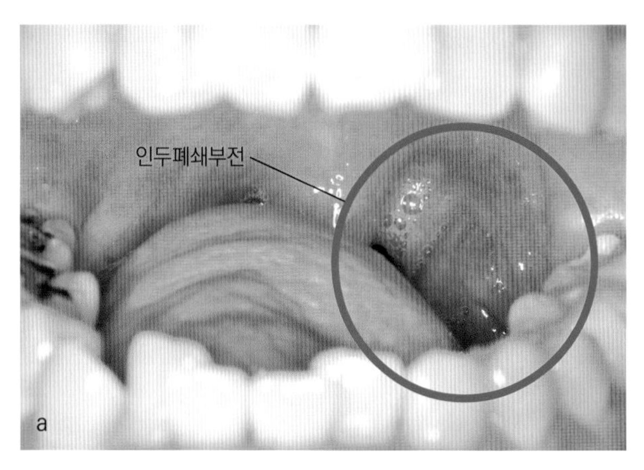

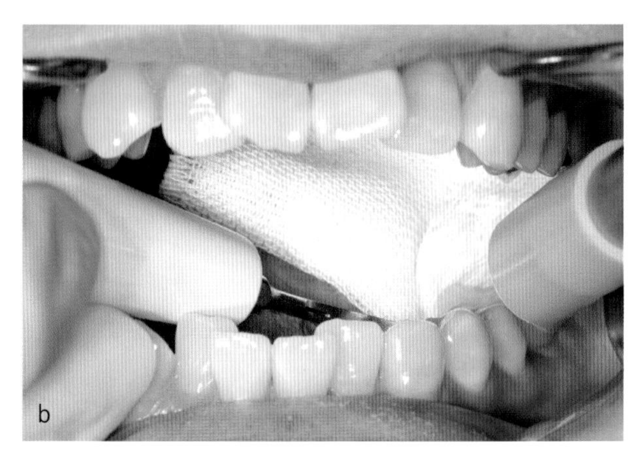

●●● **그림 3-9.** 좌측 설암(편평상피암), 술후의 구강 내 소견(41세 여성)

종양절제 및 전완피판으로 재건술 후, 잔존치의 설거상부전으로 수분의 구강 내 유지가 어렵다(술후 9개월)(a). 거즈나 석션으로 물의 흐름을 방지하면서 초음파스켈러로 스켈링한다(b).

자 자신이 하는 청소상태가 악화되므로, 헤드가 작은 원 터프트(One Tuft) 브러시의 병용이나 술후 개개의 구강 내 형태의 변화에 맞춘 기구를 제시하거나 적절한 청소지도를 합니다.

또 환자는 구강암 수술 후에 향후의 전망을 짐작할 수 없다. 암이 치유될까, 식사는 어떻게 하나, 말은 할 수 있을까 하는 많은 불안감을 안고 있습니다. '암'이라는 고지에서 수술을 받기까지 정신적·신체적 부담이 크므로 치과위생사는 구강케어의 시간을 최대한 이용하여 환자의 마음에 다가가 심리적인 배려를 포함한 지원을 하는 것이 중요합니다.

2) 화학 · 방사선치료에 적합한 구강케어

항암제와 방사선치료를 병용하는 치료에서는 구강점막염을 비롯하여 여러 가지 구강 내의 유해증상이 발생합니다. 구강에 관해서는 치료시작 전까지 치과의원에서 예방적으로 구강 내의 감염원을 제거하고, 치석제거, 전문적 기계적 치면청소(PMTC)를 하며, 셀프케어의 필요성을 지도하고, 구강 내를 청결하게 유지하는 것이 좋습니다.

2. 입원 중-치과에서 하는 구강케어

1) 수술

(1) 수술 직후의 창부와 구강케어

수술 직후는 창부를 안정되게 유지하기 위하여 대화 제한이나 재건피판을 하는 경우(그림 3-10) 경부 가동범위의 제한이나 침상 안정 등 여러 가지 행동제한이 생깁니다. 우선 환자의 전신상태를 파악하고, 구강케어가 가능한지의 여부를 확인합니다. 수술 직후의 구강케어는 창부가 취약하므로 약물을 적신 약솜 등으로 가피, 혈병, 점조가래 등을 조심스럽게 닦아냅니다(그림 3-11a). 술후 1주부터 10일에 봉합부를 발사하므로 그 동안은 창부의 감염예방을 위해서 구강 내를 청결하게 유지하는 것을 목적으로 케어하게 됩니다.

셀프케어는 양치를 할 수 있게 되면 시작합니다. 종양절제로 인한 형태변화나 경구섭취를 하지 않으므로 자정작용이 저하되고, 설태가 다량 부착되는 경우는 설브러시의 병용을 지도합니다(그림 3-11b). 창부 주위는 스펀지브러시나

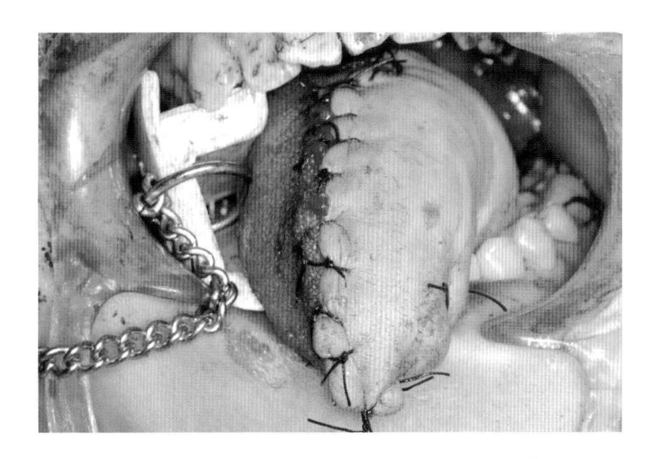

●●● 그림 3-10. 좌측 설암(편평상피암), T4aN0M0(40세 여성)

술중 사진 : 종양절제술, 좌측 기능적 경부곽청술, 유리전완피판 이식술

헤드가 작은 원 터프트(One Tuft) 브러시를 사용하여 청소합니다(그림 3-11c).

(2) 기능훈련

발사 후부터 경구섭취가 가능하므로 연하내시경검사(VE)나 연하조영검사(VFS)로 연하 기능 이상 유무를 검사합니다. 특히 구강암 수술 후에는 섭식·연하기능장애나 구음장애라는 기능장애가 발생합니다. 이 경우는 언어치료사와 협력하여 수술 전부터 적극적인 기능훈련을 개시하며, 계속적으로 해 나가는 것이 중요합니다.

2) 화학 · 방사선치료의 구강케어

어느 치료라도 치료개시 2주경부터 구강점막염이 출현하게 됩니다(그림 3-12a). 동통으로 식사, 대화, 브러싱이 어려워지므로, 국소마취제가 함유된 함수제(含嗽剤)를 사용하여 동통을 완화시킵니다. 셀프케어는 젖은 거즈로 점막을 보호하면서 브러싱방법이나 원 테프트(One Tuft) 브러시(그림 3-12b), 연모칫솔, 스펀지브러시 등을 사용하도록 지도합니다. 특히 구강 내를 청결하게 유지하고, 점막이 손상되지 않도록 양치 및 보습제에 의한 보습을 조심스럽게 하는 것이 중요합니다.

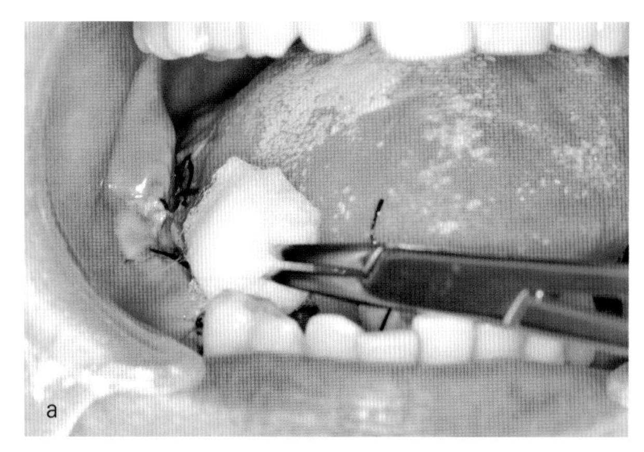

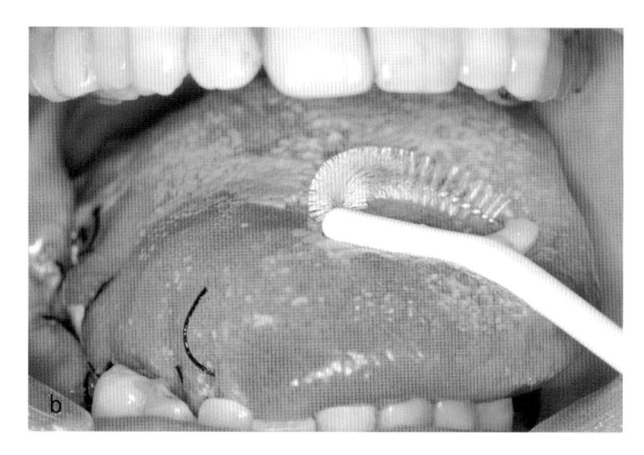

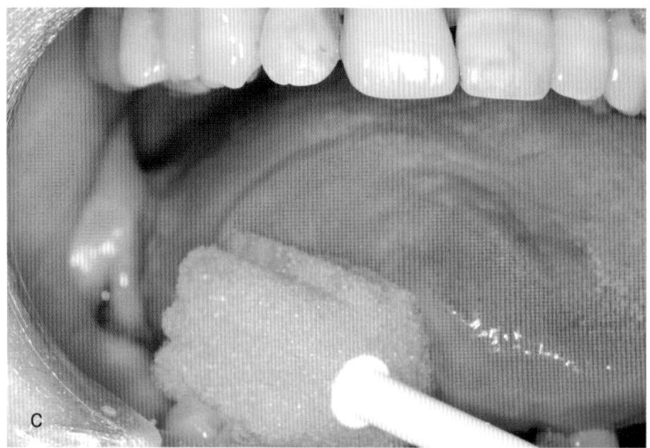

●●● 그림 3-11. 우측 설암(편평상피암), T2N0M0술후(72세 여성)

- 술식 : 우측 설부분절제술. 직접 봉합 후
- a, b 술후 4일, c 술후 11일
- 수술 직후의 창부는 약솜 등으로 조심스럽게 청소(a). 자정작용 저하로 인한 설태 부착은 혀 브러시로 청소(b). 창부 주위는 스펀지브러시로 셀프케어한다(c).

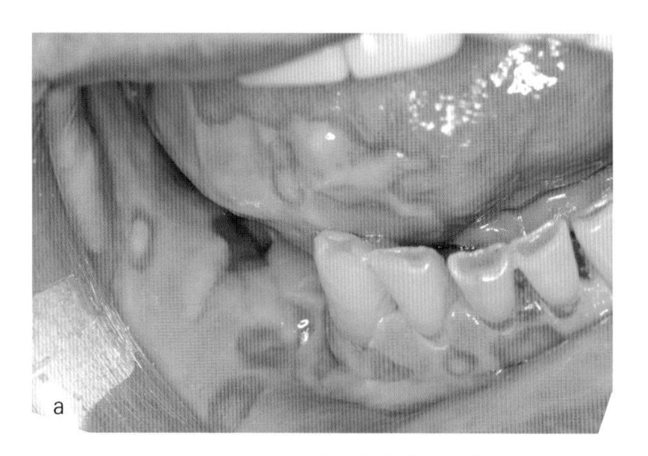

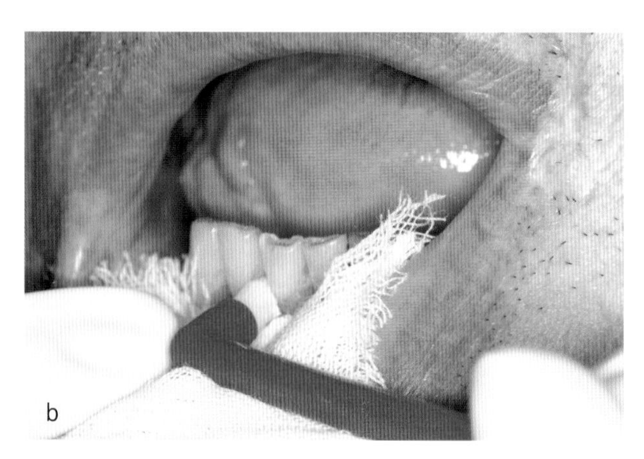

●●● 그림 3-12. 하악 우측 치은암(편평상피암) 술후 재발에 화학방사선치료를 시행한 증례(77세 남성)

치료개시 2주경부터 점막염증상이 출현(a). 동통이 심한 경우는 젖은 거즈로 점막을 보호. 헤드가 작은 부드러운 칫솔로 청소한다(b). 양치 및 보습제로 조심스럽게 보습한다.

3. 퇴원 후-치과의원에서 하는 구강케어

구강암 치료 후에는 구강 내에 여러 가지 변화가 생깁니다. 구강은 언어, 저작, 연하와 깊이 관련되어 있어서 구강암수술로 그 기능들에 장애가 생기는 경우가 적지 않습니다. 특히 피판으로 재건한 구강 내 등 형태에 변화가 생긴 구강 내는 구조가 복잡해져서 청소가 어려워지기 쉬우므로 구강 내의 변화에 대응하면서 케어하는 것이 중요합니다.

1) 피판에 의한 재건수술을 한 증례

피판은 혈류는 확보되지만 신경이 이식되지 않으므로 감각이 없습니다(그림 3-13a). 그 때문에 식후 구강 내에 음식 찌꺼기 등이 저류되어도 자각하기 어려워서 구강위생상태가 불량해지기 쉽습니다.

또 식사 중에 혀를 깨물어도 감각이 없어서 알지 못하다가 치과의원에 내원했을 때에 비로소 교상을 발견하기도 합니다. 구강위생상태뿐 아니라, 피판의 상태 등을 포함하여 구강 내 전체를 관찰하는 것이 중요합니다.

부위적으로 피판 주위는 물론, 설암의 재건수술 후는 환측 치아의 설측, 설하부가 특히 구강위생상태가 불량해지기 쉬워서 구강청소를 할 때 주의깊은 관찰이 필요합니다. 환자에게 구강위생지도를 할 때는 그 부위에 대한 청결방법을 중점적으로 지도하는 것이 중요합니다(그림 3-13~17).

2) 상악암 절제술을 한 증례

상악암의 종양절제술 후에 구강과 비강이 개통하는 경우가 있습니다(그림 3-18). 구강과 비강이 개통되면 구강 내에서 비강 내로 물이 들어가게 되므로, 구강케어를 할 때는 스프레이나 물의 사용에 주의해야 합니다. 우선 구강케어를 정기적으로 하고, 주수(注水)가 필요한 초음파스켈러 등의 기구를 사용하지 않도록 구강위생을 관리하는 것이 중요합니다. 초음파스켈러 등을 사용하는 경우는 진료 의자를 너무 눕히지 않도록 하며, 석션 등을 병용하여 확실히 흡인합니다.

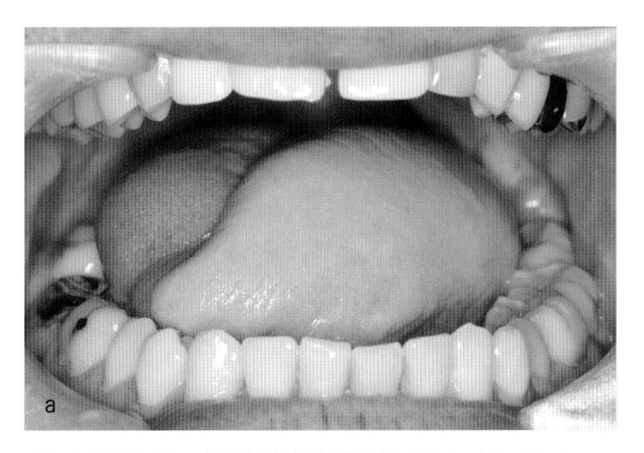

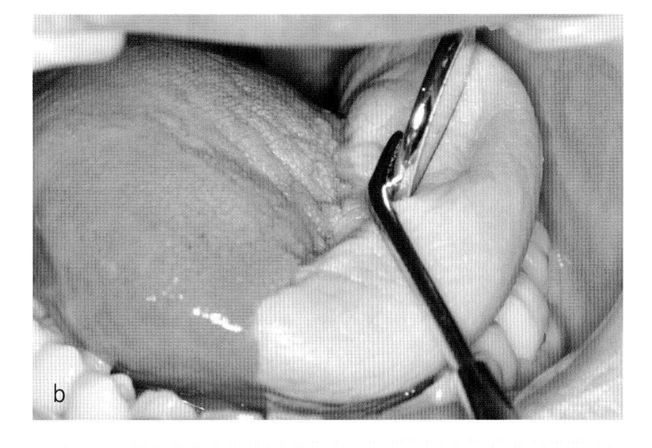

●●● 그림 3-13. 피판에 의한 재건수술 후의 구강 내(64세 남성)

좌측 설암 T3N2bM0술후 1년 5개월(a). 혀의 봉합부(b). 피판과 기존조직과의 봉합부나 재건했을 때에 생긴 홈에도 음식찌꺼기나 각질이 고이기 쉬워진다. 피판은 점막이 아니라 피부이므로 정기적으로 청소하지 않으면 각질이 제거되지 않은 채 부착되어 버린다.

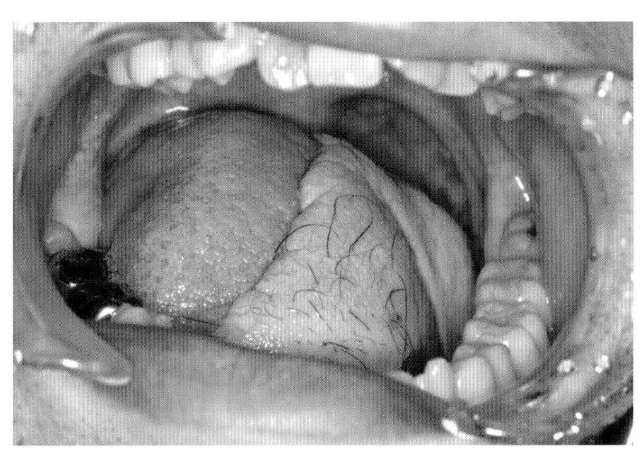

좌측설암 T4aN2bM0술후 4년 1개월(31세 남성)

●●● 그림 3-14. 털이 자라게 된 피판

피판에서는 털이 자라므로 그 주위에 음식찌꺼기나 각질이 부착되어 오염의 원인이 된다. 그 때문에 경우에 따라서는 제모도 하는데, 이 때 피판은 통증을 느끼지 못한다.

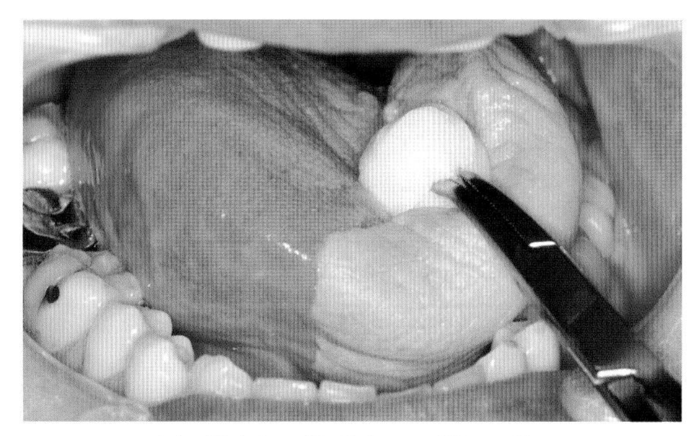

(a) 지혈겸자로 잡은 약솜으로 접합부를 청소

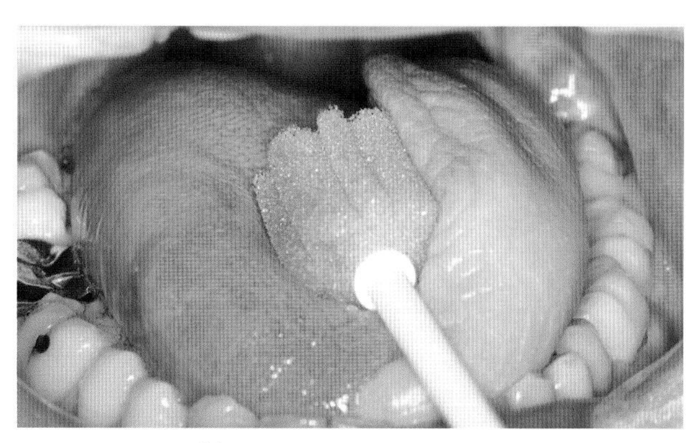

(b) 스펀지브러시로 봉합부를 청소

●●● 그림 3-15. 봉합부나 피판의 홈에 부착된 음식찌꺼기 등의 케어

약솜이나 스펀지브러시를 사용하여 조심스럽게 제거한다(a). 칫솔로 닦아내면 상처가 생길 염려가 있으므로 사용하지 않는 것이 좋다. 구강암 치료를 한 환자는 인두폐쇄부전이 되기도 하여 수분을 구강 내에 유지하는 것이 어려운 경우도 있다. 또 구강 내에 잘못하여 약솜 등으로 누르게 되면 감각이 둔하여 반응이 늦으며, 오음이나 오연의 위험성이 높아진다. 그 때문에 약솜으로 청소할 때는 모스키토겸자 등 약솜을 확실히 잡을 수 있는 기구를 사용하여 식염수를 묻혀 사용하도록 한다. 환자자신에게 청결방법을 지도하는 경우는 손을 넣기가 용이하고 사용방법도 간단한 스펀지브러시를 지도한다(b).

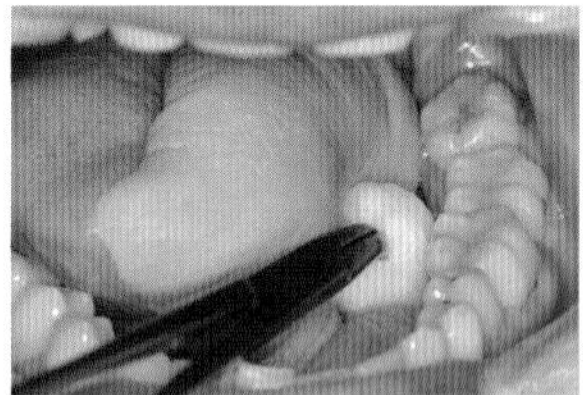

(a) 모스키토겸자로 잡은 약솜으로 접합부를 청소

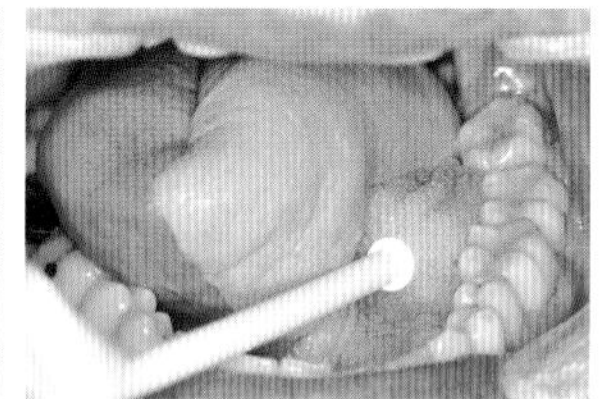

(b) 스펀지브러시로 봉합부를 청소

●●● 그림 3-16. 설하부의 청소

봉합부와 마찬가지로 약솜이나 스펀지브러시를 사용하여 음식찌꺼기 등을 제거한다. 피판으로 재건한 혀는 기존 혀와 달리 환자 스스로 움직일 수 없어서 약솜보다 사이즈가 큰 스펀지브러시는 삽입하기가 어렵다. 이때는 스펀지브러시를 회전시키며 사용하면, 부드럽게 설하부에 삽입할 수 있다. 약솜을 사용할 때는 그림 3-15에서도 기술하였듯이, 모스키토겸자 등으로 꽉 잡는다. 또 닦아낼 때는 기구를 속에서 바깥쪽으로 움직여서 음식찌꺼기 등이 속으로 밀려들어 가지 않도록 주의한다.

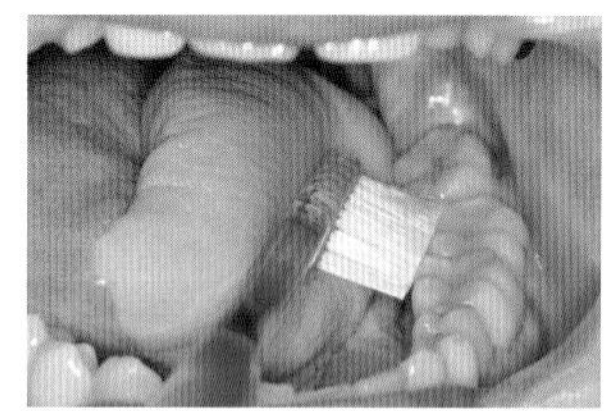

(a) 치솔로 치아 닦기

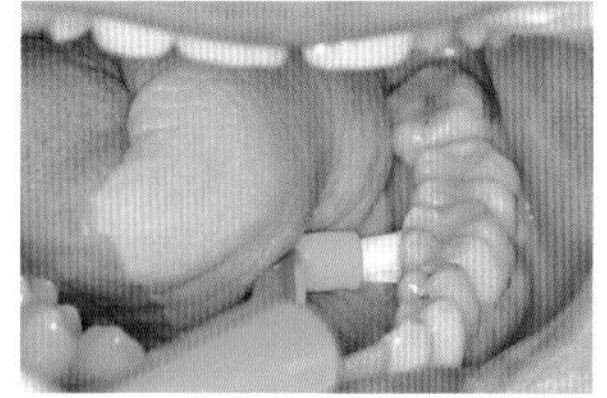

(b) 원 터프트(One Tuft) 브러시로 치아 닦기

●●● 그림 3-17. 잔존치가 있는 경우의 케어

반드시 치아를 닦는다. 피판은 기존 혀보다 딱딱하여 통상의 칫솔 크기로는 치경부까지 칫솔이 닿지 않는 수가 있다(a). 그와 같은 경우는 원 터프트 브러시를 사용하면, 헤드가 작아서 피판과 치아 사이의 작은 공간으로도 쉽게 들어간다(b). 칫솔 끝의 경도는 치은의 상태에 맞추어 선택하고, 술후 등의 취약한 치은인 경우는 연모칫솔을 선택한다. 폴리싱브러시를 사용하는 경우, 기존 혀는 그림 3-16에서도 기술하였듯이 환자 스스로 움직일 수 없으므로, 말리지 않도록 압박 등을 충분히 해야 한다.

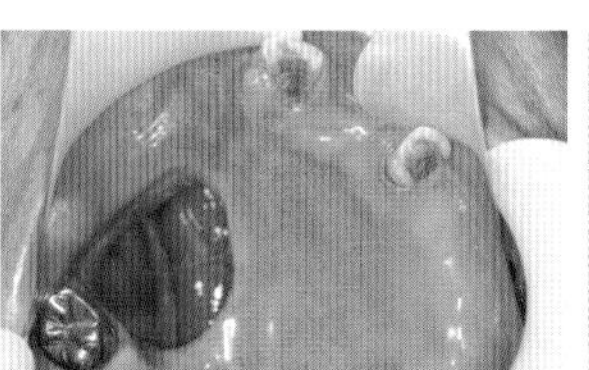

(a) 비강·상악동과 교통한 구강 내 상악좌측치은암 T3N0M0 술후 4개월 (58세 남성)

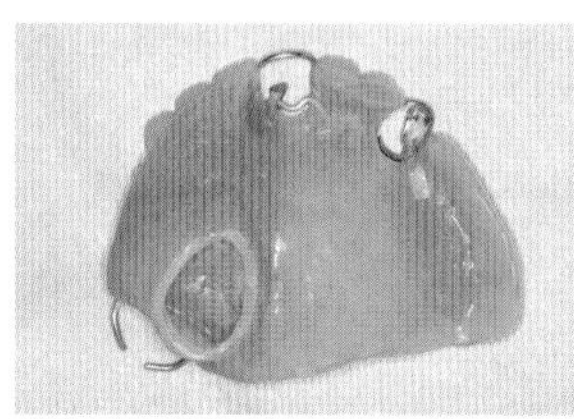

(b) 악의치

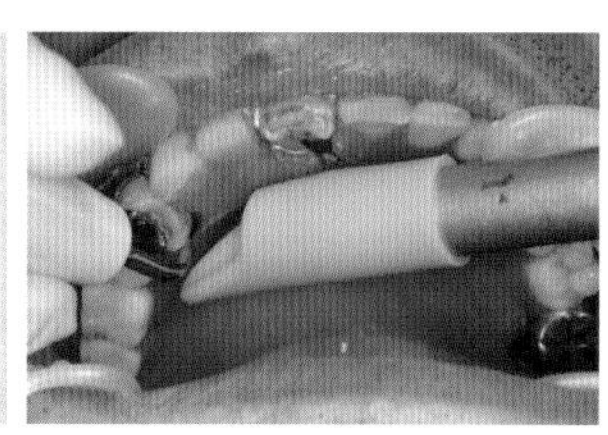

(c) 악의치를 장착한 상태에서 스켈링

●●● 그림 3-18. 상악암 절제술 후의 케어

구강과 비강이 교통하게 된 경우(a), 악의치라는 특수한 형태의 의치를 제작한다(b). 이것을 장착함으로써, 비강에 물이나 음식이 들어가는 것을 방지하고, 소리가 코로 새는(개비성(開鼻聲)) 것을 방지할 수 있다. 따라서, 초음파스켈러 등을 사용할 때도 악의치(Obturator)를 장착하면 비강으로 물이 들어가지 않는다(c).

3) 화학 · 방사선치료가 종료된 증례

방사선치료로 발생한 점막염은 치유되기까지 조사 종료 후 몇 주에서 1개월 정도 걸립니다. 화학요법 병용시(Concurrent chemo-radiation, CCRT)나 다분할 조사(Hyperfractionation) 시에는 치유가 지연되기도 합니다(그림 3-19). 그 때문에 퇴원 후 내원했을 때도 점막염이 치유 중인 경우가 있습니다. 이차감염을 예방하기 위해서 정기적인 구강위생관리를 계속해야 합니다. 또 급성기 유해사상으로는 점

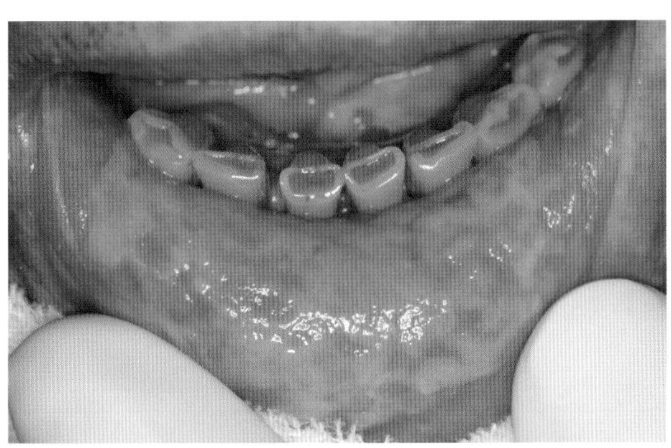

(a) 화학·방사선치료개시 1개월의 구순점막(77세 남성)

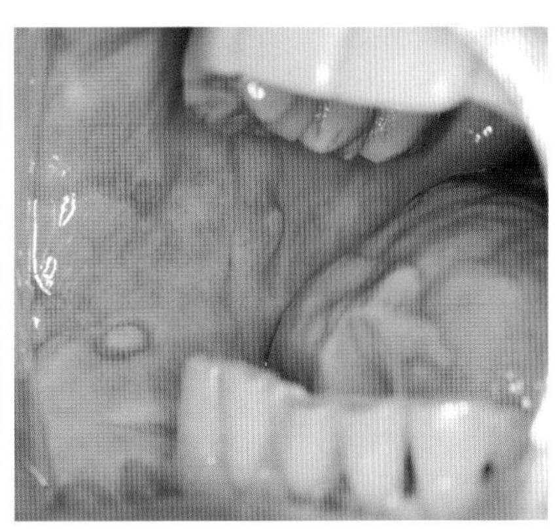

(b) 개시 1개월의 협점막

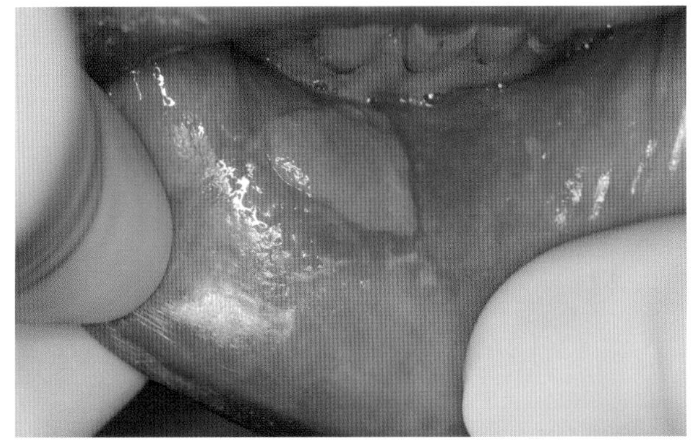

(c) 치료개시 2개월의 구순점막

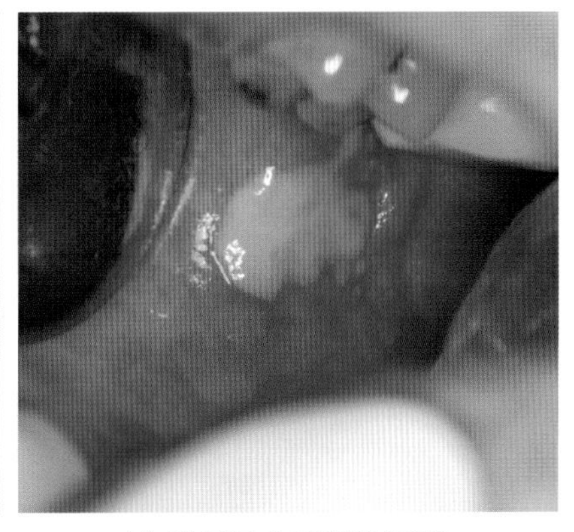

(d) 치료종료 후 2개월의 협점막

그림 3-19. 화학·방사선치료를 받은 환자의 구강 내

점막염 증상이 출현하고, 치유되려면 조사 종료 후 수주 이상 걸린다.

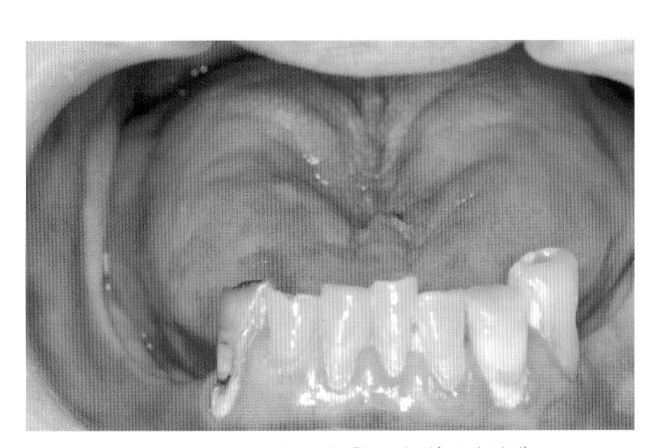

화학·방사선치료 후의 건조한 구강 내(80세 여성)

그림 3-20. 구강건조가 발생한 환자

자주 양치를 하도록 지도한다. 또 젤이나 스프레이 등의 보습제 사용도 구강건조의 예방에 효과적이다. 구강케어를 시작하기 전에 양치를 하는 것만으로는 바로 건조해 버리므로, 젤이나 스프레이를 사용한 후 청소를 개시하면 청소 중의 구강건조를 경감시킬 수가 있다. 구강 내가 건조한 채 청소하면 기구로 점막이 상할 위험이 있으므로 주의해야 한다.

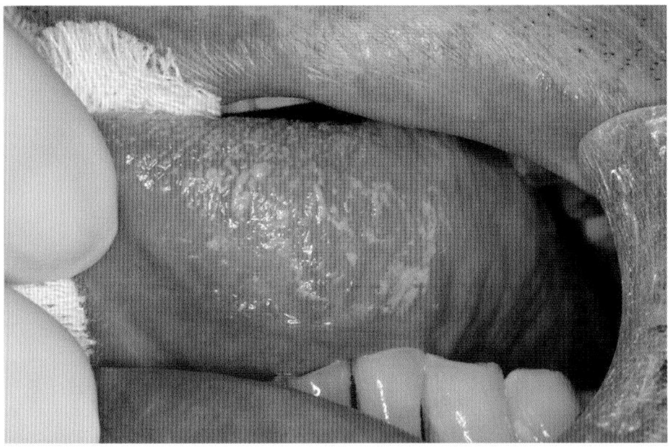

화학·방사선치료 후에 생긴 구강칸디다증(77세 남성)

그림 3-21. 구강칸디다증 환자

구강칸디다증은 기회감염으로, 화학·방사선치료로 저항력이 저하되었을 때에 발증하는 수가 있다. 구강칸디다증은 점막염과 유사한 얼얼한 통증을 수반하므로, 화학·방사선치료를 받은 환자는 통증 때문에 점막염이 출현했다고 생각한다. 이때 환자가 통증을 호소한다고 해서 점막염 때문이라고 단정짓지 말고 구강 내를 잘 관찰하며, 필요에 따라서 치과의사로부터 항진균제를 투여받는다.

막염 외에도 구강건조(그림 3-20)나 구강칸디다증(그림 3-21) 등을 들 수 있습니다. 타액선이 방사선의 조사부위에 들어가면 타액선이 위축되어 구강건조를 일으켜서 우식이나 치주질환의 진행을 조장하게 됩니다. 그리고 만발성 후유증으로 일어나는 방사선성 골수염은 발치가 최대 유발인자가 됩니다. 그 때문에 치료개시 전부터 치료종료 후에도 계속 구강위생관리가 중요합니다.

4. 경과 관찰 중인 구강케어

1) 구강암 수술 후의 구강케어

(1) 셀프케어의 필요성

구강암 수술 후의 환자에게는 구강 내의 셀프케어가 중요하지만, 수술 직후에는 수술에 수반하는 형태변화를 받아들이기 어려워서 셀프케어에까지 마음이 미치지 못하는 경우가 대부분입니다. 퇴원 후의 구강케어는 환자 자신이 직접해야 하므로 퇴원 전에 셀프케어를 지도합니다. 술후 3개월경까지는 창상의 수축이 있어서 셀프케어가 어려우므로, 통원할 때마다 셀프케어 지도, PMTC를 하면 더욱 효과적입니다. 퇴원 후 일상생활이 수술 전의 생활로 돌아감에 따라서 술후의 형태변화에 대한 공포심이 조금씩 흐려집니다. 또 술후 3개월이 지나면 창상 수축이 사라지고, 구강 내의 상태가 날마다 변화합니다. 그 무렵이 되면 시각적으로 수술부위의 형태변화와 청결방법에 익숙해지므로, 환부 부근을 청소하지 못했던 환자에게는 끈기있게 재지도를 하여 셀프케어를 확립할 수 있게 합니다.

수술부위에 따라서 혀의 가동범위이나 개구량이 제한을 받습니다. 그 때문에 음식형태의 변화나 자정작용의 저하가 나타나기도 합니다. 단단한 것이나 형태가 있는 것은 먹기 어려우므로, 죽이나 다진 것 등, 연하하기 쉬운 것으로 섭식을 제한하며, 음식형태의 변화나 자정작용의 저하 때문에 구강 내에 음식찌꺼기가 정체되기 쉬우므로 우식이나 치주병의 위험도 높아지게 됩니다. 셀프케어 지도, PMTC는 술후 1년간은 1개월마다 경과 관찰 시에 하고, 그 후에는 창상이 안정되므로 개개의 증례에 맞추어 follow up 기간을 설정합니다.

경과 관찰 중에는 치과위생사의 구강케어를 통해서 환자 자신의 구강케어에 대한 동기부여를 유지시키는 것이 중요합니다.

(2) 설암, 하악치은암 부분절제술 후

설암, 하악치은암 부분절제술 후 환자는 인두의 폐쇄가 불충분해지는 수가 있습니다(그림 3-22). 인두의 폐쇄가 불가능한 경우, 주수가 필요한 터빈이나 초음파스켈러 등을 사용하면 흡인이나 목이 메이는 원인이 됩니다. 그 때문에 치과치료나 다량의 치석제거가 어려워지기도 합니다. 치과위생사는 구강케어의 리콜기간을 짧게 하여 치석이 침착하기 전에 케어합니다. 폐흡인이나 목이 메이는 일이 없이 체어타임을 단축시킴으로써, 환자에 대한 대처시의 부담을 줄일 수가 있습니다. 이와 같은 환자는 설운동이 제한되어 있어서 구개와의 접촉이 불충분한 곳에 설태의 침착이 현저합니다. 혀브러시, 점막브러시를 이용한 셀프케어를 지도하

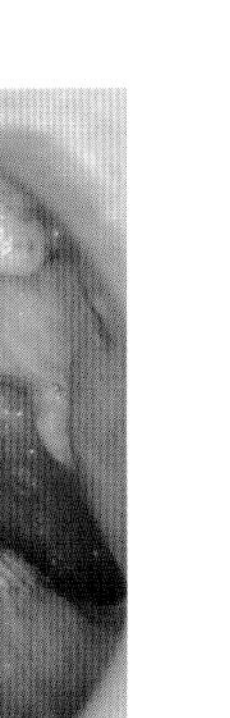

T4aN0M0술후 3개월(70세 남성)

●●● **그림 3-22. 하악 좌측 치은암 술후, 인두의 폐쇄가 불충분한 구강 내**

주수가 필요한 터빈이나 초음파스켈러를 사용하기 어려우므로, 구강케어의 리콜기간을 짧게 하여 치석이 침착하기 전에 케어한다.

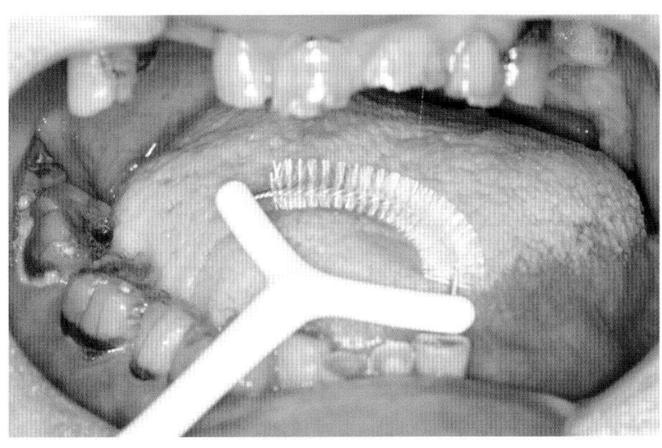

혀브러시를 사용하여 혀를 청소하는 모습(70세 남성)

●●● **그림 3-23. 혀의 청소**

인두폐쇄부전환자는 혀운동이 제한되어 구개와의 접촉이 불충분한 곳에 설태가 침착하기 쉽다.

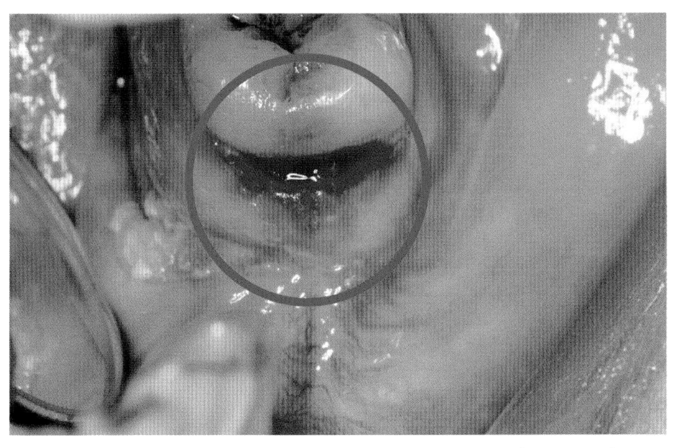

좌측 하악 치은암 T1N0MX 술후 5년 재발부위 치은(75세 여성)

●●● **그림 3-24. 치은염과 유사한 치은암**

치과위생사에 의한 구강케어 시에 점막의 변화를 확인하고, 초기 구강암을 발견하기도 한다. 치면뿐 아니라, 반드시 구강점막 전체를 체크하도록 한다.

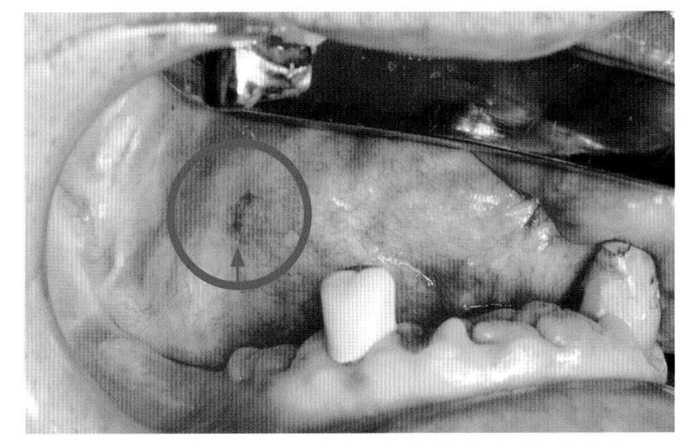

우측 하악 치은암 T1N0M0 술후 5년 재발부위 구저(81세 남성)

●●● **그림 3-25. 하악 우측 치은암 술후, 구강암 재발(구강저)**

술후, 재발할 가능성이 있으므로 창부 주위나, 혀 주위는(양측 설연, 설근 부근) 세심하게 관찰한다.

고(그림 3-23), 정기적으로 관리하여, 절삭이나 발치 등 침습적인 치과치료를 필요로 하지 않는 양호한 구강 내 환경을 유지하는 것이 중요합니다.

2) 구강케어 시의 점막체크

초기 치은암인 경우, 치은염과 유사하므로(그림 3-24) 치과위생사에 의한 전문적 구강위생처치를 할 때 치면뿐 아니라, 반드시 구강점막 전체를 체크합니다. 특히 구강암의 기왕이 있는 경우 재발의 가능성도 고려하며, 창부는 물론, 창부 주위, 그 밖에 구강 내 전체의 점막으로 눈을 돌려야 합니다. 특히 혀를 잡아당겨서 양측 설연, 설근 부근도 관찰합니다(그림 3-25).

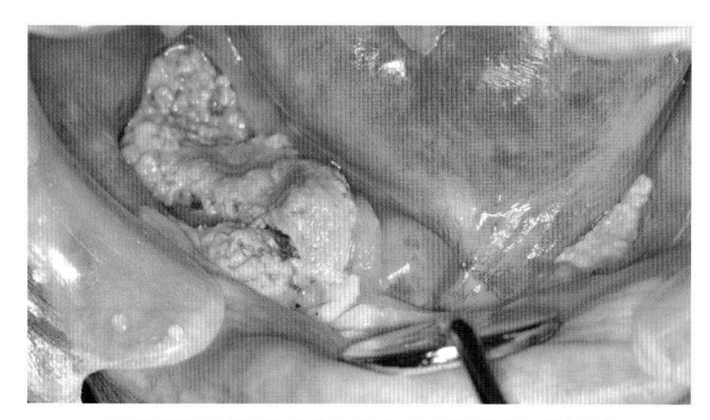

구강저암 T4N0M0 조사량 72Gy 조사후 2년(68세 남성)

●●● 그림 3-26. 방사선성 악골괴사

방사선성 악골괴사의 예방에는 치과위생사에 의한 구강케어가 빠져서는 안 된다.

3) 화학 · 방사선치료 후의 구강케어

방사선치료 종료 후에는 타액선의 위축으로 타액의 분비가 저하되어 식사하기가 어려워지고, 구강 내의 자정작용도 저하됩니다. 통상, 장액성 타액분비가 저하되므로 타액이 점조해지고 쉽게 건조하게 됩니다. 그 때문에 불쾌감을 조장할 뿐 아니라, 우식이 되기 쉽고, 점막이 손상될 가능성이 있습니다. 구강건조는 장기간 계속되는 경우가 많으므로, TBI를 중심으로 한 구강위생지도나 양치를 자주 하도록 지도하며, 불화물 도포나 보습제의 사용도 검토합니다.

장기적인 후유증의 하나에 방사선성 골괴사가 있습니다(그림 3-26). 구강암의 방사선치료에서는 조사부위에 악골이 포함되는 경우가 많아서 방사선치료 후 발치 등의 자극이나 구강 내의 청소불량으로 방사선성 골괴사가 발증하는데, 개인에 따라서 발증시기가 다릅니다.[1] 경과 관찰기에는 발치에 이르지 않도록, 치과위생사의 계속적인 관리와 구강위생지도하에 양호한 구강환경을 유지하는 것이 중요합니다.

≫ 참고문헌

1) 大田洋二郎 : 치과의원이 암환자의 구강을 지킨다, 암환자의 구강 완화케어를 하려면. The Quintessence, 30 (5) : 126-132, 2011.

2) 奏浩信 : 암환자를 서포트하는 구강케어임상편, 급성기 구강케어 두경부암인 경우. DHstyle, 5 (5) : 52-57, 2011.

3) 奧井沙織 : 치과위생사가 하는 '암완화케어'의 대처. DHstyle, 4 (9) : 60-66, 2010

4) 古土井春吾 : 급성기에 있어서 술전·술후의 구강케어의 진행법. 구강·인두암 주술기의 구강케어의 진행법은, Expert Nurse, 28 (8) : 49~53, 2012.

5) 片倉 朗 : 암치료의 예후에 크게 영향을 미치는 구강케어. 치과위생사, 34 (8) : 70~73, 2010.

6) 辻本好惠 외 : 암환자의 구강케어 방법. 암간호, 15(5) : 512~517, 2010.

7) 臼渕公敏 외 : 암화학요법 : 구내염 등 구강의 트러블을 일으키지 않는 구강케어의 진행법은? Expert Nurse, 28 (10) : 44~48, 2012.

8) 奏 浩信 외 : 두경부암·식도암 주술기의 국소합병증과 그 대처. 암간호, 15 (5) : 506~510, 2010.

9) 上野尙雄 외 : 암방사선치료에 의한 구강유해사상과 그 대처. 암간호, 15 (5) : 488~492, 2010.

10) 百合草健圭志 외 : 암화학요법에 의한 구강후유증과 그 대처. 암간호, 15 (5) : 482~487, 2010.

11) 淺井昌大, 全田貞幹, 大田洋二郎, 田原 信 : 두경부암의 화학요법에 있어서 구강케어의 흐름, 두경부 암화학방사선요법을 서포트하는 구강케어와 연하 rehabilitation, Oral care, 52~61, 2009.

»» Column | 치과위생사가 할 수 있는 일

『치과위생사의 시점에서 조기발견 ~ 조기발견이 생명으로 직결~』

실제 임상현장에서는 치과의사의 지시에 따라서 치과위생사가 환자의 구강위생관리를 담당하여 치과의사보다도 긴 체어타임으로 구강 내를 관찰할 수 있는 기회가 매우 많습니다. 직접관찰이 가능한 환경은 타장기와 달리 '구강'의 큰 특징의 하나이며, 이것은 치과치료를 받는 기회 자체가 구강암의 screening을 의미하기도 합니다. 구강건강을 관리하는 치과는 우식이나 치주질환 등의 치료를 일상적으로 하고 있어서 환자의 구강점막질환을 조기 발견하기에 유리한 조건에 있습니다. 치과의사의 시점뿐 아니라, 치과위생사의 시점에서도 구강점막을 볼 수 있으면 조기발견·조기치료로 연결됩니다. 조기발견은 나아가서는 생명예후에도 영향을 미치게 됩니다.

어느 부위의 구강암이든 공통적으로 말할 수 있는 것은 주의하여 구강 내를 관찰하지 않으면 간과하게 된다는 것입니다. '암'은 매우 보기 힘든 곳에 숨어 있습니다. 설암인 경우는 잡아당겨서 봐야 하는 설측연에 생기기 쉽고, 치은암은 초기인 경우 치주염과 감별하기가 매우 어렵습니다. 또 구강저암은 설하에 있어서 보기가 힘들어 발견이 늦어지는 부위입니다.

치과위생사가 구강점막질환을 간과하지 않기 위해서는 우선 스켈링 등으로 구강 내를 볼 때, 치아나 치주조직만 신경쓸 것이 아니라, 구강 내 전체를 관찰하는 것을 잊지 말아야 합니다. 그리고 정상상을 확실히 이해하고 구강 내를 순서대로 관찰하는 것이 중요한 포인트입니다.

구강점막질환 중에서도 전암병변에는 백반증과 홍반증, 전암상태에는 구강편평태선이 있습니다. 실제 구강편평태선이라고 진단을 내린 증례(그림 a)에서는 경과관찰 중 4년 후에 구강편평태선에서 편평상피암(그림 b)으로 이행되어 수술을 시행한 증례가 있습니다. 이와 같이 육안적 감별이 매우 어려운 경우가 많으므로 항상 '암'을 염두에 두고 관찰해야 합니다.

치과위생사는 책임감을 가지고 항상 변화를 찾는다는 의심의 눈으로 구강 내를 관찰하는 것이 매우 중요합니다. 그 점이 조기발견으로 연결되어 환자의 생명을 구할 수 있다는 자각을 하기 바랍니다.

(코지마 사오리)

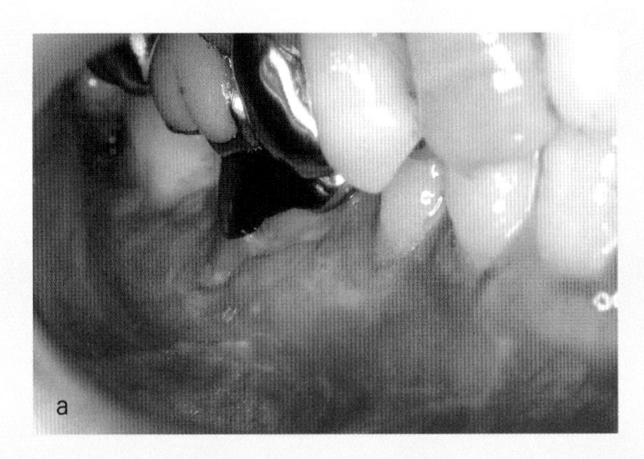

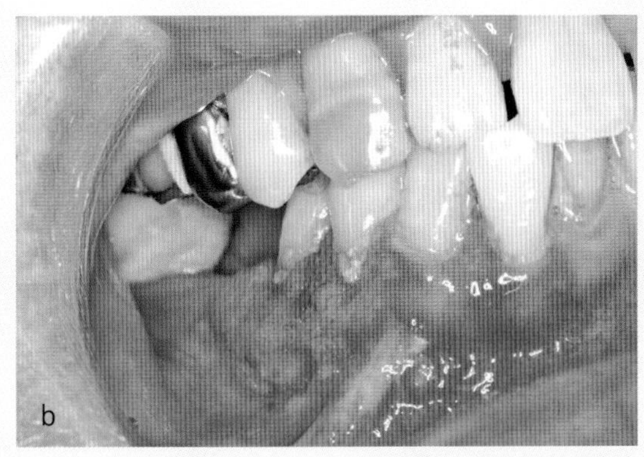

구강편평태선의 경시적 변화

구강편평태선과 진단(a), 경과 관찰 4년 후에 구강편평태선에서 편평상피암으로 이행(b)

Oral Cancer Screening STEP 1·2·3

06 진단 후 전문기관과의 협력 채택법과 환자의 애프터케어
주술기의 구강기능관리, **팀의료와 보험진료**

1. 주술기의 구강기능관리란?

'주술기'란 입원, 마취, 수술, 술후의 회복과 환자의 수술 전후를 포함한 일련의 진료기간을 의미합니다. 구체적으로 앞페이지에 기술되어 있는 술전·술중·술후 기간이며, 외과적 치료의 효과를 좌우하는 중요한 시기입니다. 이 기간에 수술 합병증 등을 예방하고, 치료성과와 환자의 요양생활의 질의 향상을 도모할 목적으로 전문적 구강케어를 포함한 치과적인 개입을 '주술기 구강기능관리'라고 합니다.

지금까지 소화관이나 호흡기 등의 암, 심장수술, 조혈간세포이식 등의 영역에서 구강의 위생상태를 양호하게 유지하는 것이 술후 폐렴·봉합부전·창상의 감염 등 합병증의 발생률을 저하시킨다고 수없이 보고되었습니다. 그래서 그 수술에 구강위생관리를 중심으로 치과가 개입되고, 의과와 치과가 협력하여 치료의 질을 향상시킬 목적으로 2012년 4월부터 치과보험진료에 실린 것입니다.

2. 보험진료의 흐름에 따른 주술기의 구강기능 관리

보험진료에 따른 주술기 구강기능관리의 흐름을 그림 3-27에 나타냈습니다.

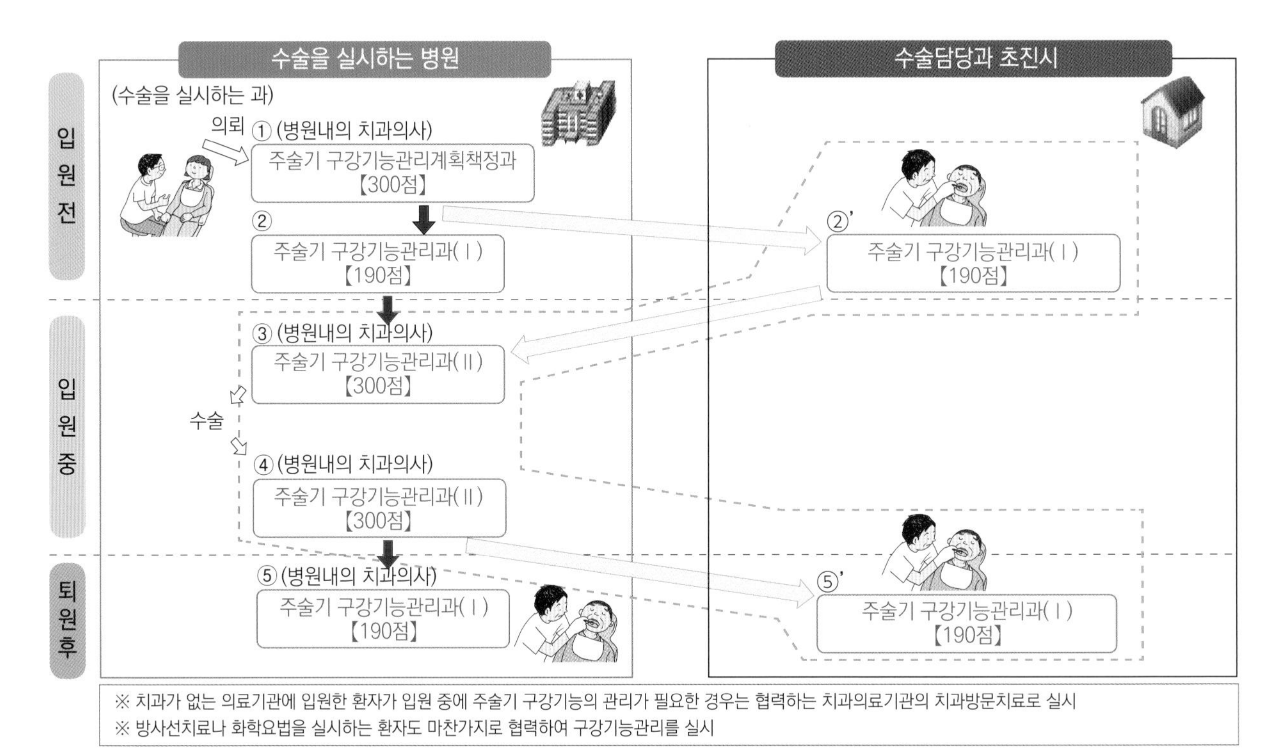

※ 치과가 없는 의료기관에 입원한 환자가 입원 중에 주술기 구강기능의 관리가 필요한 경우는 협력하는 치과의료기관의 치과방문치료로 실시
※ 방사선치료나 화학요법을 실시하는 환자도 마찬가지로 협력하여 구강기능관리를 실시

(※ 후생노동성 web http://www.mhlw.go.jp/bunya/iryouhoken/iryouhoken15/dl/gaiyou_2.pdf 에서 인용)

●●● 그림 3-27. 주술기 구강기능의 관리 이미지

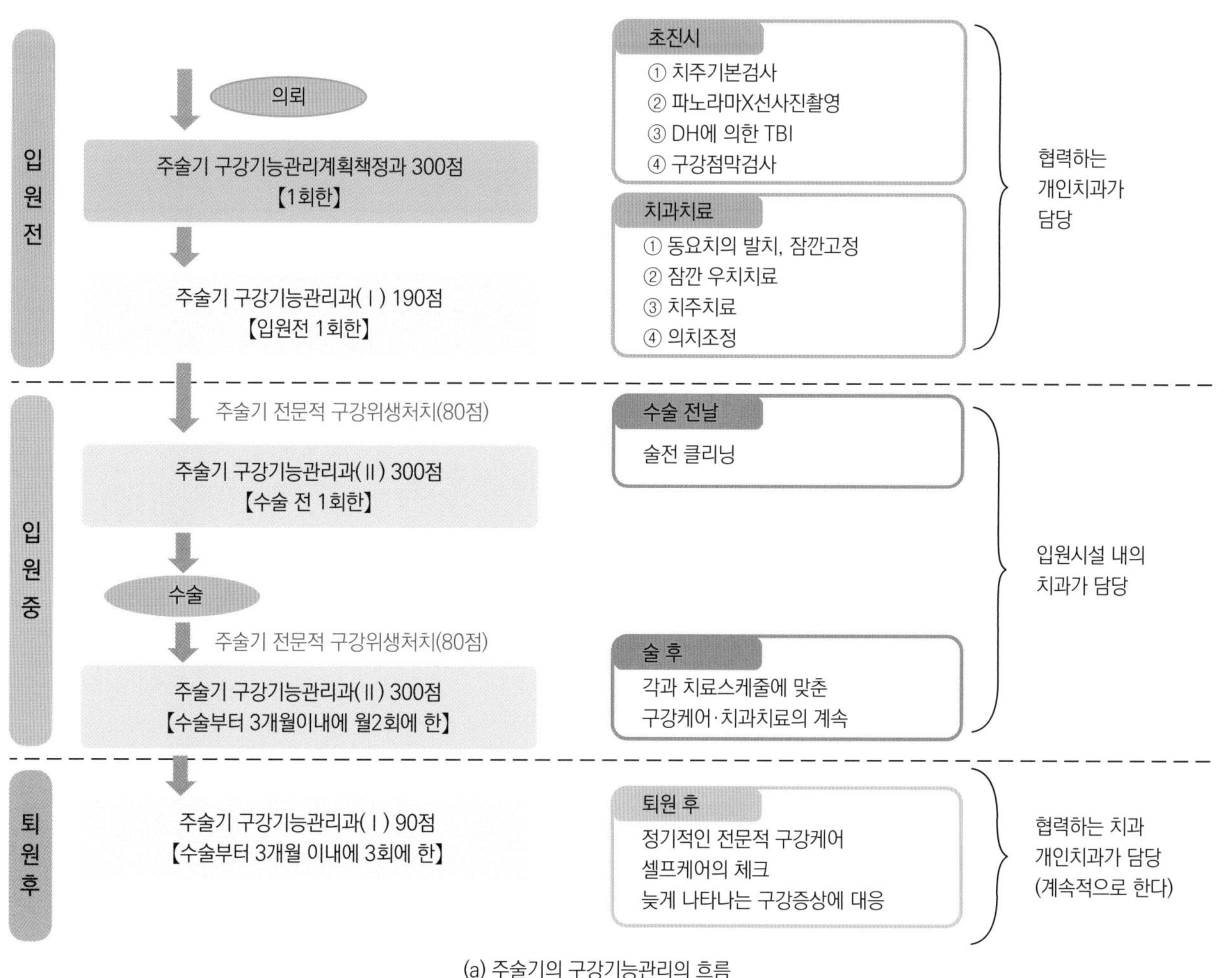

(a) 주술기의 구강기능관리의 흐름

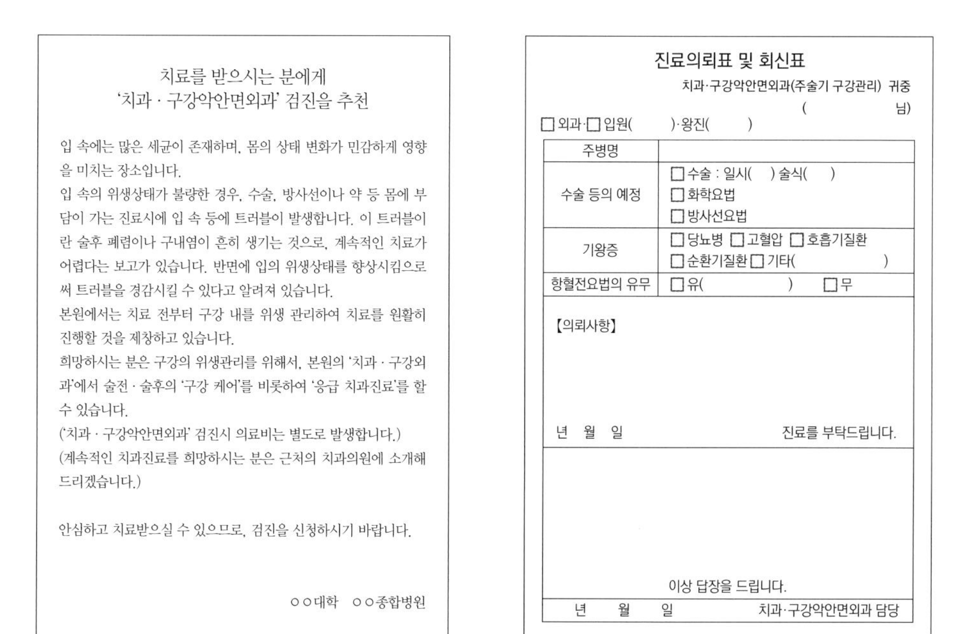

치료를 받으시는 분에게
'치과 · 구강악안면외과' 검진을 추천

입 속에는 많은 세균이 존재하며, 몸의 상태 변화가 민감하게 영향을 미치는 장소입니다.
입 속의 위생상태가 불량한 경우, 수술, 방사선이나 약 등 몸에 부담이 가는 진료시에 입 속 등에 트러블이 발생합니다. 이 트러블이란 술후 폐렴이나 구내염이 흔히 생기는 것으로, 계속적인 치료가 어렵다는 보고가 있습니다. 반면에 입의 위생상태를 향상시킴으로써 트러블을 경감시킬 수 있다고 알려져 있습니다.
본원에서는 치료 전부터 구강 내를 위생 관리하여 치료를 원활히 진행할 것을 제창하고 있습니다.
희망하시는 분은 구강의 위생관리를 위해서, 본원의 '치과 · 구강외과'에서 술전 · 술후의 '구강 케어'를 비롯하여 '응급 치과진료'를 할 수 있습니다.
('치과 · 구강악안면외과' 검진시 의료비는 별도로 발생합니다.)
(계속적인 치과진료를 희망하시는 분은 근처의 치과의원에 소개해 드리겠습니다.)

안심하고 치료받으실 수 있으므로, 검진을 신청하시기 바랍니다.

○○대학 ○○종합병원

(b) 환자설명용 문서

진료의뢰표 및 회신표

치과·구강악안면외과(주술기 구강관리) 귀중
(님)

☐외과·☐입원( )·왕진( )

주병명	
수술 등의 예정	☐수술 : 일시( ) 술식( ) ☐화학요법 ☐방사선요법
기왕증	☐당뇨병 ☐고혈압 ☐호흡기질환 ☐순환기질환 ☐기타( )
항혈전요법의 유무	☐유( ) ☐무

【의뢰사항】

년 월 일 진료를 부탁드립니다.

이상 답장을 드립니다.

년 월 일 치과·구강악안면외과 담당

(c) 주술기 구강관리의뢰표

●●● 그림 3-28. 주술기 구강기능관리의 실제

실제 시행 시에는 우선 수술 등의 치료담당의로부터 치과로 구강기능관리에 관하여 문서에 의한 의뢰가 필요합니다. 또 환자와 그 가족에게 수술 등의 치료를 받을 때에 왜 구강의 위생관리나 치과치료가 필요한가를 설명하고, 그 동의도 얻어야 합니다. 이것은 주치의 또는 치과의사 중 어느 한 쪽에서 시행됩니다. 필자가 근무하는 병원에서 환자에게 주술기 구강기능관리를 하는 경우, 이 흐름을 원활히 하기 위해서 의뢰서와 환자에 대한 설명서를 독자적으로 작성하여 사용하고 있습니다(그림 3-28). 환자에 대한 설명은 치료가 결정되고 입원할 때에 함께 하며, 그대로 치과외래를 내원하게 하여 수술까지의 한정된 시간을 유효하게 사용하도록 검토하고 있습니다.

국립암연구센터와 일본치과의사회가 협력하는 사업이 확대되어 각 지역의 암진료지역거점병원에서 협력하는 치과진료소로 입원전의 구강기능관리를 의뢰하는 협력시스템이 전국적으로 정비되고 있습니다.

주술기 구강기능관리에서 해야 할 것은 표 3-1과 같습니다. 특히 셀프케어 방법의 지도에서는 구강위생관리가 치료결과에 반영된다는 점도 포함하여 설명합니다. 환자의 동기부여를 향상시킨다는 점에서 중요한 포인트입니다.

또 악골에 방사선조사나 비스포스포네이트의 투여가 예정되어 있는 경우에는 파노라마 X선검사 등을 하여 발거 필요한 치아, 치근단병소 등을 확인하고, 장래 발치해야 할 치아가 있는 경우에는 치료 전에 발치합니다.

3. 팀의료의 구강기능관리

팀의료는 '여러 직종의 다양한 의료스텝이 각각의 높은 전문성을 전제로 목적으로 하는 정보를 공유하고, 업무를 분담하면서 서로 협력·보완하여 환자의 상태에 적절하게 대응하는 의료를 제공하는 것'이라고 정의됩니다. 주술기는 수술의 침습으로 출혈, 동통, 면역저하 등 항상성의 유지가 불안정해지고, 여러 가지 합병증이 발생하는 시기입니다. 주치의 외에 마취과, 간호사, 물리치료사, 영양사 등이 협력하여 조기회복에 알맞은 대응이 시행되며, 치과의사·치과위생사도 같은 목표를 가지고 참가하게 됩니다.

그림 3-29는 수술하는 경우의 구강기능관리의 흐름입니다. 입원전에 하는 표 3-1의 내용은 암치료를 담당하는 시설과 협력하는 치과진료소나 개인치과에서 합니다. 입원중에는 원내에 치과가 있는 경우 치과의사·치과위생사가 병실을 방문하여 구강청소를 하지만, 일상의 구강케어는 환자 자신의 셀프케어와 간호사가 담당하게 됩니다. 또 식도암 등에서 술후 폐렴예방의 일환으로 행해지는 연하케어·호흡 rehabilitation 등은 일반적으로 물리치료사나 언어치료사가 시행하므로, 주치의를 대신하여 이 직종과 미리 시행시기나 내용을 확인하여 원활히 실행될 수 있게 함으로써 효과가 상승합니다. 치료의 흐름에 따라서 기본적 행동을 경과표에 정리해 두면(clinical path) 어떤 증례든지 적절한 시기에 균질한 관리를 쉽게 제공하게 됩니다.

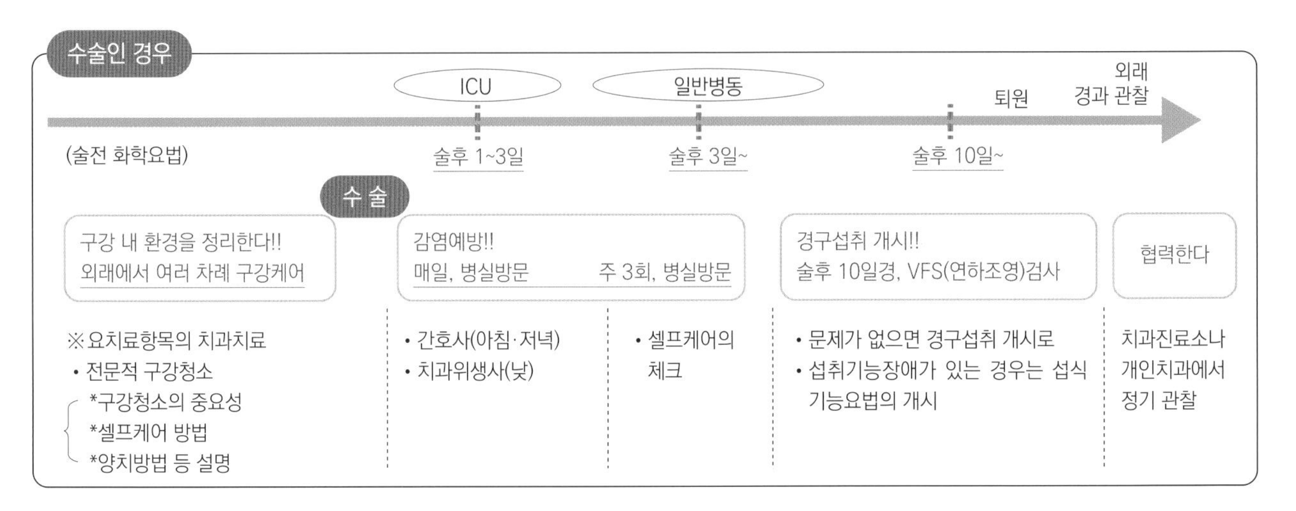

그림 3-29. 병원에서 의과·치과 협력(주술기 구강기능관리)의 일례

표 3-1. 암 치료시에 하는 구강기능관리의 내용

- 구강 내의 진찰·치주기본검사(치주포켓측정·동요도검사)
- 치석제거 및 기계적 치면 청소
- 구강위생지도(특히 셀프케어방법의 지도)
- 의치의 조정
- 동요치의 고정

암치료가 일단 종료된 후에도 구강케어는 계속해야 합니다. 치료의 부작용으로 인한 타액의 감소로 우치나 치주염의 진행, 악골골수염의 발생 등도 구강위생상태를 양호하게 유지함으로써 예방할 수 있습니다. 환자가 외래 통원할 수 있는 상태이면, 그 구강케어는 다시 개인 치과의의 관리하에 시행되는 것이 바람직합니다.

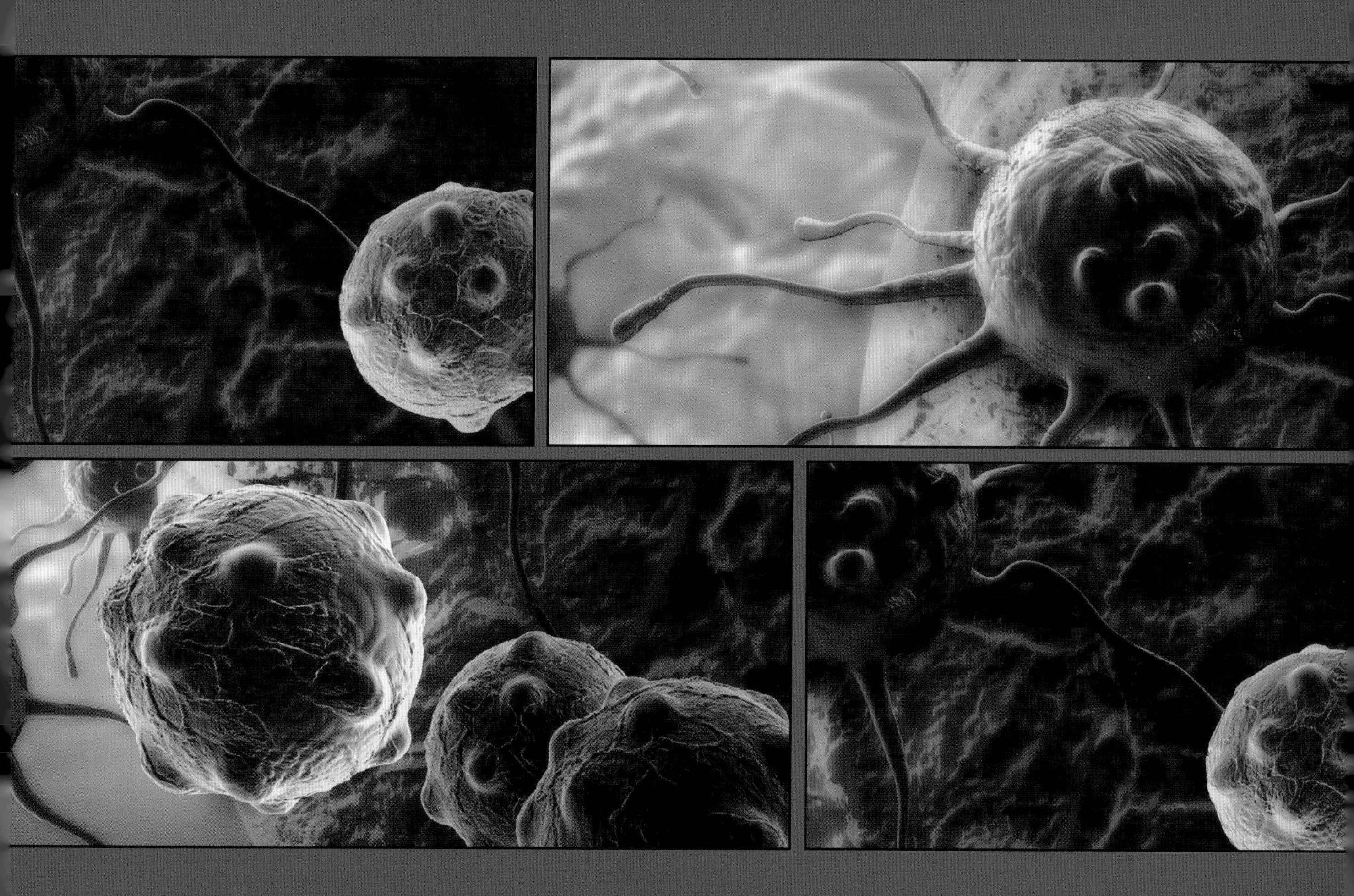

A
검진시스템의 구축과 예방

Oral Cancer Screening STEP 1·2·3

01 검진시스템의 구축과 예방
집단검진과 **개별검진**

1. 집단(대책형) 암검진과 개별(임의형) 암검진의 차이

검진(screening)이란 질병전의 상태 또는 질병에 걸리지 않았다고 생각되는 사람부터 가려내어 선출하는 것입니다. 암검진에는 집단을 대상으로 하는 대책형 검진(Population-based screening)과 개인을 대상으로 하는 임의형 검진(Opportunistic screening)이 있으며, 모두 암의 2차예방에 의미를 부여하고 있습니다. 표 A-1에 양 검진의 특징에 관하여 정리하였습니다.

현재 일본에서 실시되고 있는 대책형 암검진은 위, 대장, 자궁, 유방, 폐이며, 모두 높은 이환률을 나타내고 조기발견·개입(介入)에 따른 병기(病期), 사망률의 감소가 확인되고 있지만, 이 중에는 서구에서 과학적으로 유효성이 확립되지 않은 검진방법(위, 폐)도 포함되어 있습니다. 검진에는 국가 정책으로서 대책형 검진을 더욱 강화한 조직형 검진이 있으며, 영국, 북유럽에서는 자궁암, 유방암을 이 방식으로 하여 높은 검진률과 사망률의 감소에 성공하였습니다. 이 조직형 검진은 유효성이 확립된 방법으로만 시행됩니다.

2. 구강암 검진의 목적은 조기 발견이다.

암의 집단검진 목적은 검진을 실시하지 않는 경우에 비해서 암의 사망률을 감소시키는 데에 있습니다(그림 A-1). 단순히 암의 발견율이 높았다는 것만으로는 평가되지 않습니다. 일반적으로 집단검진에서는 암사망률 감소를 아웃컴 지표로서 유효성을 평가하므로 구강암과 같이 이환률이 낮은 암에서는 높은 평가를 기대하기에 무리가 있습니다. 구강암은 비용 대비 효과, 검진대상자의 컴플라이언스(검진률)를 높이는 관점에서 대규모 집단검진보다 오히려 치과의원의

표 A-1. 대책형 암검진과 임의형 암검진

	대책형 암검진*	임의형 암검진
목적	집단에서 해당암의 사망률을 낮춘다.	개인의 해당암의 사망률을 낮춘다.
검진의 간격	대개 1년마다	개개의 위험인자에 따른다.
검사의 감도	가장 높은 감도의 검사방법은 선택되지 않는다. 즉, 위음성(偽陰性)이 생길 가능성이 높다(진짜는 양성이라도 바르게 양성이라고 판정될 가능성이 낮아진다).	가장 높은 감도의 검사방법이 선택된다. 즉, 위음성이 생길 가능성이 낮다(음성이면 바르게 음성이라고 판정될 가능성이 높다). 제외진단에 유효
검사의 특이도	높은 특이도의 검사방법이 선택된다. 즉, 위양성(偽陽性)이 생길 가능성이 낮다.	높은 특이도는 중요하지 않다. 즉, 위양성이 생길 가능성이 높다.
이익	집단에 대해서 한정된 자원 중에서 최대가 되도록 고려된다.	개인에게 최대가 되도록 고려된다.
불이익	집단에 대해서 한정된 자원 중에서 최소가 되도록 고려된다.	위양성이 생길 가능성이 높으므로 반드시 최소라고는 할 수 없다.
구체적인 예	건강증진사업에 의한 시읍면 주민대상의 암검진	인간도크(단기 종합 정밀 건강진단), 개별검진

*대책형 검진 중에는 유효성이 과학적으로 확립되어 국책으로 실시되는 조직형 검진이 있다.

개별검진이 유효성이 높습니다. 흡연, 과도한 음주가 구강암 발증의 높은 위험인자라는 점에서 생활습관이 불량한 고위험군을 대상으로 개별검진을 한다면 그 유효성이 더욱 높아질 것입니다(Column 참조).

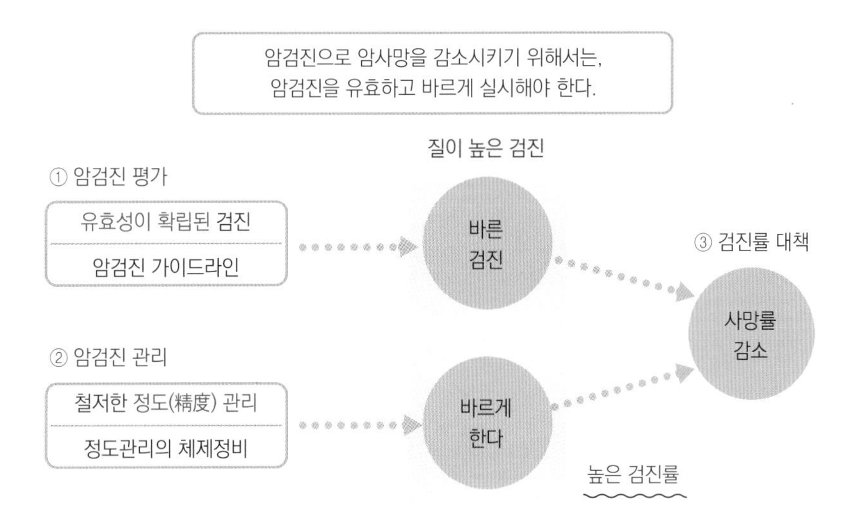

그림 A-1. 암검진의 평가[3)]

(암검진 내원 향상 자문패널위원회 : 암검진 핸드북. 2009년도 후생노동성 암검진 내원 향상지도사업, 2010에서)

Column | 암 검진의 비용 대비 효과

구강암 검진은 비용 대비 효과의 관점에서 대규모 대책형 검진보다 오히려 치과의원의 임의형 검진이 유효성이 높습니다. 구강암의 이환률이 높은 인도에서 시행된 대규모 임의형 검진의 연구에서, 검진에 의한 효과로 단위생존연수 연장비용(생존을 1년간 연장하는데 드는 비용 ; CPLYS)은 검진자 전체에서 850달러이며, 한편, 흡연 또는 음주습관이 있는 고위험군에서는 가장 낮은 156달러였다는 보고가 있습니다(Subramanian S et al. Bull World Health Organ, 2009). 또 검진비용은 1인당 9년 동안에 6달러의 낮은 비용으로, 인도의 국내총생산이 2,400달러(2004년)인 것을 고려하면 임의형 검진의 비용 대비 효과가 높고, 특히 고위험군에서 유효하다고 기술되어 있습니다.

한편, 구강암의 이환률이 낮은 선진국에서는 임의형 검진이 비용 대비 효과가 낮다고 결론짓고 있습니다. 그러나 미국의 메타분석연구에서는 고위험군인 흡연 또는 음주습관이 있는 40세 이상의 남성을 대상으로 한 임의형 검진에서, 검진에 의한 조기발견으로 생활의 질을 조정한 생존연수(QALY)의 유지와 의료비 비용삭감(3,363달러)에 효과가 있었다고 보고되었습니다(Dedhia et al. Laryngoscope. 2011).

그럼 개별진단은 어떨까요? 영국의 40세 이상을 대상으로 한 개별검진 연구에서는, 트레이닝을 받은 치과개원의에 의한 고위험군의 임의형 검진을 의사결정분석(의사결정시의 위험을 평가하는 분석수법)이라는 방법으로 해석한 결과, 비용 대비 효과가 있었다고 보고되어 있습니다(Speight PM et al. Health Technol Assess. 2006).

검진방법, 이환률의 유무에 상관없이 흡연, 음주집단을 대상으로 한 조기발견은 QALY의 유지와 의료비 절감에 일정한 효과가 있습니다. 그러나 근년의 역학조사에서 구강암환자의 약 1/4이 흡연, 음주의 위험요소를 가지고 있지 않다는 보고도 있습니다. 치과의원에서 잘 훈련받은 치과의사의 정기적인 구강암 검진은 위험의 유무에 상관없이 큰 효과를 기대할 수 있습니다. 앞으로의 연구가 더욱 기대됩니다.

(나가오 토오루)

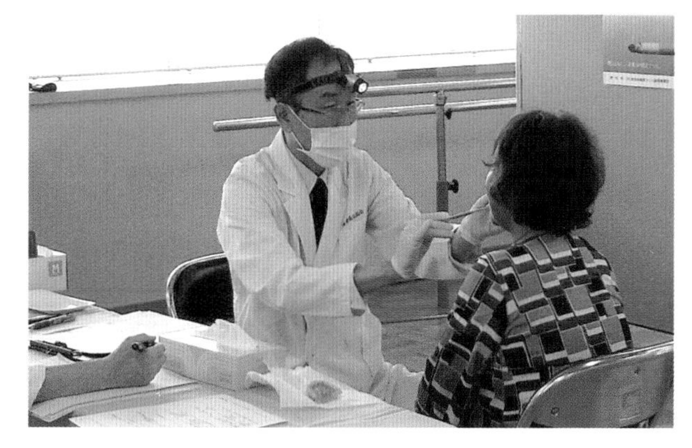

그림 A-2. 아이치(愛知)현 고타정(幸田町)에서 실시하고 있는 구강암 검진(2012년)

구강암 예방의 공개강좌 후에 암검진을 하여 교육효과를 높이고 있다.

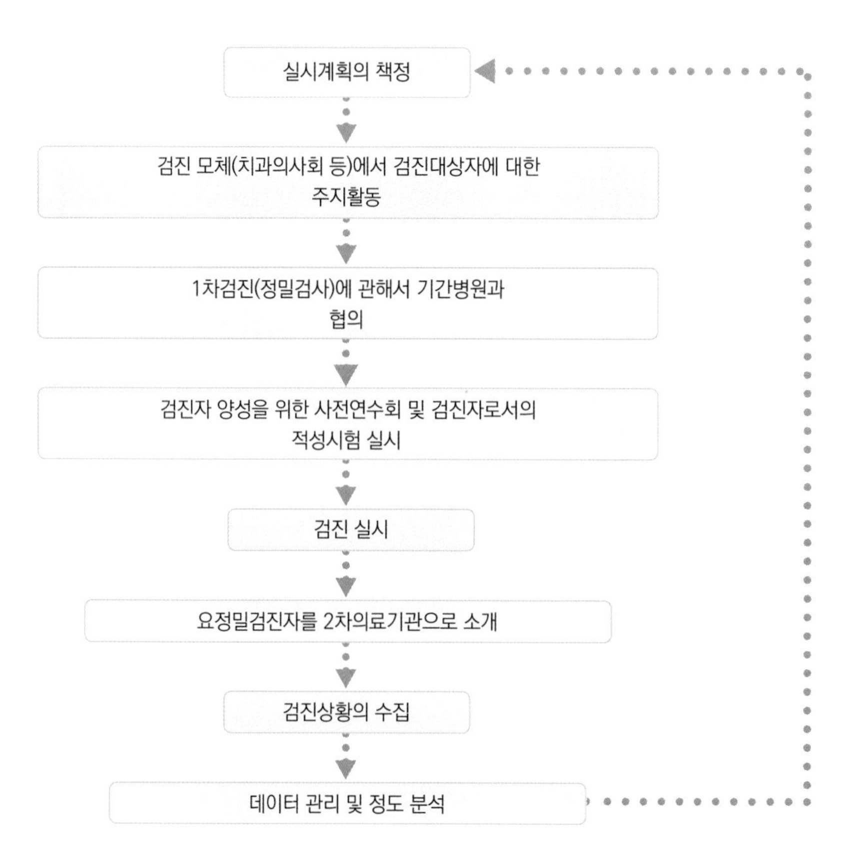

그림 A-3. 개별검진사업의 도입의 흐름(예)

3. 검진사업의 실제

1) 구강암 검진사업의 설립

구강암 검진을 시작하기 전에 그 목적을 명확히 해야 합니다. 집단을 대상으로 하는 검진의 목적은 이환률이 높은 암에서는 표 A-1과 같이 집단의 해당암의 사망률을 낮추는 것입니다. 한편, 이환률이 낮은 구강암을 대상으로 하는 경우는 사망률의 감소가 첫째 목적이 아니라, 암을 조기에 발견하여 조기치료로 연결하는 것, 그리고 제2의 목적은 악성화 가능성이 있는 전암병변을 신속히 발견하는 것에 주안점을 둡

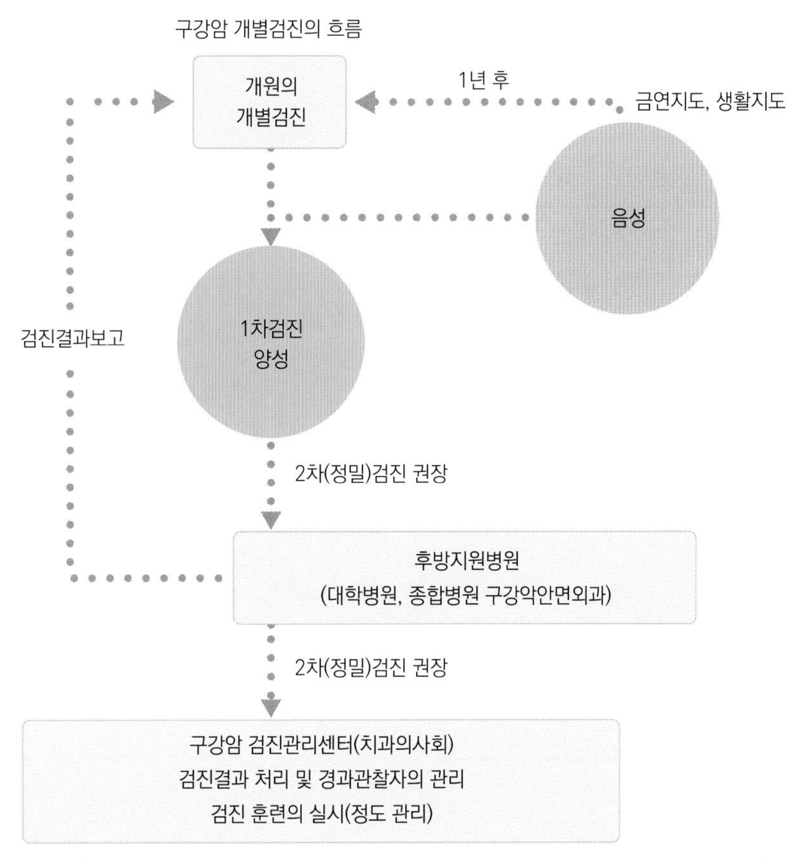

그림 A-4. 구강암 개별검진의 실시례

니다. 집단검진에서는 구강암에 관한 환자교육과 함께 하면 검진률이 높아지므로, 검출을 목적으로 한다기보다 구강암의 계발활동의 일환으로 받아들이는 편이 사업의 의의가 나타나리라 생각됩니다(그림 A-2). 한편, 개별검진에서는 표 A-1과 같이 개인의 이익이 최대가 되도록, 즉 어떻게 정확한 검진결과를 검진자에게 제공할 수 있는지가 중요하므로, 이 제1, 제2의 목적에 쉽게 합치한다고 할 수 있습니다.

어떤 사업이든 사람, 물질, 돈이 어느 정도 필요합니다. 집단검진을 치과의사회 등의 단체가 주체가 되어 실시하는 데는 기재는 그다지 필요하지 않지만, 전문인력과 자금이 어느 정도 조달되어야 하기 때문입니다. 일반적으로, 우선 그 지역의 행정에 작용하여 활동의 취지를 설명하는 것부터 시작되며, 그러기 위해서는 면밀한 계획서를 작성해야 합니다. 어느 자치체에서도 긴급재정 때문에 새로운 보건사업, 특히 현시점에서 과학적 근거가 충분치 않은 구강암 검진에는 대부분 소극적이어서 재정지원은 그다지 기대하지 않는 편이 좋습니다. 오히려 처음 몇 년간은 단체가 주체가 되어 실적을 쌓다가, 얻은 아웃컴(사업결과)을 근거로 끈기있게 교섭하는 것이 중요합니다. 검진에 필요한 인재 및 과학적 근거의 축적, 즉 검진 정도의 확보, 평가에 관해서는 그 지역의 대학병원이나 기간병원의 치과구강외과가 지원을 하지 않을까 생각합니다. 실제 구강암 검진사업에 관해서는 치바현 치바시(p.120~123 참조), 이치카와시(市川市)의 사례(p.115 참조)를 한 예로 참조하십시오. 한편, 개별검진을 정비하여 조기발견에 힘쓰는 사업도 이미 각 지역에서 실시되고 있습니다. 그림으로 그 사업도입의 흐름(그림 A-3)과 구체적인 검진의 실시(그림 A-4)에 관하여 정리하였습니다.

2) 검진자의 훈련

구강암을 진단하는 것은 일반치과의로서 결코 특수한 능력을 요하는 것이 아닙니다. 시진에 의한 구강암 검진은 표준화된 수법으로 검사, 기준의 조정(calibration) 훈련을 쌓

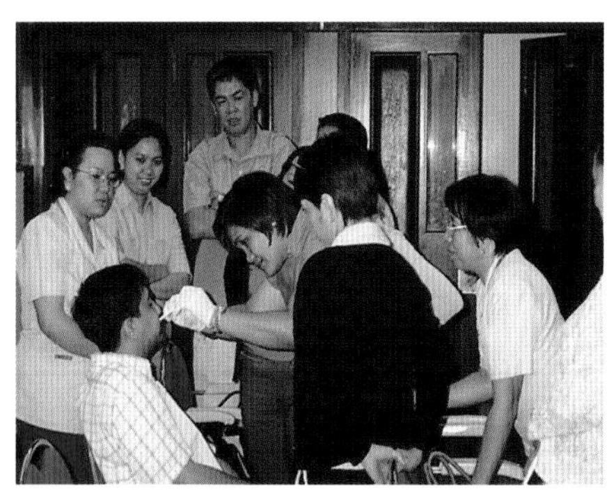

●●● 그림 A-5. 필리핀에서 실시한 구강암 검진 워크숍(2005년)

검진자의 훈련 모습(왼쪽)과 calibration(검사, 기준의 조정) 후의 시험 모습(오른쪽)

표 A-2. 암검진의 평가

		검사결과	
		양성	음성
암/전암병변	있음	진양성(a)	위음성(b)
	없음	위양성(c)	진음성(d)

감도 : 암이 실제로 있는 사람 중 검사양성자의 비율 a/ (a + b)
특이도 : 암이 실제로 없는 사람 중 검사음성자의 비율 d/ (c + d)
위음성률 : 암이 실제로 있는 사람 중 검사음성자의 비율 b/ (a + b)
위양성률 : 암이 실제로 없는 사람 중 검사양성자의 비율 c/ (c + d)
양성반응적중률 : 검사양성인 사람 중 실제로 암이 있는 사람의 비율 a/ (a + c)
음성반응적중률 : 검사음성인 사람 중 실제로 암이 없는 사람의 비율 d/ (b + c)

으면 전문의가 아니라도 80% 이상의 감도·특이도가 높은 검진 정도를 유지할 수 있다고 WHO에서도 인정한 방법입니다(그림 A-5).

암진단에서는 검진의 정확도가 중요합니다. 이상적으로는 감도·특이도 모두 최고의 검진방법이 바람직하지만, 그와 같은 검진방법은 유감스럽게도 존재하지 않습니다. 집단검진에서는 표 A-1에 나타냈듯이 높은 특이도, 즉 위양성률을 낮게 하여 암의 오진을 적게 하는 것이 중요합니다. 이에 반해서 개별검진에서는 높은 감도를 유지하여 간과하는 것이 없는 점이 중요합니다. 이와 같이 검진방법에 따라서 그 목적이 다르므로 평가기준도 달라집니다. 트레이닝에서는 검진결과의 평가에 관해서도 언급하고, 검사자에게 검진정도관리의 중요성에 관하여 설명하도록 하겠습니다(표 A-2). 시진에 의한 일반적인 구강암 검진의 감도·특이도는 일정한 트레이닝을 받으면 치과위생사에게도 높은 검진 정도를 얻을 수가 있습니다.

구강암을 조기에 발견하여 조기치료로 연결하는 데는 어떻게 증상이 나타나지 않는 기간에 병변을 검출하는가에 달려 있습니다. 구강암 중에서 설암, 구저암은 조기에 경부림프절 전이를 일으켜서 예후가 나쁘다고 알려져 있습니다. 구강전암병변으로 중요한 구강백반증 중에서도 암화되기 쉬운 설연에 있는 병변을 암이 발증하기 전에 조기에 발견하는 것이 예후가 불량한 진행암의 예를 줄일 수 있습니다.

모의환자를 이용한 검진 트레이닝도 권장할 수 있는 방법입니다. 특히 검진결과가 양성인 경우 검진자에게 어떻게 설명하는가는 매우 신중히 해야 하며, 사전에 트레이닝을 해두는 것이 효과적입니다. 또 흡연, 과도한 음주에 대한 금연, 절주의 어드바이스도 치과의료관계자의 의무이며, 검진

표 A-3. 구강암 예방의 5개조

- □ 담배는 끊읍시다. 도저히 끊을 수 없는 분은 담당의사·치과의사와 상담합니다.
- □ 녹황색 채소·과일을 매일 다섯 종류 이상 섭취합니다.
- □ 알콜은 하루에 남성은 2잔, 여성은 1잔* 으로 합니다
  (*일본주 1잔, 와인글래스 1잔, 맥주 500cc에 해당)
- □ 2주 이상 낫지 않는 구내염은 치과에서 진찰을 받습니다.
- □ 입 안을 항상 청결히 하고, 충치, 치주질환은 확실히 치료합니다.

트레이닝 중에 포함시키면 됩니다.

4. 검진의 장에서 환자교육

구강암 검진자에게는 구강암의 위험인자인 흡연, 음주, 구강청소, 영양에 관한 문진을 반드시 하고, 건강증진, 질병예방을 위한 어드바이스를 검진과 동시에 하면 암의 일차예방에 효과적입니다(표 A-3). 또 1년에 1회는 검진을 위해서 치과를 방문하여 치아·치주조직뿐 아니라 구강암 검사를 받도록 설명하는 것도 계몽활동으로서 중요한 점입니다.

검진의 개요에 관하여 사전에 검진자에게 설명할 때에는 조기발견, 조기치료의 유용성에 관하여 설명하는 것은 물론, 검진에는 간과, 위음성, 위양성, 과잉진단의 가능성이 있는 점도 언급해야 합니다. 일차검진에서 양성이라고 진단

>>> Column | 구강암 환자의 진료행동과 소개경로

구강암 환자의 3명에 1명은 변화를 자각한 후 의료기관에서 진찰받기까지 3개월 이상 걸린다는 연구결과가 있습니다. 환자는 첫 징후가 구강암의 신호인 것을 거의 알지 못하고, 대단한 병이 아니라고 간과해 버립니다. 구강암은 초기증상이 부족하여 심각한 문제로 받아들이지 않는 것은 어느 나라나 마찬가지입니다. 환자에게 있어서 근친자, 친구, 보건관계자와의 상담이나 어드바이스가 그 후의 진료행동에 영향을 미치는 것을 알 수 있습니다. 일반시민에 대한 구강암의 계몽활동을 위해서 "Oral Cancer Walk" 등의 이벤트가 각국에서 시행되고, 조기발견, 조기치료로 연결하려는 노력이 이루어지고 있습니다.

치과의원에서 발견하는 구강암은 치은암, 설암이 많고, 정밀검사을 위해서 구강악안면외과에 소개하는 경향이 있으며, 한편, 의사인 경우는 이비인후과에 소개하는 경향이 있습니다. 일반적으로 의사는 치과의사보다 빨리 전문의에게 소개하는 경향이 있다고 보고되어 있습니다. 이것은 치과의사가 의사보다 전문적인 접근, 예를 들어 의치의 조정, 연고, 양치제의 처방 등으로 치료를 적극적으로 하는 진료태도 때문이라고 추정되지만, 환자뿐 아니라, 의료종사자도 의심스러운 증례가 있으면 조기에 전문기관에 의뢰하도록 환기시켜야 합니다. 영국에서는 1차의료기관이 모든 암을 2주 이내에 전문의에게 의뢰하는 것을 목표로 하여, "Two Week Rule Referral"이라는 메시지로 조기발견, 조기치료를 추진하고 있습니다.

(나가오 토오루)

했다가 정밀검사에서 음성이 되는 경우도 있으며, 검진에는 유익한 면도 있지만, 불이익도 있을 수 있다는 점을 언급하여 정신적, 육체적 부담에 대해서 충분히 배려해야 합니다. 이 점은 검진결과에 관한 무모한 트러블을 피하기 위해서 매우 중요한 포인트입니다.

≫ 참고문헌

1) 斎藤 博 : 전국시읍면에서의 '유효성 평가에 근거한 암진단 가이드라인'의 인지도·이해도 및 이용에 관한 앙케이트 조사결과 2009년3월.
2) 長尾 徹 : 과학적 근거에 입각한 구강암 진단의 정도(精度)·감도 The Quintessence, 30 : 566-570, 2011.
3) 암검진 내원 향상 자문패널위원회 : 개원의를 위한 암검진 핸드북. 2009년도 후생노동성 암검진 내원 향상지도사업, 2010

>>> Column | 세계적으로 볼 수 있는 구강암

세계인구의 10%, 아시아인구의 20%에서 씹는담배(베텔 씹기)의 습관이 있는 것을 알고 있습니까? 씹는담배는 구강암의 다발지역인 남아시아, 동남아시아에서 널리 행해지는 습관으로, 발암의 직접적 원인으로 알려져 있습니다. 무연담배의 하나인 베텔 씹기는 육체적 피로의 회복, 다행감(多幸感), 각성작용을 얻게 되어, 특히 빈곤층 사이에서 널리 행해지고 있습니다. 발암의 원인물질은 빈랑자(檳榔子) (Areca nut)에 함유되어 있는 알카로이드의 일종인 아레콜린으로, 장기간의 사용으로 전암병변인 점막하섬유증을 발증하여 구강점막의 경화에서 저작·연하장애를 일으키고, 구강암으로 이행되어 갑니다(그림). 이 습관은 남아시아에서 동으로는 대만까지 확대되었는데, 다행히 일본에는 전래되지 않았습니다. 그 때문에 일본에서의 일상임상에서는 베텔 씹기와 관련된 점막병변을 진찰하는 경우가 거의 없지만, 인근의 아시아 여러 나라에서는 이 베텔 씹기가 심각한 건강문제를 일으키고 있습니다. Dry package라는 무연담배 상품은 발암성 물질을 고농도로 함유하고 있어서 개발도상국에서 젊은층의 주요한 건강을 위협하고 있습니다. 인도에서는 어린이를 타겟으로 단맛을 가미한 Gutkha라는 상품에 의해서 어린이의 무연담배 의존이 500만명 이상에 이르러 문제가 되고 있습니다. 2011년 인도정부에 의해서 이 무연담배의 제조, 판매가 금지되었지만, 한편에서 근년 젊은층 사이에서 유연담배가 서서히 증가하고 있는 것이 현실입니다.

(나가오 토오루)

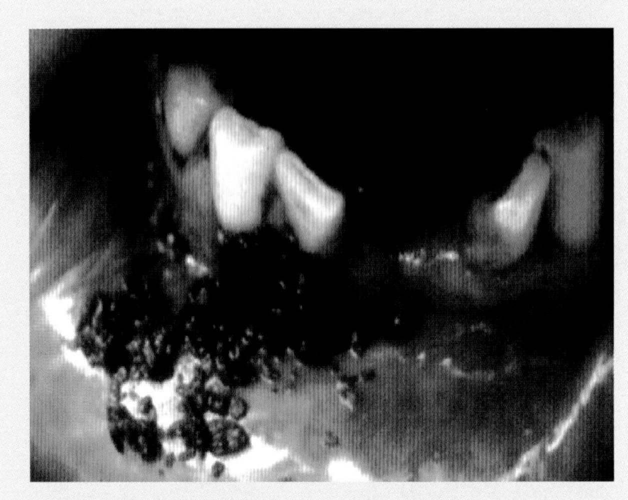

일반적으로 베텔은 아랫입술이나 구치부의 치은협 이행부에 넣으므로, 그 부위에 전암병변이 생겨서 암화된다. 사진은 무연담배인 dry package를 사용하고 있는 구강 내 모습이다.

인도에서 판매되고 있는 무연담배. 1포에 약 3~5엔 정도로 살 수 있는 Areca nut인 dry package로 담배도 함유되어 있다.

02 검진시스템의 구축과 예방
지역의 검진프로그램

1. 광역망라형의 예

1) 광역에서 하는 검진의 지역특성과 대책

(1) 광역의 문제점

도호쿠(東北)지방의 면적은 일본 국토의 약 18%를 차지하지만, 인구는 전국의 약 8%입니다. 또 도시는 산지로 둘러싸인 평야·분지에 분산되어 있습니다. 이와 같은 지역에서는 한 곳에 환자를 모으는 집단검진의 횟수가 많아져서 검진하는 측의 부담이 커지는 반면에 모이는 환자수가 적다는 단점이 있습니다. 이것은 도호쿠(東北)지방뿐 아니라 도쿄나 오오사카, 나고야 등 대도시 이외의 지역에서 나타나는 공통적인 문제입니다.

(2) 접근법

이번 프로그램은 도호쿠(東北) 6현의 치과의사회와 홋카이도 치과의사회에서 실시하는 것입니다. 광역의 지역특성을 고려하여, 집단검진처럼 한 곳에 환자를 모으는 것이 아니라, 각 현의 치과의사회 회원이 치과의 일상임상 중에서 구강점막을 의도적으로 관찰하여, 구강암, 또는 가능하면 전암병변, 전암 단계의 점막이상을 발견하려는 프로그램입니다. 그리고 발견 후에 각 지역의 전문기관으로 적극적으로 환자를 소개할 수 있도록 이 프로그램 개시 전에 히로사키(弘前)대학, 이와테(岩手)의과대학, 아키타(秋田)대학, 도호쿠(東北)대학, 야마가타(山形)대학, 후쿠시마(福島)현립대학, 오우(奧羽)대학의 7대학 치학부, 의학부 구강악안면외과에 협력을 의뢰하고 양해를 얻는 사전준비도 했습니다.

❖ 알기 쉬운 검진 매뉴얼을 만든다.

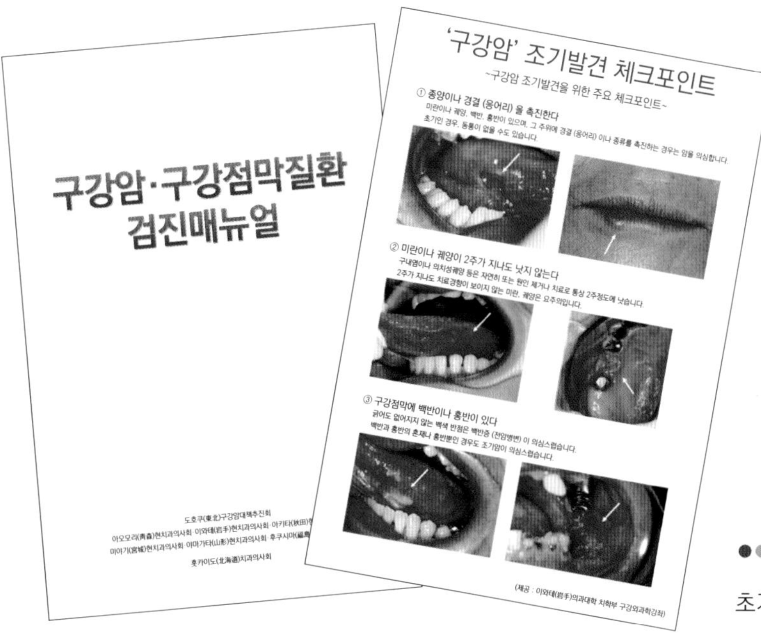

●●● 그림 A-6. 구강암·구강점막질환 검진 매뉴얼 ①

초기암의 병태사진을 다수 게재

① 알기 쉬운 검진매뉴얼의 작성

구강을 볼 기회가 많은 치과의사에게 일상임상에서 적극적으로 구강암을 의식하여 발견하기 쉽도록 치과의사회가 주체가 되어 '구강암·구강점막질환검진매뉴얼'(그림 A-6, 7)을 작성했습니다.

이 매뉴얼의 특징은 초기 구강암이나 전암병변, 전암상태

❖ 검진하기 쉽도록 체크항목을 제시한 시트를 작성 ❖

별지 체크항목에 따라서 구강 내를 관찰하십시오.
해당 항목이 하나라도 확인되는 경우는 전문의료기관을 소개하십시오.

검진 부위의 순서는 자신이 알기 쉬운 순서도 괜찮습니다. 우선 혀를 내밀게 하여 양 측연을 관찰하고, 구강저, 양측 협점막, 상하악치은, 그 밖의 부분을 주의깊게 관찰합니다.

【검진 포인트】

☆ 구강암은 설암이 가장 많으며, 다음에 치은암, 협점막암, 구강저암의 순입니다. 설암의 대다수가 측연에 발생하므로 이곳을 주의깊게 관찰합니다.

☆ 시진에서는 병변의 형태와 색을 관찰합니다. 형태에서는 종류(유두종과 유사한, 과립과 유사한)나 궤양·미란에 주의합니다. 색에서는 백색병변이나 백색·적색 혼재병변에 주의해야 합니다.

☆ 구강암 검진에서는 보는 것뿐 아니라 반드시 촉진하는 것이 중요합니다. 촉진에서는 거친 느낌과 함께 중요한 것이 경결(응어리)의 유무입니다. 암인 경우, 궤양 등의 병변 바로 아래에 주위 점막과는 다른 경도의 조직이 만져집니다. 의치성 궤양 등의 욕창성 궤양에서 경결은 만져지지 않지만, 암에서는 10mm 이하인 것이라도 경결이 만져지는 경우가 많습니다. 또 촉진으로 쉽게 출혈하는 병변도 요주의입니다.

☆ 자각증상에서는 동통이나 출혈이 중요한 징후입니다. 구강암환자는 식사시에 아프거나 얼얼하거나 피맛이 나는 등의 호소를 자주 합니다.

☆ 병변의 시간경과를 체크합니다. 병변의 갑작스런 증대, 궤양 형성, 거친 느낌, 동통이나 출혈의 발생 등의 증상 유무를 문진으로 확인합니다.

☆ 백반증이나 구강편평태선 등의 전암병변·상태를 파악하는 것도 중요합니다.

☆ 의심스러운 병변이 발견된 경우, 결코 방치하지 않는 것이 중요합니다. 암은 상태를 보는 것만으로 치유되지 않습니다. 병변을 자극하는 충치나 보철물이 있으면, 그 사이에 예연(鋭縁)의 연마, 의치 제거 등을 하고, 가급적 신속히 전문기관을 내원하게 하십시오.

구강암·구강점막질환 체크시트

년 월 일

성명

담당치과의사

※ 다음 항목의 증상이 나타났을 때는 □를 체크하십시오.

1. 혀의 측연에 이상이 있다 ······ □
2. 협점막에 이상이 있다 ······ □
3. 치은에 이상이 있다 ······ □
4. 구강저에 이상이 있다 ······ □
5. 그 밖의 부위(　　)에 이상이 있다 ······ □
6. 궤양·미란을 형성하고 있다 ······ □
7. 종류가 있다 ······ □
8. 백색병변이 있다 ······ □
9. 적색과 백색이 혼재하는 병변이 있다 ······ □
10. 병변에 경결(응어리)이 있다 ······ □
11. 병변에서 출혈이 있다 ······ □
12. 병변에 통증이 있다 ······ □
13. 병변에 갑작스런 경시적 변화가 있다 ······ □

〈검진결과〉

□ 의심스러운 소견 없음　　□ 전문기관의 검사가 필요

도호쿠(東北)구강암대책추진회
아오모리(青森)현치과의사회·이와테(岩手)현치과의사회·아키타(秋田)현치과의사회
미야기(宮城)현치과의사회·야마가타(山形)현치과의사회·후쿠시마(福島)현치과의사회

홋카이도(北海道)치과의사회

●●● 그림 A-7. 구강암·구강점막질환 검진 매뉴얼 ②

에서 암화된 증례의 병태사진을 게제한 점, 검진을 위한 체크시트를 게재한 점에 있습니다. 진행된 암은 비교적 발견하기 쉽지만 그렇지 않은 것은 간과할 수도 있습니다. 초기암이나 전암병변, 전암상태에서 암화된 증례를 제시함으로써 이와 같은 병변도 구강암을 의심해야 하는 점에 주목하도록 했습니다.

체크시트는 구강암의 호발부위, 색, 형태, 경시변화를 의도적으로 체크할 수 있도록 했습니다. 예를 들어, 설암을 발견하기 위해서는 설배가 아니라, 설연을 관찰할 것 등의 주의점을 추가하여 알기 쉽게 했습니다.

또 이 매뉴얼의 설명회를 각 현의 치과의사회에서 개최하도록 의뢰하였습니다.

② 각 현의 거점병원과 적극적인 협력을 구하기 위한 검토

프로그램을 통해서 치과의사회 회원으로부터 '전문기관으로 환자를 의뢰하는 방법'을 모르겠다는 질문을 자주 듣

진료정보제공서

년 월 일

의료기관명 ____________

____________ 선생님

의료기관명 ____________

치과의사명 ____________ 인

다음 환자는 본원에서 통원중인 분입니다.

환자성명 ____________ 님 남·여

생년월일 년 월 일(세)

이번에 다음과 같은 병변을 확인하였기에 진료를 부탁드립니다.

- □부 위
  - □혀 (측연·하면, 설첨, 설배 : 우, 좌, 정중)
  - □치 은 (상악, 하악 : 우, 좌, 정중)
  - □협점막 (우, 좌)
  - □구순점막 (상순, 하순 : 우, 좌, 정중)
  - □구 강 저 (우, 좌, 정중)
  - □구 개 (경구개, 연구개 : 우, 좌, 정중)
  - □기 타 :
- □소 견(복수체크 가능)
  - □미란·궤양 □백반·홍반
  - □종류·경결 □기타 :
- □증상의 발현시기
  - □1주 이내 □1개월이 내 □3개월 이내
  - □6개월 이내 □1년 이내 □1년 이상 전
- □기왕력
  - □있음 □없음
  - 있는 경우 :
- □그 밖의 특기사항(처방 등)

●●● 그림 A-8. 구강암 전용 진료정보제공서

게 됩니다. 그래서 가능한 간단히 의뢰서를 작성할 수 있도록, '구강암 전용 진료정보제공서'(그림 A-8)를 작성했습니다. 이것은 부위, 소견, 증상의 발증시간, 기왕력 등을 체크하거나 ○로 표시하면 의뢰서가 가능하도록 검토하고 있습니다. 또 이와테(岩手)현에서는 이 진료정보제공서의 발행수를 파악하기 위해서 전용 진료정보제공서를 씀과 동시에 '구강암·구강점막질환 진료정보제공보고서'(그림 A-9)를 현의 치과의사회에도 제출하는 구조로 했습니다.

❖ 간단히 의뢰서를 작성할 수 있도록 서면의 포맷을 작성

구강암·구강점막질환 진료정보제공보고서

년 월 일

이와테(岩手)현 치과의사회 회장님

의료기관명

치과의사명 인

년 월에 실시한 의료정보제공건수에 관하여, 다음과 같이 보고합니다.

기(記)

	연령	성별	체크항목(NO.)	정보제공처 의료기관명
1	세	남·여		
2	세	남·여		
3	세	남·여		
4	세	남·여		

이상

※ 정보제공자(환자)의 연령, 성별을 기입하십시오.

※ 체크시트에서 체크된 번호(1~13)를 모두 기입하십시오.

※ 보고서는 다음달 10일까지 제출하십시오.

(송부처 : 이와테(岩手)현 치과의사회 FAX 019-654-5474)

●●● 그림 A-9. 구강암·구강점막질환 진료정보제공보고서

❖ 환자에게도 검진을 의식하며 받을 수 있도록 포스터를 작성

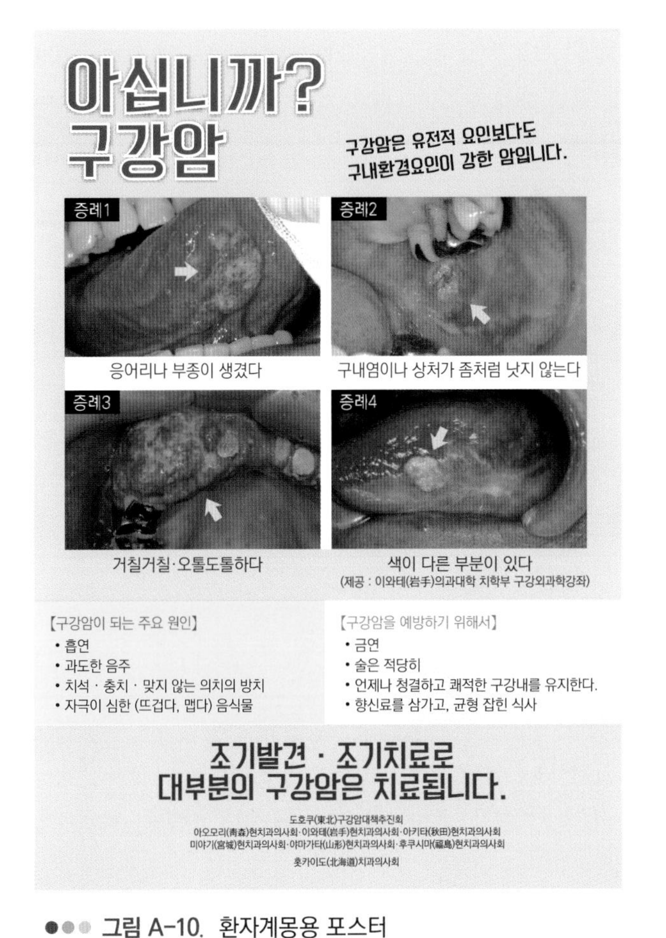

●●● 그림 A-10. 환자계몽용 포스터

> **Memo**
>
> 이 자료들은 현의 치과의사회 홈페이지에 공개되어 있어서 언제라도 회원들이 이용할 수 있습니다. 또 다른 현의 치과의사회원에게는 각 지역에 맞는 양식으로 자유롭게 변경할 수 있도록 텍스트 파일로 제공하고 있습니다. 이용을 희망하는 경우는 이와테(岩手)현 치과의사회에 신청하십시오.

표 A-4. 이와테(岩手)의과대학 치과의료센터 구강악안면외과 외래의 검진프로그램 결과

새환자수	7,322명
소개환자수	4,144명
구강암 새환자수	160명
전문정보제공용지지참환자수	52명
전문정보제공용지 지참환자 중 구강암환자수	8명

(2010년 4월~12012년 3월)

③ 동시에 환자 계몽을 한다.

그림 A-10과 같이 회원의 치과의원 대기실에서 환자에게 보여주기 위한 포스터도 작성하였습니다. 이 증례들은 의도적으로 시진으로도 알기 쉬운 것을 게재했습니다. 환자계몽과 동시에 치과의사의 새로운 사회적 의의를 나타내기 위한 것이기도 합니다.

(3) 접근의 효과~프로그램의 실시결과(표 A-4)

2010년 4월부터 2012년 3월까지 2년 동안에 이와테(岩手)현 치과의사회 회원으로부터 본 프로그램에 따라서 이와테(岩手)의과대학 부속병원 치과의료센터 구강악안면외과를 내원한 환자수는 52명이었습니다. 치과의사회 회원이 발행한 전용 진료정보제공서수는 59페이지였으므로, 그 88.1%가 이와

Point 1	Point 2	Point 3
알기 쉬운 검진 매뉴얼 작성 의뢰서의 서면 예를 작성	환자계몽	치과의사회 HP에서 공개하여 자료를 공유할 수 있도록

테(岩手)의과대학 치과의료센터를 내원한 셈이 됩니다. 이 52명 중 8명이 병리조직학적으로 구강암의 확정 진단을 받고 치료를 개시하게 되었습니다. 8명의 내역은 남성 1명, 여성 7명이며, 연령은 60세부터 88세로 고령자가 많아서 평균연령은 74.4세, 발증부위별로는 혀가 5명으로 가장 많고, 치은 2명, 경구개 1명이었습니다. 조직형 분류에서는 편평상피암이 6명, 기저세포암과 악성림프종이 각각 1명이었습니다. 또 악성림프종을 제외한 7명 중 5명이 초기암이었습니다.

한편, 정보제공자 중에서 구강암 이외의 진단이었던 44명의 내역은 구강편평태선이 8명(18.2%), 백반증 7명(15.9%), 염증성질환과 양성종양이 각각 6명(13.6%), 구강칸디다증과 욕창성 궤양이 각각 3명(6.8%), 낭포 2명(4.5%), 기타 9명(20.5%)이었습니다.

구강암 검진 프로그램은 현의 치과의사회와 기간병원의 협력이 매우 중요하다는 점에 유의하며, 대책을 진행하는 것이 사업실현의 포인트라고 할 수 있겠습니다.

Column | 지진재해 후의 구강점막검진에서

2011년 5월부터 동일본대지진의 피해자를 대상으로 건강조사 '동일본대지진피해자의 건강상태 등에 관한 조사'가 후생노동과학 특별연구사업으로서 향후 10년간 장기에 걸쳐서 실시됩니다. 이 조사의 일환으로서, 이와테(岩手)의과대학에서는 지진 후 약 9개월 후인 2011년 12월에 오쓰치정(大槌町)의 18세 이상의 전 주민을 대상으로 내과 및 정신의학 검진과 함께 구강점막검진을 포함한 치과검진을 시행했습니다.

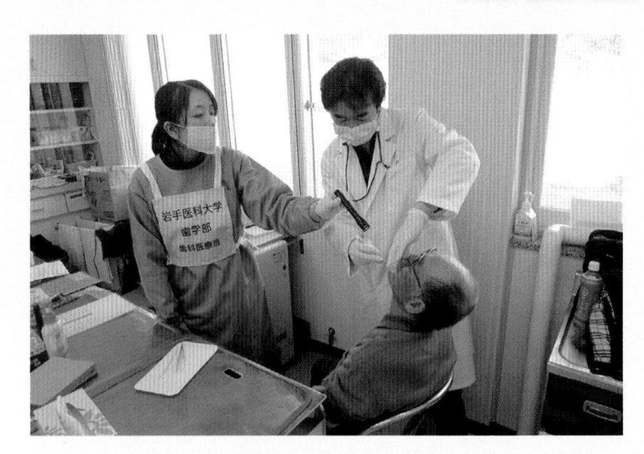

지진피해지에서의 구강점막검진

동일본대지진의 피해지에서는 보건·의료의 중핵인 행정, 의료시설이 괴멸적인 피해를 입어서, 지금도 가설시설에서 업무를 계속하고 있습니다. 오쓰치정(大槌町)의 지진 전의 인구는 약 15,000명이었는데, 지진 9개월 후인 검진시의 인구는 약 13,000명이었으며, 그 중 약 30%가 65세 이상의 고령자였습니다. 검진은 15일간 연속으로, 정내 11회장에서 시행되었습니다. 구강점막검진에 관해서는 통상 치과검진과는 별도로 독립적으로 구강악안면외과학분야의 의국원이 전임으로 담당하고, WHO표준구강점막질환조사표를 사용하여 검사했습니다. 건강조사를 위한 문진표도 있었지만, 기본적으로 간이조명 아래에서 간이의자에 피검자를 앉히고 시진과 촉진만을 했습니다(그림).

구강점막질환의 전 검진자는 2,010명으로, 내역은 남성 773명(평균연령 62.9세), 여성 1,237명(평균연령 61.4세)였습니다. 검진결과, 요정밀검사환자는 17명이며, 내역은 구강암 2명(0.1%), 백반증 7명(0.35%), 구강편평태선 2명(0.1%), 기타(유두종, 에플리스 등) 6명이었습니다. 이 중, 이와테(岩手)의과대학 치과의료센터에서 병리조직학검사 또는 절제생검을 한 것은 구강암, 백반증, 구강편평태선의 전원을 포함한 15명으로, 검진에서의 진단과 병리조직하검사 결과는 전원 일치했습니다. 구강암인 2명은 구저(T2N1M0)와 혀(T2N0M0)의 편평상피암이었으며, 2013년 1월 현재, 2명 모두 예후가 양호합니다.

지금까지 전 주민을 대상으로 한 구강점막검진의 예는 많지 않습니다. 이번에는 간이장치뿐인 검진이었지만, 약 0.1%의 확률로 암 환자를 발견할 수 있었던 것은 매우 의미가 깊었다고 할 수 있습니다. 그러나 백반증 7명은 전원 절제하고, 구강편평태선 2명은 경과 관찰 중이며, 점막질환을 전암병변, 전암상태의 단계에서 발견하여 치료할 수 있었던 점이 피검자 자신과 의료경제상의 양면에서 생각하면 보다 중요한 점이었다고 생각됩니다. 학생시절에 치과의사가 구강암환자를 접할 확률은 일생에 1명이라고 들은 적이 있습니다. 이 약 0.1%의 구강암환자의 발견율이 높은가 낮은가는 향후의 분석에 맡기기로 하고, 1년간 1명의 치과의사가 진찰하는 환자수를 생각해 봅시다. 리셉트 건수에서, 몇 년동안 1,000~2,000명의 환자를 진찰할 것입니다. 이번 구강점막의 검진은 고령자의 비율이 높은 지역에서 시행되었지만, 치과의사가 구강암 환자와 만날 확률은 생각보다 높으리라 생각됩니다.

(수기야마 요시키)

2. 도시권형의 예

1) 치과의사회의 체제조성과 방침결정

(1) 검진사업 설립 당시의 문제점

암의 조기발견을 방해하는 원인의 하나는 환자에 대한 계몽부족이나 치과의사의 구강연조직에 대한 낮은 관심을 들 수 있습니다.

다마가와(玉川)치과의사회는 이러한 문제를 해결하기 위해서 지구공중위생활동을 통해서 '구강암 검진사업'을 2002년에 설립하고, 10년 넘게 계속 활동하고 있습니다.

'암 검진'이라고 하면 집단검진의 이미지가 떠오를 수도 있는데, '구강암 검진'에 관해서는 보통 지역사람들과 접하고 있는 '개원 치과의사'가 하는 개별검진을 screening하는 것이 가장 적합하다고 생각했습니다. 또 시진, 촉진뿐 아니라 보다 객관적인 진단을 위해서 찰과세포검사를 도입했습니다.

그렇다고 해도, 2002년 당시는 개개 치과의원에서 하는 개별 암검진사업의 예는 국내에서는 찾아 볼 수 없어서, 회원에게 처음 이 안을 제시했을 때, '암'이라는 생사와 관련된 무거운 테마에 대해서 신중한 의견이 많이 있었습니다. 우선은 회원의 이해를 구하는 것이 첫 장애였습니다.

또 구강 내의 연조직을 검사하는 것은 치과의사로서 당연히 해야 하는 치료행위이며, 보험진료에서는 초진이나 재진료에 포함되어 있는 본래의 진단인데, 검진 사업으로 한다는 것이 왠지 저항감이 있었습니다. 또 생사와 관련된 진단을 잘못하면 어쩌나 하는 두려움 때문에 주저하는 치과의사도 많으리라 느꼈습니다.

(2) 접근법

전례를 찾지 못해서, 우선 치과의사회의 이사로서, 다른 암검진과의 검출률, 사망률, 유효성 등의 비교나, 세포검사의 비용 대비 효과, evidence의 유무, 사회에 대한 임팩트, 치과업계에 대한 반향, 행정에 대한 성인치과검진 등의 다른 검진과의 공존, 의사회의 반응, 검진결과에 대한 책임 등 생각할 수 있는 문제점은 모두 철저하게 빠짐없이 의논하여 전원이 사업의 추진에 관하여 납득하게 되었습니다. 그 후는 충분히 이해가 깊어진 이사가 핵심이 되어 치과의사회 회원을 설득하여 첫 장애물을 뛰어넘을 수 있었습니다(그림 A-11).

(3) 지역치과의사회의 사업에 필요한 요소

검진의 최종목표가 구강암의 조기발견이라는 점은 말할 것도 없지만, 지역치과의사회의 공중위생사업으로서 그 목표에 도달하기 위해서는, 다음과 같은 요소를 충족시켜야 합니다.

① 구강 내에 암이 생길 수 있다는 점을 널리 알려서 환자의 검진에 동기를 부여한다(광고활동).

② 암 검진을 하는 치과의의 레벨을 업하여 질 높은 검진을 보장한다(내부연수).

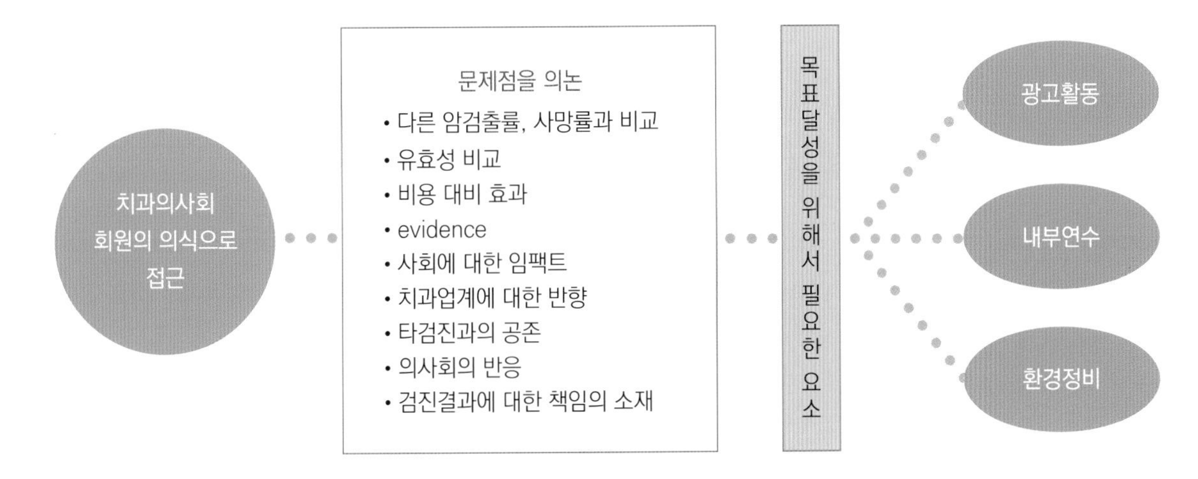

그림 A-11. 검진 사업 시작의 흐름

③ 구강암에 대응할 수 있는 환경을 정비한다.

- 세포검사를 하는 laboratory의 확보
- 암이 의심스러울 때 상급의료기관의 협조
- 지역의사회의 이해(환경정비)

2) 사업추진에 필요한 요소 ① – 광고활동

(1) 문제 파악–주민의 의식조사

본회에서 실시한 설문조사에서, 우선 구강 내에 암이 생기는 것을 모르는 주민이 의외로 많은 점(약 20%)과 알고 있더라도 통증이나 응어리가 걱정되지만 어디에서 상담해야 할지 모르는 경우가 많은 점을 알게 되었습니다. 우리들은 입 속의 고민은 보통 검진하는 근처의 '단골 치과의사'에게 상담하는 것이 당연하다고 생각했는데, 특히 구강연조직의 고민에 관해서는 '개원 치과의사'의 존재가 그다지 정착되지 않은 것 같습니다.

또 구강암에 관한 계몽도 ADA(미국치과의사회)가 하고 있는 포스터 등에 의한 화려한 광고활동에 비하면 상당히 늦은 것을 통감했습니다.

❖ 치과의원이 진찰하는 것은 치아뿐이 아니라는 점을 어필

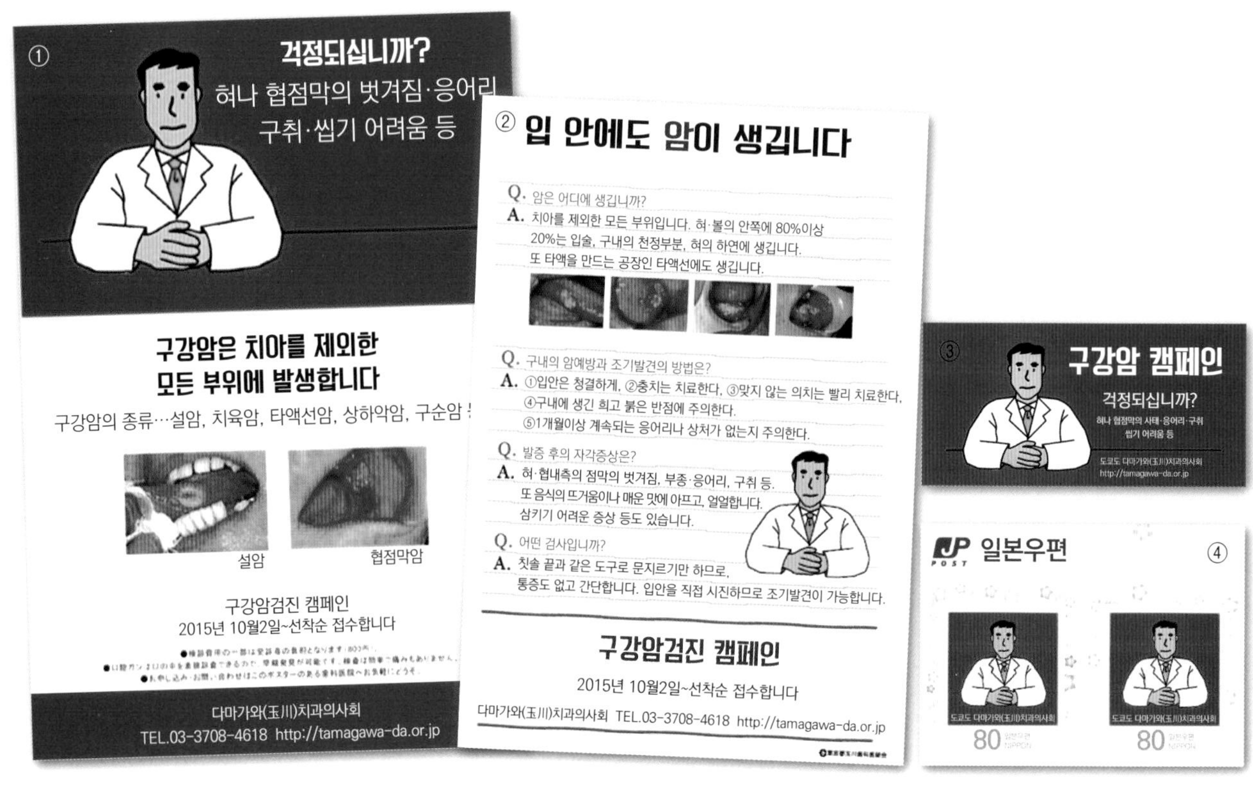

●●● 그림 A-12. 구강암에 관한 계몽

① B3판 포스터(야외에도 붙일 수 있도록 방수가공을 했다), ② B5판 팸플릿(회원의 진료소나 구청 등의 공공기관에도 배치했다), ③ 포스터(오오테(大手) 치과재료점의 영업차 등에 부착), ④ 우표

그리고 지역의 광고활동에서도 '개원 치과의사'가 그 기능을 발휘해야 할 필요성을 느꼈습니다.

(2) 접근법

대학병원의 구강악안면외과와 같은 상급의료기관을 직접 내원하는 것은 시간적으로나 정신적으로 환자에게 부담이 됩니다. 근처의 '개원 치과의사'를 통한 장점은 환자에게 상급의료기관이 헤아릴 수 없는 것이 있습니다.

본회에서는 광고의 중요성에 무게를 두고 구강암 검진의 광고전문위원회를 신설했습니다. 여기에서는 회람판, 홈페이지, 포스터, 팸플릿, 홍보스티커, 계몽우표(그림 A-12) 등의 직접적인 광고와 병행하여, 신문, TV 등의 미디어에 보도자료(press release)를 보내어 당사의 사업을 소개하는 한발 앞선 광고활동도 했습니다. 그렇게 함으로써 신문에는 '마이니찌신문(毎日新聞)', '도쿄신문(東京新聞)', '산케이신문(産經新聞)' 등에서, 또 TV에는 NHK '수도권 네트워크'에서 특집방송을 할 수 있었습니다.

계속해서 구강암을 널리 인지하도록 '구강암 박멸운동'의 시민운동을 전개해야 하며, 상징으로 리본배지(그림 A-13, 14)를 작성하고, 리플릿(leaflet)(그림 A-15)과 함께 검진계몽활동을 하고 있습니다. 또 당사의 암검진사업을 치과의학회 총회에서 소개한 날(11월15일)을 '구강암 검진의 날'로 등록하고 한층 더 계몽활동을 계획하고 있습니다.

3) 사업추진에 필요한 요소 ② – 내부연수

(1) 문제 파악–연조직질환에 대한 치과의사의 인식도 확인

회원이 학생시절에 받은 교육내용에 관하여 조사한 결과, 출신교나 졸업연도가 달라도 대부분의 치과의는 경조직질환과 달리 연조직질환의 교육에 그다지 많은 시간을 할애하지 않았다는 것을 알게 되었습니다.

●●● 그림 A-13. 가슴에 단 리본배치

●●● 그림 A-14. 차에 붙인 마그넷리본

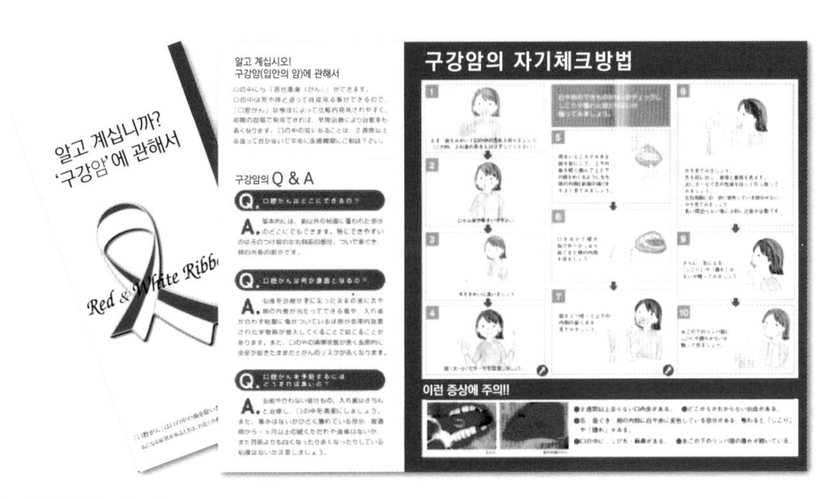

●●● 그림 A-15. 리플릿(leaflet)

(2) 접근법

조사결과를 받고 검진레벨을 올리기 위해서는 치과의사 회원의 연조직질환에 관한 재인식이 필요하다고 생각하여 치과의사회 사업으로 회원을 모집하고 다시 연조직질환에 관하여 공부하는 모임을 설립했습니다.

연수회는 사업을 시작한 당초 2~3년은 연 4~5회로 했습니다. 물론 연수회에 참가하는 것이 암검진에 종사하는 조건이지만 8할에 가까운 회원이 사업에 찬동하여 연수회에도 적극적으로 참가해 주었습니다.

매년 구강악안면외과전문의에게 연조직질환 슬라이드를 반복해서 보게 하는 것이나 보통 임상에서 연조직검사를 습관적으로 함으로써, 확실히 수강자의 구강점막을 보는 눈이 향상되어 가는 것을 실감하고 있습니다. 오진이나 간과를 과잉 걱정하기 쉬운데, 시진·촉진만으로 진단할 수 없는 것이 반드시 있고, 훈련을 쌓아도 찾을 수 없는 병변도 있습니다. 오진을 염려한 나머지 그와 같은 병변을 외면하고, 노력을 게을리하는 것은 의료자로서 잘못된 견해라고 생각됩니다. '단골 치과의'가 계속적으로 경과를 관찰할 수 있는 것은 개별검진의 큰 장점의 하나입니다.

연수회에서는 시진, 촉진뿐 아니라, 환자의 고통이나 시간적, 경제적 부담이 적은, 간편하고 객관적인 찰과세포검사를 검진의 베이스로 하고, 그 수법도 반복 훈련하도록 했습니다.

4) 사업추진에 필요한 요소 ③ - 환경정비

(1) 관련의료기관과의 협력정비

세포검사에 관해서는 대학치학부의 임상검사의학강좌에 전면적인 협조를 구하여 매년 회원의 지도, 연수에서 검체검사까지 회원용에는 세포검사 세트와 매뉴얼을 배포하여 항상 대응할 수 있는 환경을 정비했습니다.

또 암이라고 의심할만한 병변을 발견했을 때 의뢰처가 되는 상급의료기관에 관해서는 본회가 운 좋게 도심의 치과의사회이며, 인근에도 대응할 수 있는 병원이 여러 군데 있어서 고생하지 않고 도움을 받을 수가 있지만, 지역에 따라서는 어려운 문제가 될 수도 있습니다.

환자 자신이 조기에 병상을 판단하여 대학병원의 구강악안면외과를 방문하는 경우는 많지 않습니다. 조기에 전문기관을 방문하는 환자의 대부분은 '개원 치과의사'의 소개

표 A-5. 다마가와(玉川) 치과의사회의 '구강암 검진' 결과

세포검사 진단결과

연도	음성	위양성	양성	부적검체	합계
2002	109	5	0	0	114
2003	153	4	0	1	158
2004	96	1	2	0	99
2005	83	3	0	0	86
2006	60	3	0	0	63
2007	54	1	0	3	58
2008	55	4	1	0	60
2009	49	10	2	0	61
2010	66	5	2	0	73
2011	68	4	0	0	73
합계	793	40	7	4	844
%	94.0	4.7	0.8	0.5	100

에 의한 경우입니다. 일반의와 전문의의 역할은 확실히 다르므로 그 긴밀한 협력이 조기발견에는 필수입니다. 일반의는 screening에 눈을 번뜩이며, 의심할 만한 것은 주저하지 말고 신속히 협력 상급기관에 소개합니다. 그리고 그 환자에게 다가가서 정신적 의지가 되는 것이 '개원 치과의사'로서의 중요한 역할입니다.

전 검진수는 10년 동안에 902건, 그 중 세포검사를 한 844건의 내역을 표 4-5에 나타냈습니다.

10년 동안에 양성 7례, 위양성 40례, 음성 793례의 검진 결과를 얻었습니다. 음성 일례는 백반증의 임상소견이 현저하여 생검을 하고 구강편평상피암이라는 진단을 내렸습니다.

(2) 주지활동 및 학회

이 사업을 시작한 당초부터 타지구 치과의사회에서 문의가 쏟아져서 본회는 모든 자료를 제공해 왔습니다. 또 본회의 노하우를 타지구 치과의사회에 설명하러 가는 경우도 있었습니다. 그 당시는 생각이 있어도 모임의 사정 등으로 진행하기 어려웠던 지구가 많았던 것 같습니다.

처음에는 지구의 작은 공중위생사업이었지만, '치과의학회 총회 심포지움', 이어서 '구강악안면외과학회 심포지움'에 도쿄도 치과의사회로 참가하여 사업이 더욱 인지되면서 확대에 가속도가 붙었습니다. Screening을 하는 '개원 치과의사'와 확정진단·치료를 하는 '구강악안면외과학회의 전문의'의 협력이 이 사업의 성공의 기초가 되었던 점도 중요한 포인트의 하나입니다.

Column | 간과하면 어쩌나… 개원의의 입장에서

이른바 "간과"에는 여러 가지 경우가 있는데, 크게 나누면

① 처음부터 구강점막을 보지 못해서 질환을 간과하는 경우
② 봤는데도 모르는 경우를 들 수 있습니다.

①의 경우, 치과의사회에서 하는 구강암 검진사업 등에 참가하여 개원의의 점막질환에 대한 의식을 높일 수가 있습니다. 그렇게 매일의 진료 중에 점막을 진찰하는 습관을 갖게 되면 간과하는 경우가 줄어들 것입니다. 치과의사의 의식의 문제이므로, 경조직뿐 아니라 점막도 진찰한다고 정하고 실천함으로써 해결되리라 생각합니다.

②의 제대로 봤음에도 불구하고 알지 못하는 경우, 뭔가 이상하다고 생각하지만 진단을 내리지 못하는 경우는 어떻게 하면 될까요.

일반개원의는 구강악안면외과전문의에 비해 진단력이 떨어져서 질환을 알지 못하는 경우도 생각할 수 있습니다. 그렇지만, 개원의에게는 가까운 '개원 치과의사'로서 정기적으로 환자를 볼 수 있다는 장점이 있습니다. 그 날 알아차리지 못했다 해도, 1개월 후에 다시 볼 기회가 있습니다. 시간적 경과 속에서 변화를 보는 것은 한 시점에서 진단을 내리는 것보다 진단을 용이하게 합니다. 그래도 알 수 없는 질환이 있을 수 있으므로, 세심한 주의를 기울이는 자세가 중요합니다.

또 중증 질환이 아닌데 구강악안면외과전문의에게 의뢰하여, 환자에게 쓸데없는 걱정을 하게 하고, 시간을 낭비하게 하는 것이 아닌가 하는 죄책감에 의뢰를 주저하는 선생님도 계십니다. 초기단계에서는 진단을 내리기가 매우 어려우므로 단지 점막의 찰과상일지도 모른다고 주저하고 있으면 조기발견은 불가능합니다. 실제로, 필자도 암을 의심하여 상급의료기관에 의뢰했다가 '그대로 선생님 병원에서 경과 관찰하십시오'라는 답장을 받은 적이 수없이 많습니다. 그러나 그것으로 환자에게 불만을 들은 적이 없고, 반대로 감사하다는 경우가 더 많으므로, 이것이야말로 '개원 치과의사'의 사명이라고 생각하고 자신이 진단을 내릴 수 없는 병변이라면 주저 없이 소개하는 것이 조기발견율을 높이는 열쇠라고 생각합니다.

(오오시마 모토츠구)

3. 지역밀착형의 예

구강암 조기발견의 발전을 목표로, 시마네(島根)대학에서는 세포검사를 바탕으로 한 '단골 의료기관(개원치과, 내과 등)과 협력한 구강병변검출시스템', '구강암 개별검진', '구강암 집단검진'이라는 3가지 구강암시스템검사를 구축·운용해 왔습니다.[1, 2] 그 개요는 다음과 같습니다.

1) 단골 의료기관과 협력한 구강병변검출시스템

시스템의 개략도를 그림 A-16에 나타냈습니다. 구강 내에 뭔가 불편감을 호소하고, 단골의료기관을 내원한 내원자에게 구강세포검사가 시행됩니다. 회수된 세포검체는 모두 '공익재단법인 헬스사이언스센터 시마네(島根)'를 통해서 Papanicolaou 염색 또는 Giemsa 염색이 시행되고, 본과의 국제세포검사사에 의한 screening 후에 일본임상세포학회 세포검사전문의 및 일본구강병리학회 전문의의 자격을 가진 일본구강외과학회 지도의가 세포진단을 합니다. 보고서는 헬스사이언스센터 시마네(島根)를 통해서 원래의 의료기관으로 반송하게 되어 있습니다.

또 본 시스템의 운용에 있어서, 담당치과의사는 구강점막의 진단법과 세포검사에 관한 강습회를 사전에 수강하고, 추가로 세포검사사가 담당의사·치과의사에게 세포검사 표본 제작법(세포의 도말법·고정법 등)의 실시를 지도하고 있습니다.

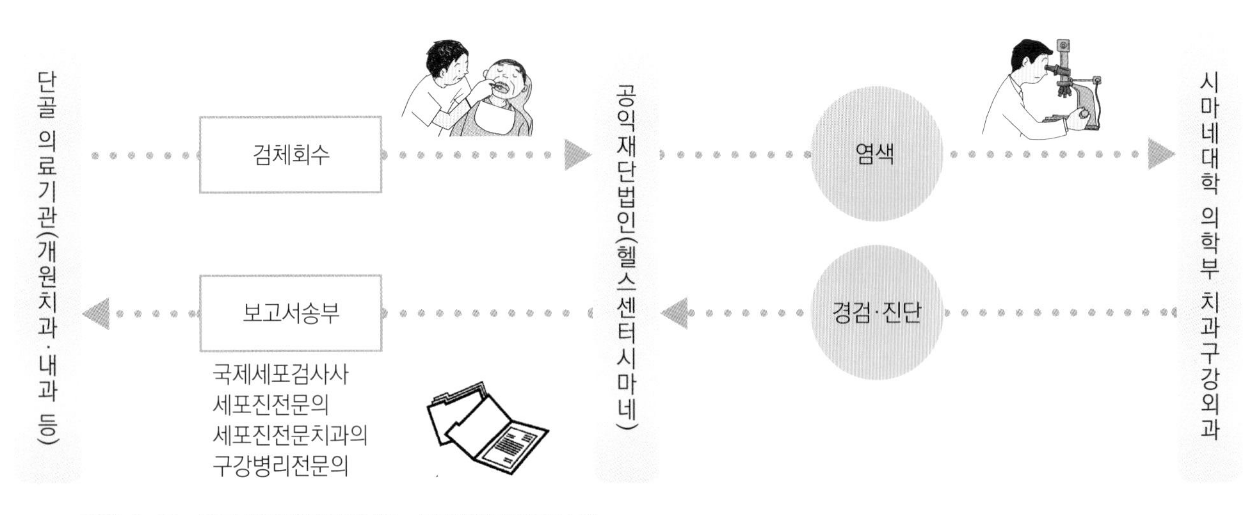

●●● **그림 A-16. 단골 의료기관에서 하는 구강병변검출시스템**

단골의료기관에서 채취된 세포는 검사기관을 경유하여 대학병원으로 반송된다. 진단보고서는 신속히 의료기관으로 반송된다.

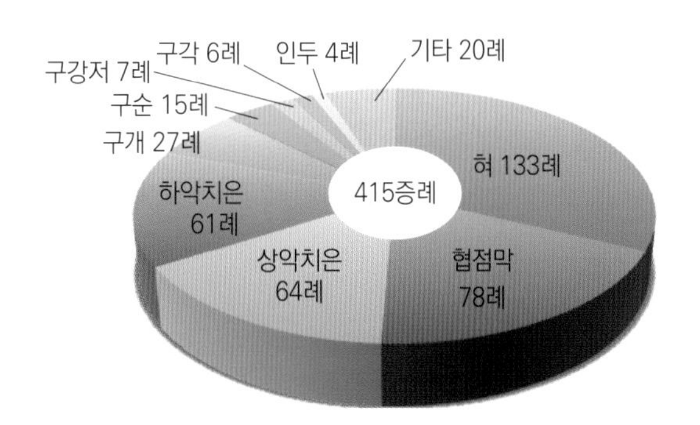

●●● **그림 A-17. 단골의료기관의 세포검사 채취부위**

혀가 가장 많으며, 구강암의 호발부위와 일치하고 있다(p.139 그림 B-21).

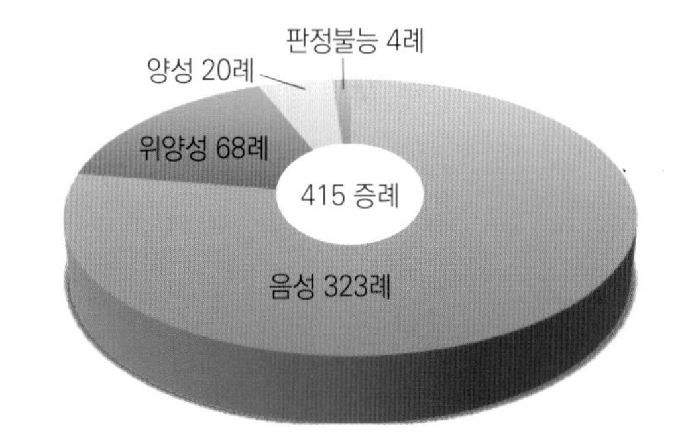

●●● **그림 A-18. 단골의료기관의 세포검사 결과**

대부분은 음성이지만, 위양성증례를 확실히 추적하는 것이 중요하다.

과거 61개월간, 단골 의료기관에서 구강점막병변에 세포검사를 시행한 환자는 416명(남성 174명, 여성 242명), 평균 연령은 69.6세(6~99세)였습니다. 세포도말부위는 그림 A-17과 같이 혀가 가장 많고, 세포검사 결과는 416증례 중, 양성 20증례(양성 검출률은 4.8%)였습니다(그림 A-18). 그 중, 12증례가 본과에서 생검이 시행되고, 10증례에서 편평상피암을 검출했습니다(검출률 2.4%).

2) 구강암 개별검진

본 검진은 일반사업소 치과건강진단에 병행하여 시행되고 있습니다. 치과건강진단 후 희망자에 대해서 일본구강외과학회 지도의·전공의에 의한 구강암 검진을 하고 있습니다. 검진표는 구강암 검진용으로 독자적으로 작성한 것을 사용하며(그림 A-19), 구강 내의 자각증상에 관해서 문진 후 구강점막 및 소속림프절의 시진·촉진, 필요에 따라서 세포검사를 합니다(그림 A-20). 세포검사를 시행하지 않는 경우는 그 시점에서 검진이 종료됩니다.

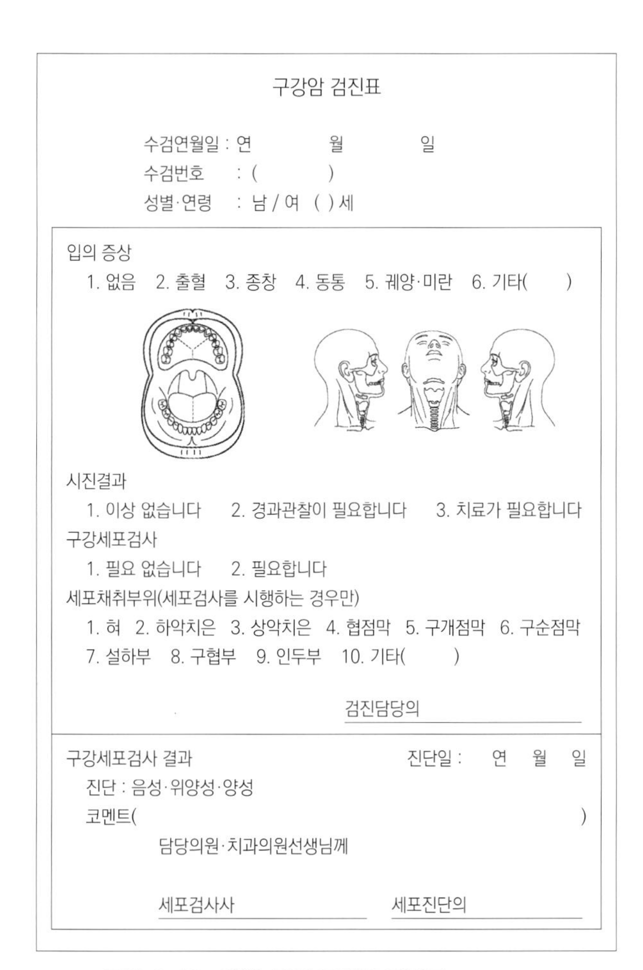

구강암 검진표

수검연월일 : 연 월 일
수검번호 : ( )
성별·연령 : 남 / 여 ( ) 세

입의 증상
1. 없음 2. 출혈 3. 종창 4. 동통 5. 궤양·미란 6. 기타( )

시진결과
1. 이상 없습니다 2. 경과관찰이 필요합니다 3. 치료가 필요합니다
구강세포검사
1. 필요 없습니다 2. 필요합니다
세포채취부위(세포검사를 시행하는 경우만)
1. 혀 2. 하악치은 3. 상악치은 4. 협점막 5. 구개점막 6. 구순점막
7. 설하부 8. 구협부 9. 인두부 10. 기타( )

검진담당의

구강세포검사 결과 진단일 : 연 월 일
진단 : 음성·위양성·양성
코멘트( )
담당의원·치과의원선생님께

세포검사사 세포진단의

●●● **그림 A-19.** 개별·집단 구강암 검진표

가능한 간단한 내용으로 정리한다.

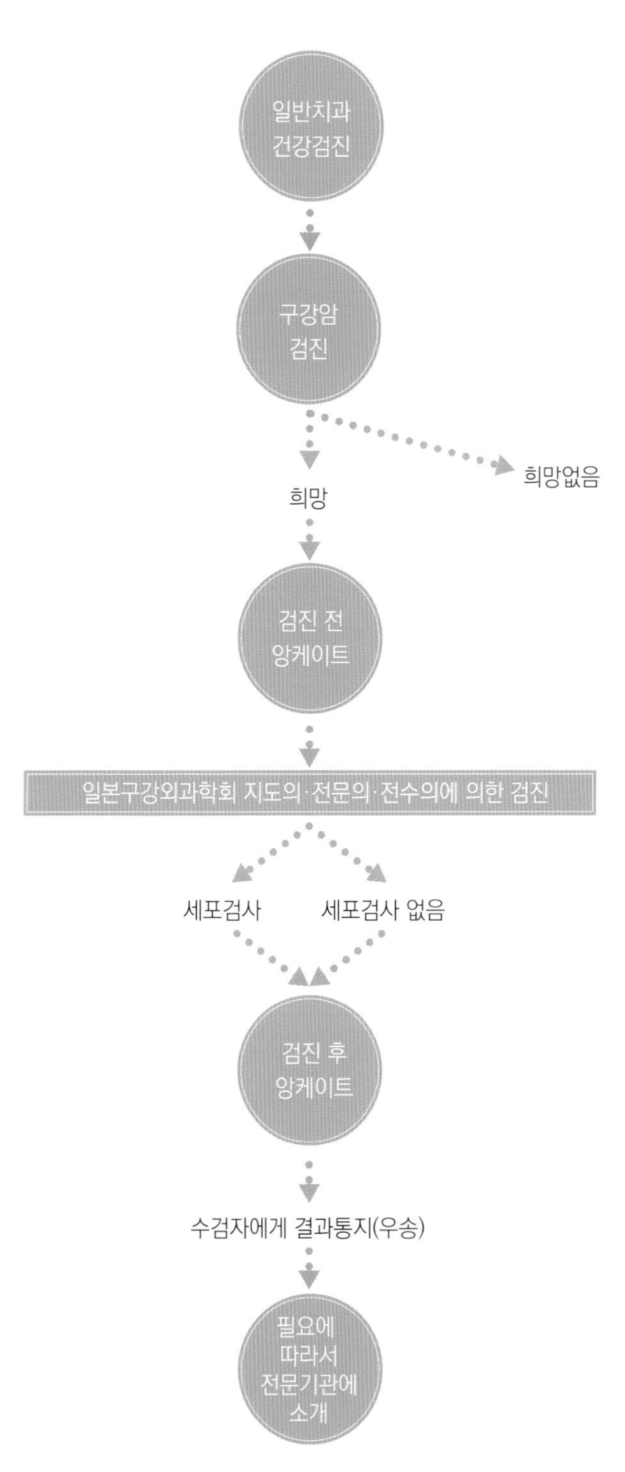

●●● **그림 A-20.** 개별·집단 구강암 검진의 flow chart

세포검사 위양성인 증례는 반드시 전문기관에 의뢰한다.

세포검사를 시행하는 경우는 검체를 본과에 가져가서 세포검사를 하고, 그 결과가 음성이면 다음날 검진결과를 건네는 단계에서 검진이 종료됩니다. 결과가 위양성 또는 양성인 경우 구강악안면외과전문기관의 진료를 촉구하는 코멘트를 검진결과보고서에 기재하고, 담당의료기관을 통해서 각 수검자에게 통지합니다.

또 수검자의 의식을 조사할 목적으로 검진 전후에 앙케이트조사를 실시하고 있습니다(그림 A-21). 우선 검진 전에 구강 내 불편감의 유무, 구강암의 인식도에 관해서 검진 후에 구강암 검진에 대한 고통의 유무, 구강 내 병변에 대한 불안소실의 유무, 다음회의 구강암 검진에 대한 수검희망에 관하여 각각 조사하고 있습니다.

본 연구팀이 2010~2012년에 한 구강암 개별검진의 수검자는 합 257명(남성 119명, 여성 138명), 평균연령은 42.4세(18~71세)였습니다.

질문항목

검진 전 앙케이트

❶ 입속에서 치아가 아프고, 의치가 맞지 않는 외에 걱정되는 점이 있습니까?
❷ 입 속에도 암이 생긴다는 사실을 알고 있습니까?

검진 후 앙케이트

❶ 이번 검진에서 고통이 있었습니까?
❷ 입 속의 병변에 대한 불안이 없어졌습니까?
❸ 다음번에도 구강암 검진을 받을 생각이 있습니까?

≫ 상기질문에 관하여 '예·아니요'에 ○로 표시하게 한다.

결과

사전 앙케이트 결과

❶ 걱정되는 점이 있습니까?
개별검진에서는 29.2%, 집단검진에서는 5.2%의 수검자가 '있다'고 대답했다.

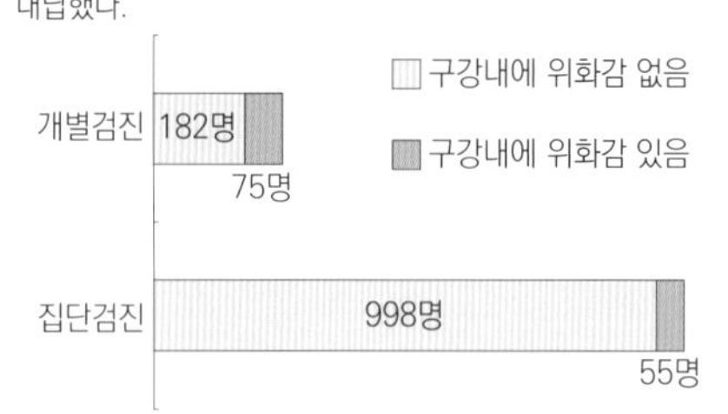

❷ 입 속에도 암이 생긴다는 사실을 알고 있습니까?
개별검진에서는 37.4%, 집단검진에서는 42.3%의 수검자가 '구강에 암이 생기는 것을 모른다'라고 대답했다.

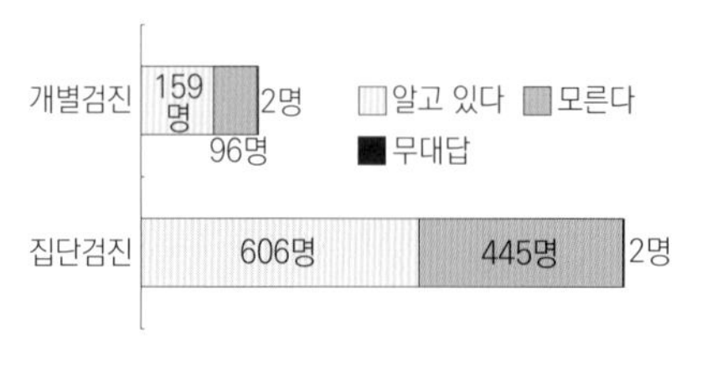

사후 앙케이트 결과

❶ 이번 검진에서 고통이 있었습니까?
개별검진에서는 5.4%, 집단검진에서는 4.9%의 수검자가 '고통이었다'라고 대답했다.

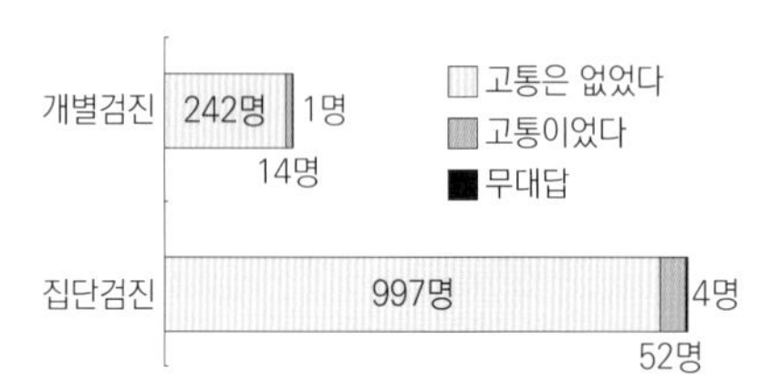

❷ 이번 검진에서 구강암에 대한 불안이 없어졌습니까?
개별검진에서는 89.5%(230/257명), 집단검진에서 90.6%(954/1053명)의 수검자가 '불안이 없어졌다'고 대답했다.

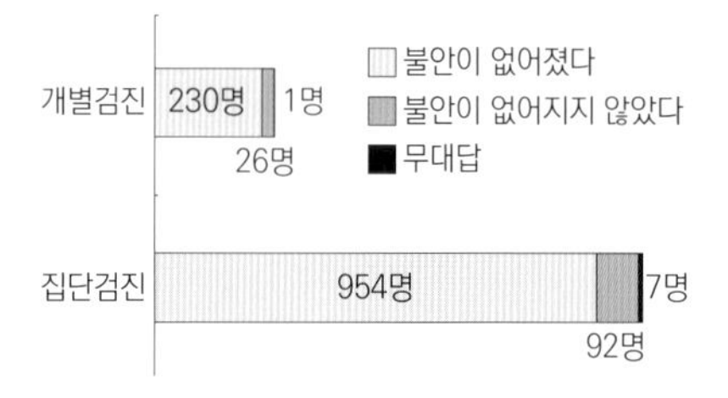

❸ 다음번에도 구강검진을 받을 생각이 있습니까?
개별검진에서는 97.3%(250/257명), 집단검진에서는 94.3%(993/1,053명)의 수검자가 '다음번에도 수검하고 싶다'고 대답했다.

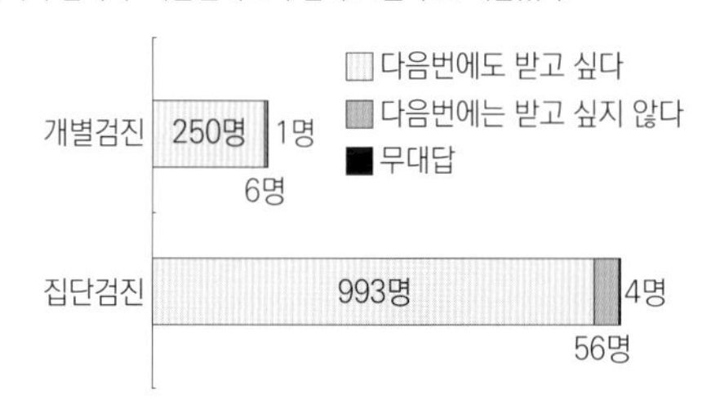

●●● 그림 A-21. 개별·집단 구강암 검진 전후의 설문조사 내용과 결과

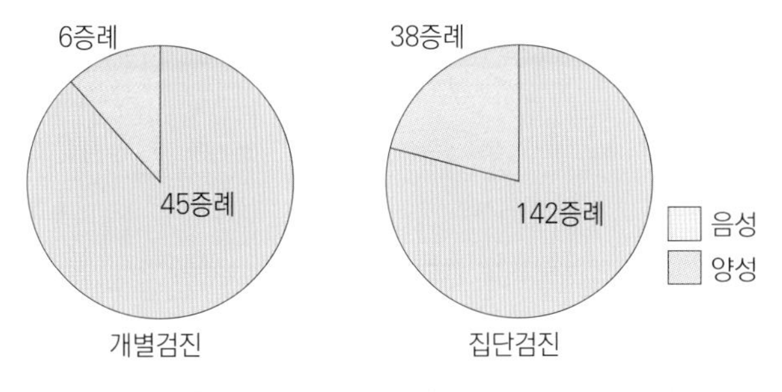

●●● 그림 A-22. 구강암 개별·집단검진의 세포검사 결과

개별검진에서는 전체의 19.8%(51/257례), 집단검진에서는 17.1%(180/1,053례)에 세포검사가 시행되었다. 위양성이 각각 6례(11.2%), 38례(21.1%) 검출되었다.

검진 전의 설문조사 조사결과에서는 구강 내에 불편감을 호소하던 수검자가 전체의 29.2%를 차지하고(그림 A-21❶), 전체의 37.4%가 구강암에 관해서 모른다는 결과가 나왔습니다(그림 A-21❷). 세포검사를 시행한 것은 257증례 중 51증례(세포검사 시행률 19.8%), 그 결과 45례가 음성, 6례가 위양성이며, 구강암은 검출되지 않았습니다(그림 A-22).

위양성증례는 모두 상피이형성증으로, 엄중한 경과 관찰이 필요하다고 판단하여 그 수검자에게는 구강악안면외과 전문기관에서 검진받도록 했습니다.

검진 후의 설문조사 결과에서는 구강암 검진에 고통을 호소한 수검자는 5.4%(그림 A-21❶), 본 검진을 받음으로써 구강 내병변에 대한 불안이 해소되었다고 대답한 수검자가 89.5%였습니다(그림 A-21❷). 또 전 수검자의 97.3%가 다음번 구강암 검진 받기를 희망하고 있었습니다(그림 A-21❸).

여기에서 주목해야 할 것은 약 40%의 사람들이 구강에 "암"이 생긴다는 사실을 모른다는 점입니다.

3) 구강암 집단검진

본 검진은 자치체 주체의 집단검진에 병행하여 수검자 전원에게 하고 있습니다. 검진의 방법·순서에 관해서는 앞에서 기술한 개별검진과 같습니다.

본 연구팀이 2011년에 시행한 집단검진수검자는 계 1,053명(남성 416명, 여성 584명, 53명은 미상)으로 여성이 남성을 상회하고 있으며, 평균연령은 72.1세(20~93세)로 개별검진과 비교하여 고연령이었습니다. 또 검진 전의 앙케이트에서 구강 내에 위화감을 호소한 수검자가 5.2%(그림 A-21❶), 전체의 42.3%가 구강암에 관해서 모른다는 결과를 얻었습니다(그림 A-21❷). 세포검사는 1,053례 중 180례에 시행되고(세포검사 시행률 17.1%), 그 결과 142례가 음성, 38례가 위양성이며, 개별검진과 마찬가지로 구강암은 검출되지 않았습니다(그림 A-22).

위양성 증례는 모두 상피성이형성증으로 개별검진과 마찬가지로 구강외과전문기관에서 검진받도록 했습니다.

검진 후의 앙케이트에서는 구강암 검진에서 고통을 호소한 수검자는 4.9%(그림 A-21❶), 본 검진을 받음으로써 구강내병변에 대한 불안이 해소되었다고 대답한 수험자가 90.6%(그림 A-21❷), 또 94.3%의 수검자가 다음 구강암 검진 받기를 희망하고 있었습니다(그림 A-21❸).

집단검진에서도 약 40%가 구강에 "암"이 생기는 것을 모른다는 사실이 밝혀졌습니다. 치과의료종사자로서 이 현 상황을 심각하게 받아들여야 합니다.

4) 타시설에서의 구강암 검진

도쿄치과대학과 치바시치과의사회가 협력하여 시행한 구강암 검진의 보고에서는 1992~2011년까지 20년 동안에 3,429명을 대상으로 하여, 3명의 구강암이 발견되었습니다(검출률 0.3%). 본과에서 단골 의료기관과 협력하여 시행한 구강병변검출시스템에서는 구강병변검출률이 2.4%로 다른 보고 보다 높은 빈도로 암이 검출되었습니다.

표 A-6. 단골의료기관, 개별·집단 구강암 검진의 정리

	대상수	연령	실시기간	세포채취자	앙케이트	병변검출률
단골의료기관	312증례	평균 69.5세(6~99세)	60개월(계속적)	개원의사 또는 치과의사	없음	2.6%
개별검진	257증례	평균 42.4세(18~71세)	3년간, 5일(단발적)	구강악안면외과의사	있음	0%
집단검진	1,053증례	평균 72.1세(20~93세)	1년간, 13일(단발적)	구강악안면외과의사	있음	0%

Point 1	Point 2	Point 3
많은 사람들이 "구강암"을 인지하지 못한다는 사실을 심각하게 받아들이자.	우리들 치과의료종사자가 진심으로 구강암을 찾아내자.	구강암 검진을 계몽·보급시키자.

본과의 검토에서는 단골 의료기관에서 계속 운용하는 구강병변검출시스템이 구강암의 조기발견에 매우 유용하다고 생각되었습니다(표 A-6).

향후에도 이 3시스템을 계속 시행하면서, 전국적으로 보급시키려고 합니다. 그러기 위해서는 행정의 지원이 반드시 필요합니다.

≫ 참고문헌

1) 秀島克巳, 石橋浩晃, 關根淨治 : 치과의 최신테크놀로지 구강암 조기발견을 위한 세포검사. 덴탈다이아몬드. 덴탈다이아몬드사, 도쿄, 2013, 84-88.
2) 秀島克巳, 石橋浩晃, 關根淨治 : 알고 계십니까? 구강세포검사. DHstyle. 덴탈다이아몬드사, 도쿄, 2013, 76-79.

⋙ Column | 차세대 구강암 검진의 소개

2010년 일본치과의사회 보고에서 16도도부현(都道府縣) 치과의사회, 66군시구(郡市區) 치과의사회가 구강암 검진을 시행한 것을 기술하였습니다. 2008년과 2012년 일본치과의학총회의 구강암 검진 심포지움에서 병행한 독자 설문조사에서는 44도도부현내에서 검진을 실시하는 곳이 24%에서 44%로 증가하였고, 현재 실시하지 않는 치과의사회에서도 필요성을 인정하는 것이 85%에서 90%로 대폭 변화되었습니다. 이 4년이라는 단기간에 어떻게 치과계가 활동하였고, 구강암과 구강점막질환에 관심을 가지기 시작했는가를 알 수 있습니다. 그러나 집약된 데이터는 아직까지 없으며, 실시하는 구강암 검진의 대부분은 지역완결형 시스템 중에서 운영되고 있습니다. 향후 대상자수를 늘리고, 횡단적이며 망라적으로 발전된 시스템으로 국민과 행정에 내세울 말한 내용으로 확대하는 것이 중요합니다.

약 10만명의 치과의사 중에서 대학 등의 근무의가 약 15%, 그 밖에는 약 7만곳의 치과의원에 근무하는 셈입니다. 즉, 치과계는 일반개원의가 주체인 조직이라 해도 과언이 아닙니다. 대부분의 구강검진은 대책형 검진(집단검진)의 형식을 취하고 있는데, 전국 1억2천만명의 국민에게 접근하기 위해서는 임의형 검진(개별검진)의 실시가 바람직합니다.

집단검진뿐 아니라 보다 많은 일반개업치과의원에서 개별검진의 도입이 요망되지만, 오진 등을 포함한 책임 문제 때문에 주저하는 치과의사도 많이 있습니다. 본 학회에서는 그 타개책으로 인터넷을 통해서 개원의를 서포트하는 시스템(구강검진 나비시스템 / https://www.oral-cancer-navi.jp)을 구축하고 있습니다. 2012년부터 trial로 시스템을 가동하고 있으며, 서서히 확대해 갈 예정입니다. 이 시스템은 학내에 서버를 독립적으로 설립하고, 약 10명의 구강외과학강좌의 구강외과전문의가 컨트롤 센터로서, 개원의부터 보내오는 질문에 회답하는 것입니다. 개원의는 주어진 ID와 패스워드로 몇 시에라도 접근 가능하며, 홈페이지에 기입 및 사진을 첨부하여 송신합니다. 한밤중만 아니면 3시간 이내의 회답을 얻을 수 있는 시스템으로 되어 있습니다. ID의 취득은 원칙적으로 개인이 아니라, 치과의사회 단위로 각서를 교환하고, 치과의사회 관리로 회원에게 ID를 배부하는 형식을 취하고 있습니다. '디지털정보만으로 진단을 내릴 수 없으므로, 어디까지나 전문의의 의견으로 경과 관찰이나 상급의료기관으로 소개를 지시하는 것이 메인이 됩니다. 의료협력이 서툰 분에게도 도움이 됩니다'라는 체제 하에, 책임자는 '체어사이드에서 전문의의 의견을 들을 수 있는 것이 최대 장점이며, 증례마다 서포트에 힘쓰고자 하며, 개원의의 후원자가 목적이므로 비용도 들지 않습니다'라며 전국적인 보급을 목표로 하고 있습니다. 또 원격지에서의 이용도 가능하므로, 상급의료기관이 부족한 지역에 대한 공헌도 기대하는 바입니다.

(https://www.oral-cancer-nave.jp)
(시바하라 타카히코)

4. 행정과 검진시스템

1) 집단검진에서 개별검진 개시로의 흐름~치바(千葉) 현 이치카와(市川)시의 예

이치카와(市川)시의 구강암 검진은 1998년부터 집단검진을 개시하였으며, 이치카와(市川)시 치과의사회 회원, 도쿄치과대학 이치카와종합병원의 치과·구강외과와 구강암센터의 협조를 얻어 연 1회 '8020 이치카와(市川)'의 이벤트 등을 통해서 전용부스를 설치하고 실시했습니다(그림 A-23).

그러나 검진의 실시 횟수가 연 1회로 너무 적은 까닭에 시민에 대한 구강암의 계몽을 높이고자 2009년부터 개별구강암 검진을 개시했습니다(그림 A-24).

개별검진을 개시한 큰 이유는 검사율을 올리는 데에 가장 효과적이라고 생각했기 때문입니다. 구강암은 인지도가 낮고, 또 집단검진은 횟수나 장소가 한정되어 좀처럼 검진률을 높일 수 없다는 문제점이 있습니다. 그러나 일본의 구강암 사망자수가 증가일로를 걷고 있는 현재, 구강암의 조기발견과 그 시스템 조성은 치과의의 책무이며 급무입니다.

❖ 이치카와(市川)시의 구강암 검진

경위

1998년
집단검진 개시
이치카와시 치과의사회회원, 도쿄치과대학 이치카와종합병원의 의국원에 의한 문진, 연1회, '8020 이치카와'의 이벤트 등에서, 전용부스를 설치하고 실시
• 검진기회의 한정

구강암의 조기발견 계몽에 효과

2009년
이치카와시 구강암 검진(개별) 개시
(액상화검체세포검사·Thin Prep법)

그림 A-23. 이치카와(市川)시의 구강암 검진개시까지의 경위

개요

목적	구강암의 조기발견, 조기치료를 촉진시켜서, 시민의 건강유지, 촉진을 도모한다.
대상	이치카와시에 주민등록 또는 외국인 등록이 있는 20세 이상
실시개시	2009년 6월~
실시기관	이치카와시 치과의사회에 가입한 구강암 검진지정치과의원(그림 A-25)
비용	일부 자기부담금 500엔 (70세 이상인 분, 후기고령자의료피보험자, 비과세세대는 무료)

그림 A-24. 이치카와시의 구강암 검진의 개요

구강암 검진 지정치과의원

이치카와시 치과의사회에 가입한 치과의사로서, OCDSIN 액상화체험세포도말(Thin Prep) 연수를 받고, 수료인정서를 교부받은 의원

↓

Oral Cancer Detecting System Ichikawa Network
(구강암 조기발견네트워크회의의 약칭)
2009년도 지정치과의원 87의원
2010년도 | 102의원
2011년도 | 102의원
2012년도 | 105의원
(치과의사의 중복유)

그림 A-25. 구강암 검진 지정치과의원

검진의 흐름

그림 A-26. 구강암 검진의 흐름

이치카와(市川)시에서는 이와 같은 시점에서 치과의사회와 협의 후 개별검진으로 이행했습니다.

2012년도 구강암 검진예산은 13,638,000엔으로 치과예산 전체(111,539,197엔)의 약 1/10 정도였습니다. 어떻게 치과예산을 확보할 것인가 하는 질문을 받습니다만, 행정이 예산을 계상(計上)하기 위해서 필요한 것은 시민, 행정, 시의회의 이해를 얻는 것입니다. 데이터에 근거하여 구강케어를 포함한 구강의 종요성을 호소하고 이해시키는 것이 가장 중요하며, 또 동시에 시장의 이해를 구하는 것이 중요합니다.

이치카와(市川)시에는 도쿄치과대학 이치카와(市川)병원 구강암센터가 있어서 개별검진을 권장하는 데에 좋은 조건이 갖추어져 있었습니다. 또 행정, 치과의사회뿐 아니라 도쿄치과대학 이치카와(市川)종합병원의 임상검사과병리, 치과·구강외과, 구강암센터와 몇 번씩 협의하면서 이치카와(市川)시 치과의사회의 회원으로서, 이후 이치카와(市川)시의 구강암 검진 지정치과의원의 공인을 희망하는 치과의사에게 월 1회, 1년간의 연수(액상화검체세포검사(Thin Prep) 강습 포함)를 실시하기로 했습니다(그림 A-25). 현재 105곳의 치과의원이 이치카와시의 구강암 검진 지정치과의원으로 공인받고, 개별검진을 하고 있습니다.

실시내용은 그림 A-26의 흐름으로 시행되며, 그 중에서 검진권의 발행(그림 A-27)이나 개인기록의 작성(그림 A-28) 등도 시행됩니다. 2013년부터는 위암, 대장암, 폐암, 자궁암, 유방암, 전립선암의 이치카와시 암검진사업 중에 구강암 검진이 들어가게 되었습니다. 시의 암검진사업에 포함됨으로써 시민에게 직접 통지를 보낼 수 있게 되어 구강암에 대한 의식이 더욱 향상되리라 생각됩니다.

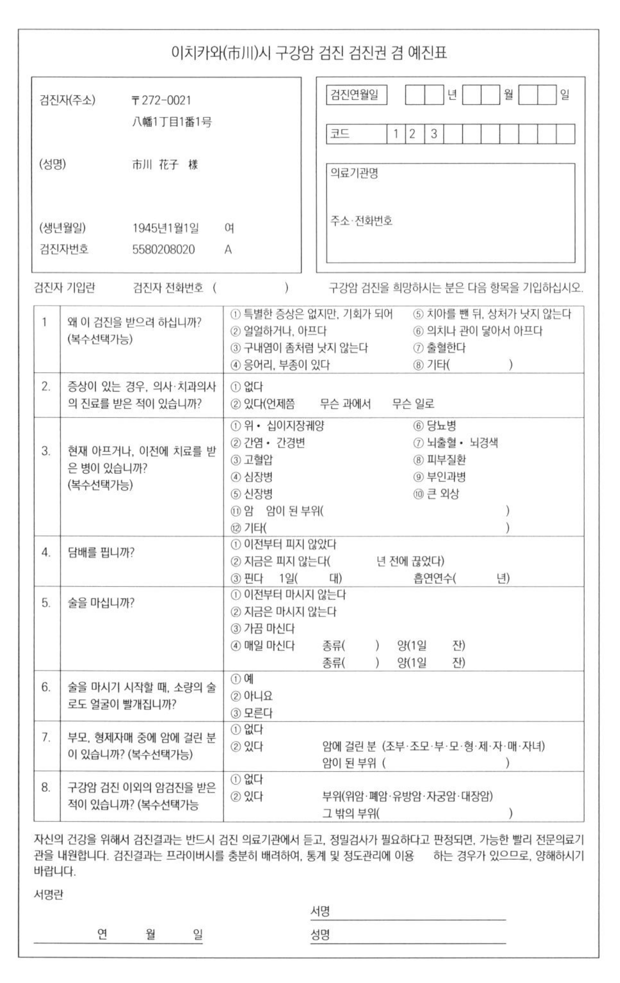

이치카와(市川)시 구강암 검진 검진권 겸 예진표

검진자(주소) 〒272-0021
八幡1丁目1番1号
(성명) 市川 花子 様
(생년월일) 1945년1월1일 여
검진자번호 5580208020 A

검진연월일 년 월 일
코드 1 2 3
의료기관명
주소·전화번호

검진자 기입란 검진자 전화번호 ( ) 구강암 검진을 희망하시는 분은 다음 항목을 기입하십시오.

1	왜 이 검진을 받으려 하십니까? (복수선택가능)	① 특별한 증상은 없지만, 기회가 되어 ② 얼얼하거나, 아프다 ③ 구내염이 좀처럼 낫지 않는다 ④ 응어리, 부종이 있다 ⑤ 치아를 뺀 뒤, 상처가 낫지 않는다 ⑥ 의치나 관이 닿아서 아프다 ⑦ 출혈한다 ⑧ 기타( )
2.	증상이 있는 경우, 의사·치과의사의 진료를 받은 적이 있습니까?	① 없다 ② 있다(언제쯤 무슨 과에서 무슨 일로
3.	현재 아프거나, 이전에 치료를 받은 병이 있습니까? (복수선택가능)	① 위 • 십이지장궤양 ② 간염 • 간경변 ③ 고혈압 ④ 심장병 ⑤ 신장병 ⑥ 당뇨병 ⑦ 뇌출혈 • 뇌경색 ⑧ 피부질환 ⑨ 부인과병 ⑩ 큰 외상 ⑪ 암 암이 된 부위( ) ⑫ 기타( )
4.	담배를 핍니까?	① 이전부터 피지 않았다 ② 지금은 피지 않는다(년 전에 끊었다) ③ 핀다 1일(대) 흡연연수(년)
5.	술을 마십니까?	① 이전부터 마시지 않는다 ② 지금은 마시지 않는다 ③ 가끔 마신다 ④ 매일 마신다 종류( ) 양(1일 잔) 종류( ) 양(1일 잔)
6.	술을 마시기 시작할 때, 소량의 술로도 얼굴이 빨개집니까?	① 예 ② 아니요 ③ 모른다
7.	부모, 형제자매 중에 암에 걸린 분이 있습니까? (복수선택가능)	① 없다 ② 있다 암에 걸린 분 (조부·조모·부·모·형·제·자·매·자녀) 암이 된 부위 ( )
8.	구강암 검진 이외의 암검진을 받은 적이 있습니까? (복수선택가능	① 없다 ② 있다 부위(위암·폐암·유방암·자궁암·대장암) 그 밖의 부위( )

자신의 건강을 위해서 검진결과는 반드시 검진 의료기관에서 듣고, 정밀검사가 필요하다고 판정되면, 가능한 빨리 전문의료기관을 내원합니다. 검진결과는 프라이버시를 충분히 배려하여, 통계 및 정도관리에 이용 하는 경우가 있으므로, 양해하시기 바랍니다.

서명란
연 월 일
서명
성명

●●● **그림 A-27. 검진권의 발행(시(보건센터)가 발행하는 검진권)**

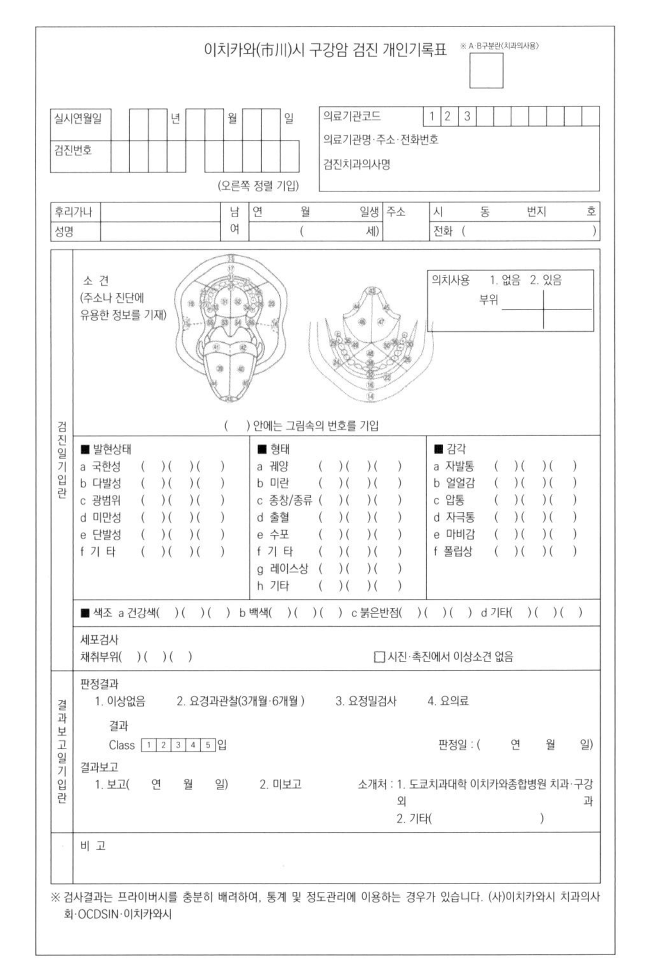

이치카와(市川)시 구강암 검진 개인기록표 ※ A·B구분란(치과의사용)

실시연월일 년 월 일
검진번호
(오른쪽 정렬 기입)
의료기관코드 1 2 3
의료기관명·주소·전화번호
검진치과의사명

후리가나		남	연 월 일생	주소	시 동 번지 호
성명		여	(세)		전화 ( )

검진일기입란

소 견
(주소나 진단에 유용한 정보를 기재)

( ) 안에는 그림속의 번호를 기입

■ 발현상태	■ 형태	■ 감각
a 국한성 ( )( )( )	a 궤양 ( )( )( )	a 자발통 ( )( )( )
b 다발성 ( )( )( )	b 미란 ( )( )( )	b 얼얼감 ( )( )( )
c 광범위 ( )( )( )	c 종창/종류 ( )( )( )	c 압통 ( )( )( )
d 미만성 ( )( )( )	d 출혈 ( )( )( )	d 자극통 ( )( )( )
e 단발성 ( )( )( )	e 수포 ( )( )( )	e 마비감 ( )( )( )
f 기 타 ( )( )( )	f 기 타 ( )( )( )	f 폴립상 ( )( )( )
	g 레이스상 ( )( )( )	
	h 기타 ( )( )( )	

■ 색조 a 건강색( )( )( ) b 백색( )( )( ) c 붉은반점( )( )( ) d 기타( )( )( )

세포검사
채취부위( )( )( ) □ 시진·촉진에서 이상소견 없음

결과보고일기입란

판정결과
1. 이상없음 2. 요경과관찰(3개월·6개월) 3. 요정밀검사 4. 요의료
결과
Class 1 2 3 4 5 입 판정일 : (연 월 일)
결과보고
1. 보고(연 월 일) 2. 미보고 소개처 : 1. 도쿄치과대학 이치카와종합병원 치과·구강외과
2. 기타( )

비 고

※ 검사결과는 프라이버시를 충분히 배려하여, 통계 및 정도관리에 이용하는 경우가 있습니다. (사)이치카와시 치과의사회·OCDSIN·이치카와시

●●● **그림 A-28. 개인기록표**

2) 구강암 조기발견시스템 전국네트워크(NPO 법인)의 설립

이치카와(市川)시는 각각 라이프스테이지에 따른 일관성 있는 치과보건서비스를 시행하고 있으며(그림 A-29), 20세의 치과건강검사(그림 A-30), 생생한 치력검사(그림 A-31), 건강한 구강검진(그림 A-32) 등의 특징적인 검진사업에도 주력하여 젊은 시절부터 구강건강에 대한 의식을 높이고 있습니다. 검진은 충치, 치주병 검진뿐 아니라 구강암을 포함한 구강전체, 구강의 기능을 측정하는 검진으로 이행해야 합니다. 또 구강암의 개별검진을 각 자치체가 실시하는 데에는 많은 과제가 있습니다. 구체적으로는 ①자치체의 이해와 예산 조성(앞에서 기술), ②구강암 검진을 할 수 있는 치과의

❖ 이치카와(市川)시의 치과보건서비스

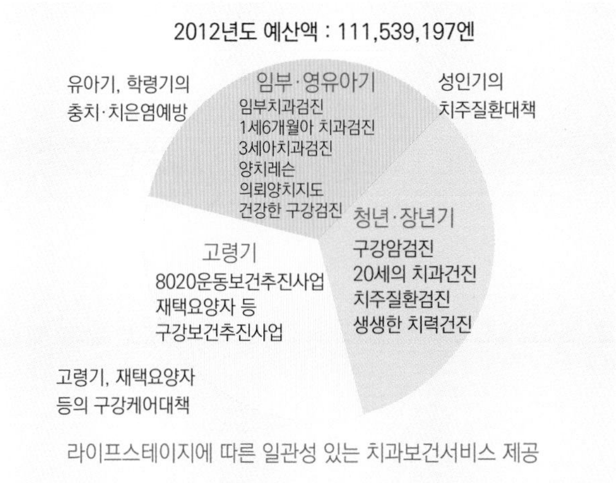

2012년도 예산액 : 111,539,197엔

- 유아기, 학령기의 충치·치은염예방
- 임부·영유아기: 임부치과검진, 1세6개월아 치과검진, 3세아치과검진, 양치레슨, 의뢰양치지도, 건강한 구강검진
- 성인기의 치주질환대책
- 청년·장년기: 구강암검진, 20세의 치과건진, 치주질환검진, 생생한 치력건진
- 고령기: 8020운동보건추진사업, 재택요양자 등 구강보건추진사업
- 고령기, 재택요양자 등의 구강케어대책

라이프스테이지에 따른 일관성 있는 치과보건서비스 제공

●●● 그림 A-29. 이치카와시의 치과사업과 예산액

이치카와시 독자적인 구강기능검진

- 대상자: 특정검진 검진자에서 특정보건지도가 필요한 국가보험가입자
- 검사항목: 문진, 구강 내검사, CPI, 보건지도, 교합력측정(디지털프레스케일, 껌)
- 비용: 무료
- 예산액: 1,514천엔

●●● 그림 A-31. 생생한 치력검사

구취, 치열, 치아 색 등
입 속의 걱정거리를 조기에 해결
젊은 시절부터 구강 건강에 대한 의식을 높인다.

- 대상자: 연도내에 20세가 되는 시민(개별통지)
- 검사항목: 문진, 구강 내검사, CPI, 보건지도,
- 비용: 무료
- 예산액: 3,376천엔

●●● 그림 A-30. 20세의 치과건강검사

헬씨스쿨추진사업

- 대상: 시내 초등학교 7개교의 5학년생
- 실시일: 2011년 9월~12월
- 검사항목: ① 교합압검사 ② 부정교합검사 ③ 저작능력검사 ④ 타액량·타액세균검사] ⑤ 미각검사
- 예산액: 3,839천엔

●●● 그림 A-32. 건강한 구강검진

Memo | 이치카와시 데이터

- 인구 : 47만 3,620명
- 2012년도 예산합계금액 : 일반회계, 특별회계를 포함하여 2,129억 8,000만엔(그 중 치과관련 예산은 1억1,153만9,197엔)
- 시내의 병원수 : 14, 치과진료소수 : 263, 의과진료소수 : 302

사의 육성, ③치과의사회, 치과의사와의 긴밀한 협조체제, ④후방의료관계기관의 확보, ⑤임상검사체제의 확립 등이 필요합니다.

이 과제를 극복해 가려면 자치체, 치과의사회 등이 의식하여 문제를 해결해야 합니다. 향후 그와 같이 되려면 시간이 걸릴 수도 있으나 현실적으로 서구에 비해 구강암이 증가 경향에 있으므로 조기발견·조기치료는 매우 시급한 문제입니다.

이와 같은 문제에 일조가 되도록 '구강암 조기발견 전국네트워크(NPO)'를 설립(2012년 12월)하였으며, 여러 문제를 해결할 수 있도록 활동이 진행되고 있습니다. 현재, 그림 A-33과 같은 시스템으로 운영을 계획하고 있으며, 2014년도에 치바(千葉)현, 시즈오카(静岡)현, 아이치(愛知)현의 3현에서 모델사업으로 실시할 예정입니다. 2015년도에는 전국사업으로 전개할 수 있도록 검토를 진행하는 중입니다.

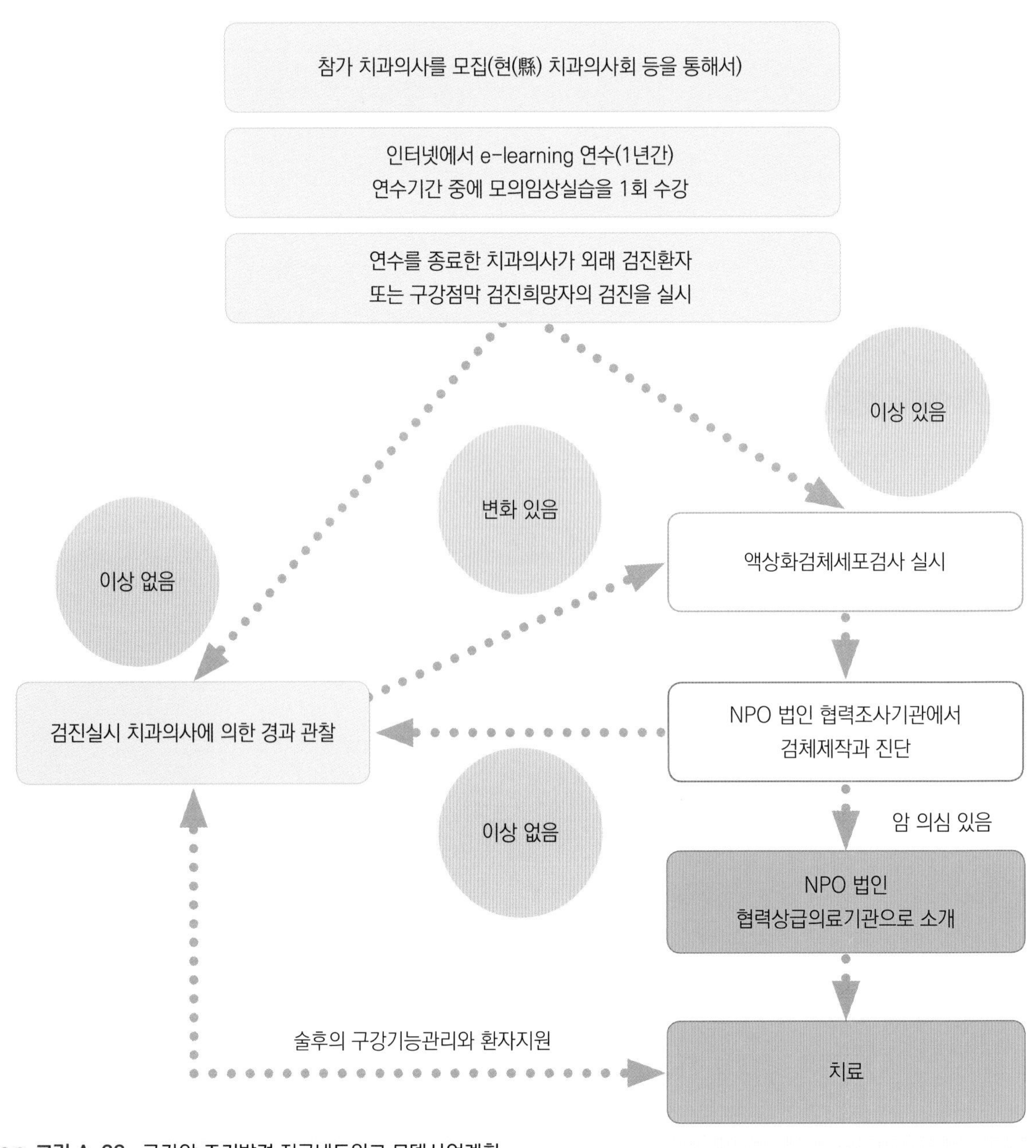

그림 A-33. 구강암 조기발견 전국네트워크 모델사업계획

»» Column | 'NPO 법인 구강암 조기발견시스템 전국네트워크 (Oral Cancer Early Detection Network, OCEDN)' 의 설립

일본에서는 약 10만명의 치과의사와 치과위생사가 국민의 '치아와 구강 건강'을 관리하고 있습니다. 그 중 치과의사의 8할 이상이 일반개업치과의원(2012년에 약 7만 진료소)에 종사하고, 그 진찰실이 구강질환을 진단하는 첫 관문이 되고 있습니다. '일상진료에서 구강암의 screening을!'을 캐치프레이즈로 '구강암 조기발견시스템 전국네트워크'(이사장 : 千葉光行, OCEDN)가 설립되었습니다. 전국의 개원의와 상급의료기관의 네트워크를 구축하여, 구강암의 조기발견을 목표로 OCEDN은 2012년 12월15일에 발족했습니다.

구강인두암은 연간 약 1만3천명이 걸리고, 6천명 이상이 사망하며, 해마다 증가경향에 있습니다. 일본의 구강암 치유율은 5년 생존율 56%로 결코 좋지 않습니다. 최대 요인은 인지도가 낮아서, 발견이 늦어지므로 치료시에는 진전된 상태에서 검진하는 것을 들 수 있습니다. 사람들도 이 병을 알지 못하고 의료측도 거의 접하지 않는 질환이라고 생각하고 있습니다. 이환률은 상승하지만, 사망률은 감소하는 서구처럼, 일본도 조기발견·조기치료에 주력해야 합니다. 이사장은 설립식 인사말에서 대학과 치과의사회가 협조하는 구강암 조기발견에 대한 대응을 소개하면서 '구강암으로 고생하는 사람을 구하고, 의료비의 증대문제를 해결하기 위해서 전국네트워크를 구축하고자 한다'며 관계자들에게 협조를 부탁했습니다. '조기발견은 치과의사의 책무, 치과의사가 gate keeper이다'라고 강조했습니다. 각지에서 구강암 검진의 대응을 볼 수 있게 되어서 '집단검진에서는 지방자치체의 발견율에 한계가 있으며(치바에서의 발견율은 0.11% 정도가 한계), 많은 국민들을 구강암으로부터 구하기 위해서는 각 치과의원의 개별검진이 필요'하다고 호소했습니다. 네트워크의 대응으로는 사회에 대한 계몽활동이나 집단검진 및 치과진료소의 검진시스템 구축, 검사기관과 기간병원을 포함한 협력체제 구축, 진단·치료에 종사하는 병리의나 구강암치료의 등의 전문가의 육성, 연수회의 실시 등을 들고 있습니다. 지역격차를 없애고, 어디에서나 최고의 의료가 제공될 수 있기를 바랍니다.

(상세한 내용은 홈페이지 http://www.ocedn.jp/를 참조)

(시바하라 타카히코)

Column | 치바시 치과의사회의 구강점막질환검진에 대한 대처

1. 치바시의 구강암 검진의 전개와 특징

치바시 치과의사회에서는 시민의 치아와 구강건강을 조성하기 위해서 충치와 치주질환 검진뿐 아니라, 구강점막질환의 검진이 필요하다고 생각하여, 1992년부터 매년 6월 4일인 충치예방일에 맞추어 이벤트 회장 등에서 지역의 기간병원과 협조하여 구강암에 대한 집단검진을 실시했습니다.

이것과는 별도로 2005년부터 치바시 치과의사회가 독자적으로 개별검진이라는 형식으로 구강암 검진를 하고 있으며, 이것을 기초로 2011년부터 치바시의 위탁을 받아서 치바시 구강암 검진사업(모델사업)으로 협력치과의원에서 개별검진을 하고 있습니다(그림 1).

본 사업에서는 검진에 앞서서 협력의사연수회를 하며, 이 연수회를 수강한 치바시 치과의사회 회원이 검진협력의사로 등록됩니다. 이 등록의제도는 갱신제를 채택하고 있어서 연도내에 지정된 연수를 규정단위 수만큼 받지 않으면 다음 연도에 갱신할 수 없습니다. 또 치바시의 위탁사업이 되면서 검진의 정도(精度)를 관리할 목적으로 치바시 구강암 screening 연구회를 발족했습니다. 본 연구회는 지역의 기간병원의 의사, 치과의사 및 치바시 의사회, 치바시 치과의사회, 행정의 각 담당자로 구성되어 있으며, 정기적으로 개최하여 검진 사업내용을 정밀조사하고 있습니다.

2. 구강암 검진의 흐름

그림 4는 검진의 흐름에 관한 flow chart입니다.

【검진 전의 수속】

✚ 시민에게는 '시민소식' 등을 통해서 고지하며, 검진을 희망하는 시민은 치바시 치과의사회에 전화로 신청합니다.

✚ 그 후, 치과의사회에서 예진표와 협력의사일람을 검진희망자에게 보냅니다. 검진희망자는 그 협력의사일람을 바탕으로 인근의 치과의원에 검진을 예약합니다.

【검진 당일】

✚ 검진자는 미리 예진표에 필요사항을 기입하고, 검진당일에 지참합니다.

✚ 검진은 문진(그림 2), 시진, 촉진에 추가하여, 세포검사(액상세포검사) (그림 3)를 합니다. 대략 20분 정도 검진합니다.

✚ 협력의사는 검진표를 비롯하여 관계서류에 검진결과 등 필요사항을 기입하고, 세포검사 샘플을 기간병원의 임상검사부로 우송합니다(※ 단, 검진 당일에 확실한 이상을 확인한 경우는 세포검사를 하지 않고, 바로 상급의료기관을 소개하기도 합니다).

【세포검사 결과 판명 후】

✚ 그 후 협력의사는 문진, 시진, 촉진결과에 세포검사 결과를 추가하여 종합판정을 하고, 이상 없음, 중요 경과 관찰, 중요 정밀검사 중의 어느 하나로 판정합니다.

【검진자에게 결과 설명】

✚ 검진 후 약 10일~2주 후에 검진자에게 검진결과를 설명하고, 동시에 리플릿(leaflet) 등을 이용하여 구강암에 관한 계몽을 합니다.

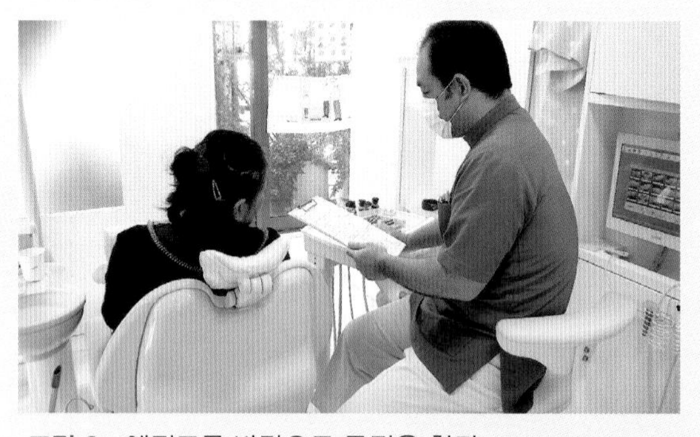

그림 2. 예진표를 바탕으로 문진을 한다.

그림 1. 협력 치과의원의 포스터 게시

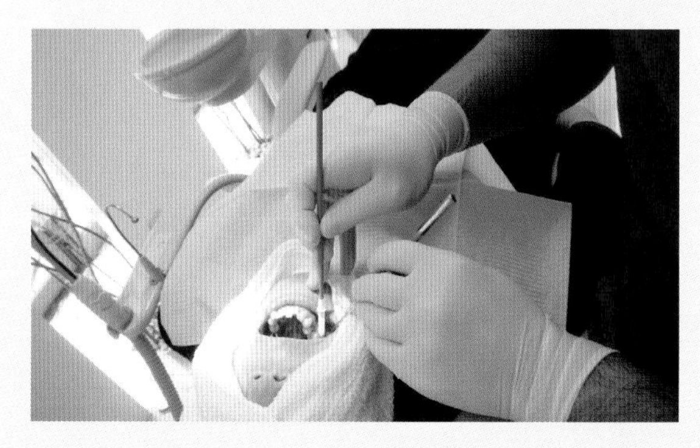

그림 3. 구강점막에서 세포검사를 위한 샘플을 채취한다.

✚ 검진에서 이상이 발견된 사람에게는 정밀검사표를 작성하여 상급의료기관의 정밀검사를 권합니다. 이 정밀검사표는 검사결과가 치과의사회사무국으로 반송되는 구조로 되어 있어서 검진에서 이상이 발견된 사람의 경과를 그대로 방치하지 않고 확실히 파악할 수 있는 체제로 되어 있습니다.

3. 협력의의 연수체제

✚ 소수제의 증례검토회(월 1회)

협력의가 연구를 쌓는 장으로, 지역의 기간병원의 협력 하에 월 1회 증례검토회를 각 시설지에서 돌아가며 개최하고 있습니다. 여기에서는 검진에서 이상이 발견되어 상급의료기관으로 소개한 환자의 경과보고나 검진에서의 문제점 제시, 구강암에 관한 강습 등도 시행되고 있습니다.
각 회 모두 소수제이므로, 참가자도 발언하기 쉽고, 본인병원에서 진단에 고심하는 증례 등도 의논하며 심도 있는 증례검토가 이루어지고 있습니다. 본 검진사업을 통해서 구강암은 물론 점막질환에 관한 견식이 깊어지고 있습니다.

4. 구강암 검진에 대한 검진자의 평가

예년의 정원을 훨씬 상회하는 신청과 문의가 있었으며, 검진 후의 설문조사에서는 93%의 검진자가 '만족'이라고 답했으며, '불안이 불식되었다' '안심했다' 등의 의견이 다수를 차지했습니다. 그 중에는 '입 속의 암에 대해 걱정했었는데, 어느 진료과에서 검진받아야 하는지 몰랐다' 등의 의견도 볼 수 있었습니다. 또 '내년에도 검진 받을 생각이 있습니까?'라는 물음에 76%가 '받고 싶다'고 대답했습니다. 정기검진의 중요성이나 암에 국한하지 않고 치과검진을 정기적으로 받는 것에 대한 의의를 인식시키는 데에 성공했다고 생각합니다.

이와 같이 본 검진사업을 통해서 시민의 의식 변화가 느껴지고, 구강보건에 대한 의식의 향상이라는 점에서 성과를 올리고 있는 것이라고 생각합니다. 또 이 설문조사 결과를 검진의에게 피드백함으로써, 검진의의 향상심으로도 연결되리라 생각합니다.

(후지모토 토시오)

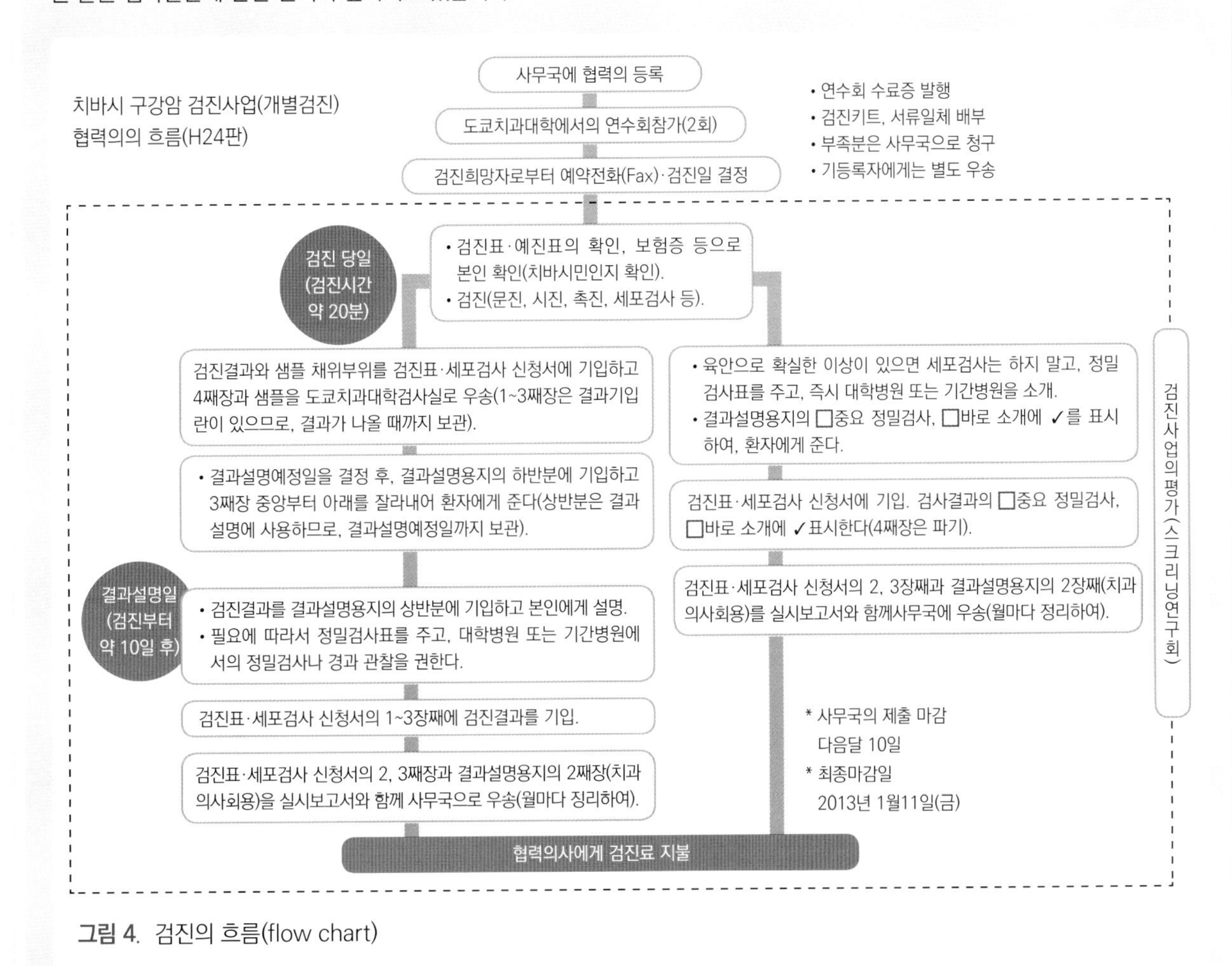

그림 4. 검진의 흐름(flow chart)

Column | 치바현 암대책추진계획에 있어서 치과의 위치 부여

1. 치바현의 구강암 검진의 전개와 특징

치바현에서는 암예방, 조기발견을 목적으로 2013년부터 새로운 '치바현 암대책추진계획'이 책정되었습니다. 본 계획의 책정에는 '치바현 암대책심의회'및 심의회 하에 설치된 '치바현 암대책추진부회'에서 종합적으로 협의하여 최종안의 심의·승인이 이루어졌습니다.

본 계획에서는 암 예방, 조기발견이 가장 중요한 시책의 하나입니다. 책정에 임하는 암대책추진부회에서는 암의 이환률이 높은 상황에서 암을 당연히 발증할 수 있는 병으로 받아들이고, 그 대책으로 암예방·조기발견의 중요성이 제언되었으며, 암의료의 진보뿐 아니라, 생활습관병으로 어릴 때부터의 교육의 필요성도 제창되었습니다.

이 계획에는 예상 이상으로 치과와 관련된 기술이 포함되었습니다.

추진계획 중의 '암예방에 관한 지식의 보급계발' 항에서, 구강암이 거론된 배경으로 2012년 6월에 책정된 국가의 암 기본계획에서 구강암이 희소암으로 취급된 것이 근본이 되고 있습니다. 또 많은 희소암(300종 이상) 중에서 '구강암'의 문언이 들어 간 것은 치바현 치과의사회가 실시하고 있는 암예방의 보급계발사업이나 현내 도시치과의사회가 대처하고 있는 구강암 검진의 실적 등이 평가된 것이라고 생각합니다(그림 1).

구체적인 사업으로는 치바현 건강복지부 건강조성지원과 음식과 건강·암대책실에서 근래 몇 년간 개최하고 있는 암예방전(癌豫防展)에 치바현 치과의사회도 참가하며, 슈퍼 등의 대형점포에 구강암 코너를 설치하여, 쇼핑객 등 시민에게 지역보건위원회가 작성한 구강암 리플릿(leaflet) (그림 2)이나 구강암 검진예방의 전단지를 배포하고 있습니다.

그림 1. 주민에 대한 계몽활동

회장(會場)에서는 주로 지역보건위원이 '입 안에도 암이 생이 생긴다는 사실을 아십니까?'라며 호소했는데, 대부분의 사람이 구강암에 관해서 전혀 모른다는 사실에 놀랐으며 구강암의 주지·계몽의 필요성을 통감했습니다.

이 때 사용한 구강암모형(그림 3)의 작성 아이디어는 이 예방전에서 전시하는 유방암모형이 모델이 되었는데, 설암모형을 만져보게 하면서 구강암의 예방·조기발견의 계몽에 힘쓰

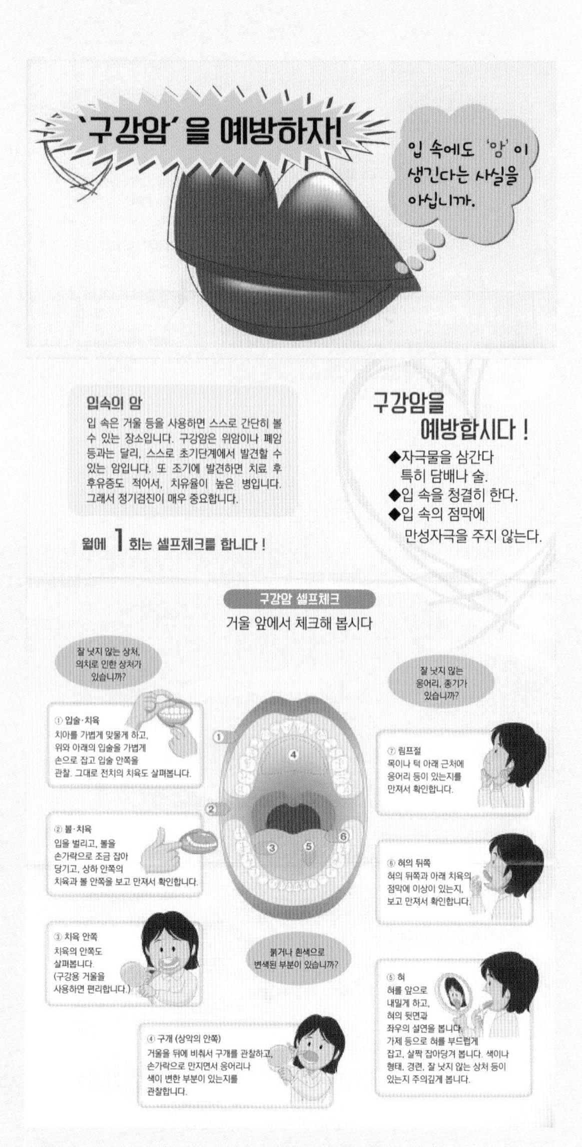

그림 2. 리플릿(leaflet)(치바현 치과의사회 작성)

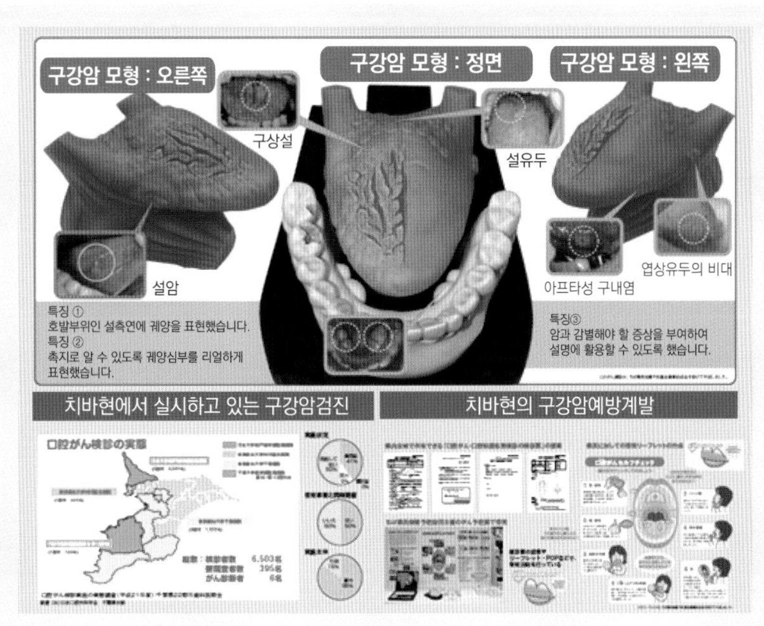

그림 3. 구강암 모형(치바현 치과의사회 제작)

고 있습니다. 또 같은 목적으로 현내 13곳의 치과의사회에서는 행정, 치과대학 등과의 협력하에 구강암 검진을 실시하여 많은 성과를 올리고 있습니다.

2. 향후의 과제

본 계획의 '암 의료'항에서는 구강암 의료에 관한 취급이 아직 없습니다. 이것은 향후의 과제이지만, 치바현 치과의사회와 암진료 협력거점병원이 암 환자의 구강케어에 관한 의과 치과협력사업에 원활하게 대처하고 있다고 평가됨으로써, 암 환자의 '구강케어에 관한 의과·치과 협력의 추진'으로 기재되어 있습니다. 또 치바현 암진료 협력협의회도 치과의사회로서 구강케어의 의의에 관하여 종종 설명해 온 결과, 구강케어패스부회가 설치되는 등, 지금까지의 지역보건위원회 외에 본회의 대처가 현(縣) 암센터를 비롯하여 행정에서 평가되었으며, 이번 '치바현 암대책추진계획에서 치과의 위치 부여'로 연결되어 향후 큰 힘이 되리라 생각합니다.

(아사노 시게유키·미조구치 마리코)

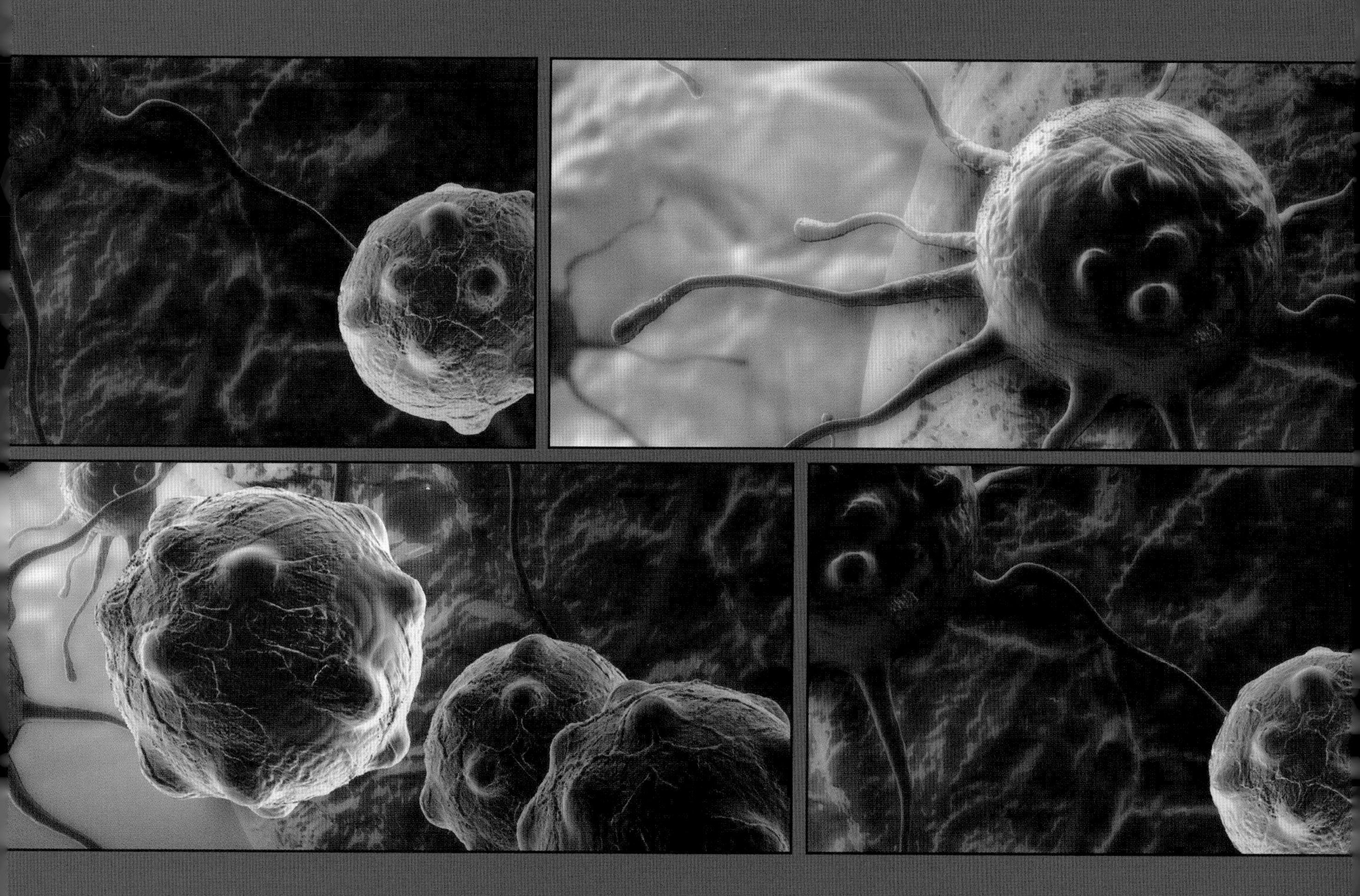

B
방문치과에서 환자의 점막병변을 발견하면

Oral Cancer Screening STEP 1·2·3

01 증가하는 치매환자의 **구강암**

방문치과에서 환자의 점막병변을 발견하면

일반적으로 암의 위험은 연령의 증가와 더불어 높아지지만, 특히 구강암인 경우는 그 경향이 심하다고 할 수 있습니다. 치매, 자리를 보전하고 눕는 등, 자력으로 구강청결이 어려워지면 구강 내에 여러 가지 변화가 일어납니다.

구강암 발증과 관련된 리스크에는 담배, 과도한 음주, 구강위생, 영양 등이 있는데, 모두 발암물질인 아세트알데히드의 구강 내 생산이나 그 대사와 관련이 있다고 알려져 있습니다. 이 아세트알데히드는 알콜대사산물로, 혈액 속이나 타액 속에 존재할 뿐 아니라, 칸디다균 등 구강세균에 의한 생산이나 담배연기에도 포함되어 있으며, 장시간 구강 내에 머물면서 발암성을 발휘합니다.

한편, 타액에는 구강 내를 중성으로 유지하는 완충작용에 추가하여 항산화작용이 있어서, 구강 내를 암화에서 지키는 중요한 역할을 하고 있지만, 타액분비가 저하되면 이 작용도 저하됩니다. 특히 일본인을 포함한 몽골로이드(Mongoloid)에게는 아세트알데히드대사효소인 ALDH2의 결손 또는 활성이 약한 사람이 많으므로, 암의 리스크와 관련된 생활습관이 없어도 고령이 될수록 암화의 리스크가 높아집니다.

치매환자나 초고령자는 신체의 변화를 인지하는 능력이 저하되어 불편을 호소하는 것도 어려우므로 진단이 늦어져서 진행암이 되는 경우가 유의하게 높다고 보고되어 있습니다(그림 B-1, 2).

방문치과에서는 의치를 반드시 벗기고, 보조자에게 구강 내 전체를 밝은 조명기구로 비추게 한 후 조심스럽게 구강 내를 검사합니다. 또 구강 내의 출혈, 악안면이나 경부의 응어리의 유무, 턱이나 혀의 움직임의 변화 등에도 주의깊게 검사하는 것이 중요합니다. 특히 구강케어를 실시하여 구강 내가 깨끗해진 후에 구강점막을 검사하는 습관을 들여야 합니다. 또 주의사항으로 타액분비가 저하되어 있는 환자에게는 알콜이 함유된 구강청결제는 삼가야 합니다(표 B-1).

치과의사, 치과위생사는 치매환자와 접하는 간호사, 간병인, 간호 조무사의 구강 내 검사능력의 향상에 향후 더욱 적극적으로 관리되어야 합니다.

Point 1

자력으로 구강청결이 어려운 환자의 구강 내는 반드시 체크

Point 2

방문치과에서는 의치를 반드시 벗기고, 조명을 밝게 한 후 구강 내를 체크

Point 3

출혈, 응어리, 턱·혀의 움직임의 변화에 주의

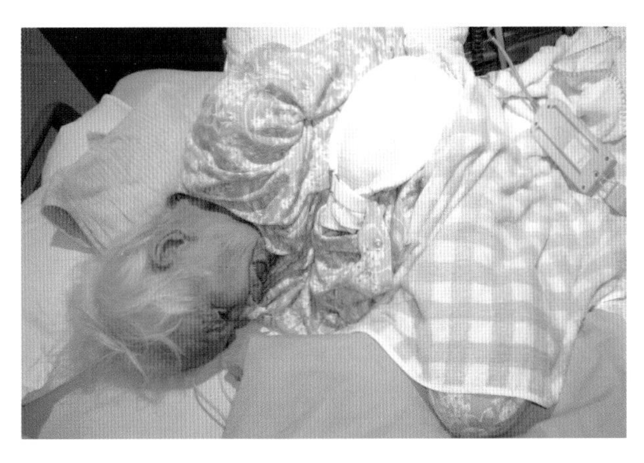

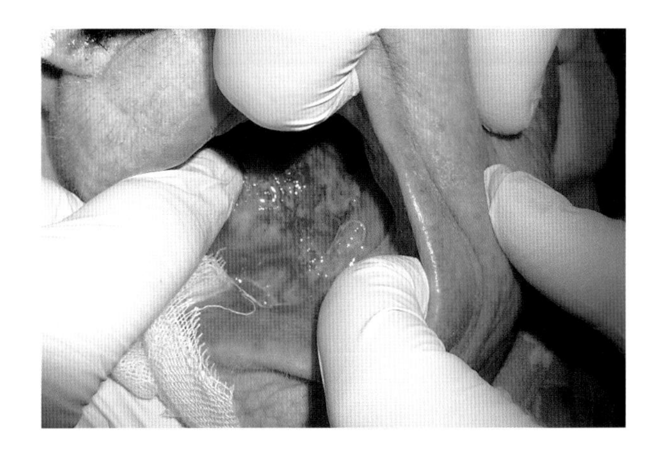

●●● 그림 B-1. 자리를 보전하고 누운 치매환자의 구강암 증례

문제행동으로 양손에 보호용 벙어리장갑이 장착되어 있다(왼쪽). 좌설연에서 구강저에 이르는 진행암을 확인한다(오른쪽).

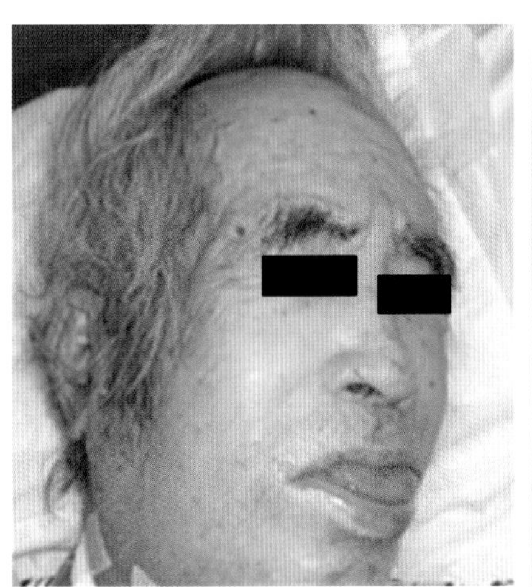

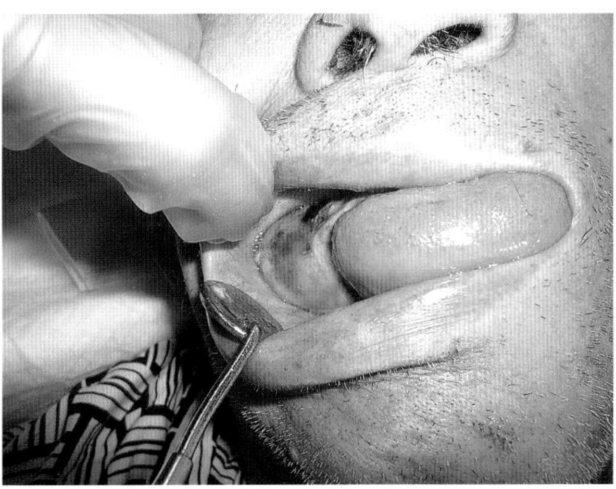

●●● 그림 B-2. 흡인성폐렴으로 입원해 있던 환자

연하, 호흡곤란의 정밀검사로 의뢰되었는데, 구강 내 검진에서 설근부의 종양을 확인했다. 치매가 있어서 의사소통이 충분하지 못했고, 주치의, 간호사에게 구강암에 대한 인식 부족으로 발견이 늦어졌다고 생각된다. 우설근부의 거대한 종양 때문에 입을 다물기도 어려웠다. 이 환자는 진료당일에 긴급기관절개를 하였다.

표 B-1. 방문치과의 구강암 검진의 흐름(개략)

- ☐ 가족, 보호자에게 최근의 생활변화에 관하여 문진한다.
- ☐ 검진에는 반드시 보호자가 동행한다.
- ☐ 밝은 조명기구를 사용한다.
- ☐ 가철성의치는 반드시 벗겨낸다.
- ☐ 구강 내가 불결한 경우는 구강케어를 선행한다.
- ☐ 경부를 적절히 촉진한다.
- ☐ 치료경과를 기록한다.
- ☐ 가능한 병소사진을 남긴다.

Oral Cancer Screening STEP 1·2·3

02 방문치과에서 환자의 점막병변을 발견하면 구강암이 되기 쉬운 **위험신호**

대부분의 고령자는 어떤 약제든 복용하고 있으리라 생각합니다. 가령이나 치매 및 약제의 부작용으로 타액분비가 저하되고, 그 결과 많은 구강병변의 발증과 관련이 있다고 알려져 있습니다. 표 B-2에 타액분비를 저하시키는 약제를 정리했습니다.

한편, 근년 구강인두암의 발증에 사람 파필로마 바이러스(HPV)가 크게 관련되어 있다고 밝혀졌습니다. 특히 서구에서는 약년자의 구강암 증가가 문제되고 있어서, 암의 발증과 생활습관에 관한 연구가 진행되고 있습니다. 또 흡연, 과도한 음주로 인한 발암리스크는 말할 것도 없지만, 항산화영양소(녹황색채소, 과일에 다량 포함)의 섭취부족도 발암과 관련이 있다고 역학적으로 설명되고 있습니다. 치매환자, 신체장애가 있는 독거 고령자, 장기간 경구섭취가 불량한 환자는 만성적인 영양불량, 구강청결불량이 심해서 구강암의 리스크가 높아지고 있다고 추정됩니다. 표 B-3에 구강암이 되기 쉬운 위험신호를 정리했습니다. 재택의료, 고령자의료와 관련된 모든 의료관계자가 알아두어야 합니다.

표 B-2. 타액분비량을 저하시키는 약제

항우울제	트립타놀, 파키실, 리복스
수면제	할시온, 미스리, 리스미
알레르기제	니포라딘, 알레그라, 아타락스
항파킨슨제	마도파
항정신병제	세레네스, 도그마틸, 윈터민, 토프라말, 파키실
항콜린제	부스코판, 밥포
진통제/진정제	프리세덱스, MS콘틴, 세레콕스
강압제 (고혈압치료제)	카타프레스, 알도메트, 알다크톤
항불안제	디프렉사, 데파스, 콘톨, 메이락스

Point 1

치매 , 신체장애,
독거, 경구섭취불량인
환자는 구강암을
의심한다.

Point 2

장기간 복용하고 있는
약제에 주의한다.

표 B-3. 구강암에 걸리기 쉬운 위험신호

사 인	상 태	주의점
□ 드라이마우스	타액분비 저하	타액의 항산화작용 저하로 발암 리스크의 증가, 약제의 부작용에 주의
□ 설유두의 위축, 구각염	항산화영양소, 미량원소 섭취부족, 만성구강칸디다증	장기 저영양상태, 국소면역 저하로 인한 쉬운감염성
□ 구취	구강위생 불량	자력으로 구강청결 불능, 구강환경의 악화
□ 흡연	구강환경의 악화	강력한 발암작용
□ 과도한 음주	구강환경의 악화	구강 내의 아세트알데히드 농도의 상승으로 인한 발암작용
□ 의치가 맞지 않는다.	불량보철물	만성 자극에 의한 국소의 염증 반응, 구강칸디다증에 의한 발암
□ 기타	두경부·소화기암 이환의 기왕	예전에 암에 걸린 사람은 2차암이 발병하기 쉽다.
	HPV감염	중인두암에서 양성률이 높다.

Oral Cancer Screening STEP 1·2·3

03 방문치과에서 환자의 점막병변을 발견하면 방문치과에서의 **대응**

1. 고령자, 보호를 요하는 환자에게 많은 점막 질환과 대처법

1) 구강점막의 가령변화와 그 진찰

구강점막에서는 가령과 더불어 다음과 같은 변화가 일어납니다.

- 구강점막 : 점막상피층의 비박화, 소타액선의 위축과 그 간질로 섬유증생, 고유층에서는 탄성섬유의 감소와 주행의 불규칙화가 일어납니다. 그 결과, 구강점막이 취약해져서 물리적·화학적 외래자극으로 미란이나 궤양이 쉽게 형성됩니다.
- 타액 : 타액선의 위축, 복용제의 부작용 등으로 타액의 분비량이 저하되고, 구강건조, 자정성이 저하되어 욕창이나 가피의 형성, 염증성 변화가 쉽게 생깁니다.

따라서 고령자나 보호를 요하는 환자의 구강 내를 진찰할 때에는 통상의 진찰에 추가하여 점막부의 촉진에 의한 동통부위의 유무, 이하선·악하선의 자극으로 인한 타액분비의 확인, 점막의 건조 정도의 확인 등을 해야 합니다.

2) 고령자, 보호를 요하는 환자에게 나타나는 구강점막질환과 그 대응

고령자나 보호를 요하는 환자는 전신적으로 면역반응이 저하되어 기회감염을 일으킬 수 있으며 치료가 지체될 가능성이 있습니다.

(1) 구강칸디다증

구강칸디다증은 항균제나 부신피질스테로이드제의 사용, 당뇨병, 저영양 등으로 인한 기회감염이므로 고령자에게 호발하고, 특히 보호를 요하는 고령자의 경우는 일상적인 구강 셀프케어 기능과 의욕이 저하되어 있어서 높은 비율로 발생합니다. 구강칸디다증은 ①위막성 칸디다증, ②위축성 칸디다증, ③비후성 칸디다증, ④칸디다성 구각염으로 나뉘어집니다. 고령자에게는 ①~④에 추가하여 설태내에 저류하는 세균이나 괴사한 상피조직에서 생기는 유화수소가 혈액성분과 반응하여 흑색의 유화철이 되기도 하므로, 종양을 포함하여 감별진단이 중요합니다. 의치성 구내염이라고 일컬어지는 상하점막(床下粘膜)의 염증의 주요 원인은 Candida albicans로 총의치장착자에게는 70%로 발증한다고 보고되어 있습니다(그림 B-3-a, b, c)

진단은 진균배양검사로 시행됩니다. 간편한 배양키트도 시판되고 있으므로 체어사이드나 방문진료시에도 검사가 가능합니다. 그러나 난치성 위축성 칸디다증, 비후성 칸디다증은 종양과의 감별이 중요하므로 상급의료기관에서 정밀검사를 해야 합니다. 평소부터 의치의 세정방법을 포함한 셀프케어의 지도가 예방으로 연결됩니다. 발생을 확인한 경우는 충분히 구강을 청소하면서 항진균제를 투여합니다. 그 때에는 환자의 상태에 맞추어서 연고, 내복약, 내복액, 주사약에서 선택하도록 합니다.

(2) 구강건조증

생리적 타액선의 위축에 추가하여 저작근의 기능이 저하됨으로써, 타액의 분비량이 저하되고 구강점막의 건조감을 자각하게 됩니다. 항콜린작용·콜린에스테라제 작동작용 등으로 구강건조를 일으킬 가능성이 있는 약제는 약 700종이며, 특히 고령자에게 처방되는 빈도가 높은 강압제·항파킨슨제·향정신제 등에서 흔히 볼 수 있습니다. 이 약제들의 복용으로 구강건조가 야기되며, 또 기존의 구강건조증상이 더욱 현저해지는 경우도 있어서 주의가 필요합니다. 구강건조는 점막질환의 발생, 섭식연하기능의 저하·미각 이상 등 여러 가지 불편감 발생을 유발합니다(그림 B-4).

치료는 대증요법이 주체가 됩니다. 구체적으로는 구강건조 자체에 대한 대응으로서 수분섭취의 권장, 구강습윤제나 인공타액의 사용, 타액선의 마사지 등을 지도합니다. 또 치주염·우치 등의 예방 구강케어에서는 점막의 손상에 주

❖ 고령자·보호를 요하는 환자에게 많은 점막질환 

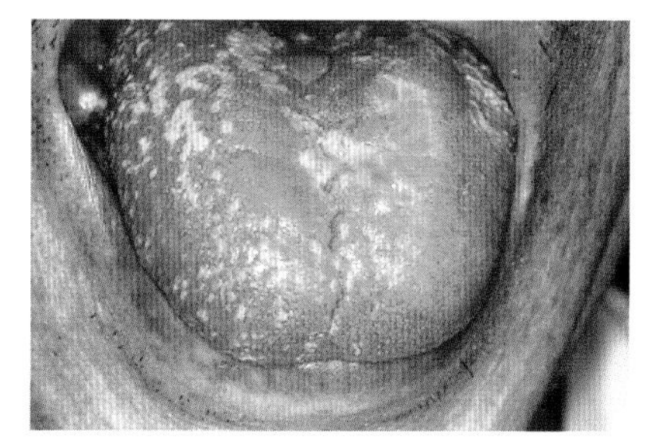

(a) 설배에 발생한 위막성 칸디다증

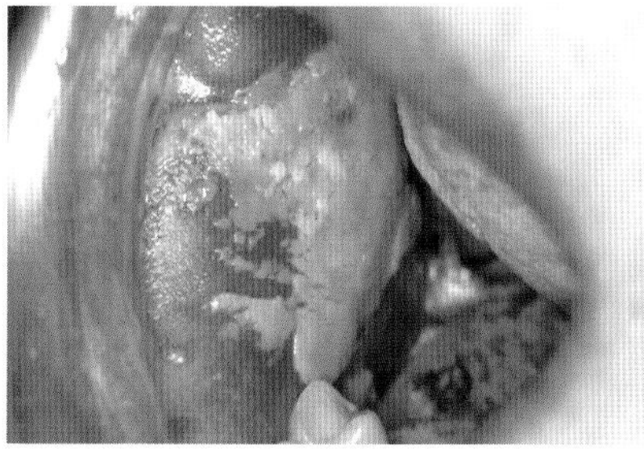

(b) 협점막에 발생한 다소 다갈색을 나타내는 비후성 칸디다증(백반형 구강암과 감별해야 한다)

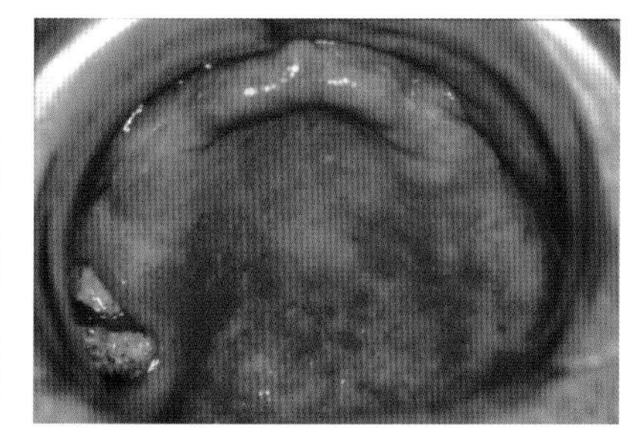

(c) 총의치 사용환자의 위축성 칸디다증

●●● 그림 B-3. 구강칸디다증

원인 : 항균제나 부신피질스테로이드제의 사용, 당뇨병, 저영양 등에 의한 기회감염

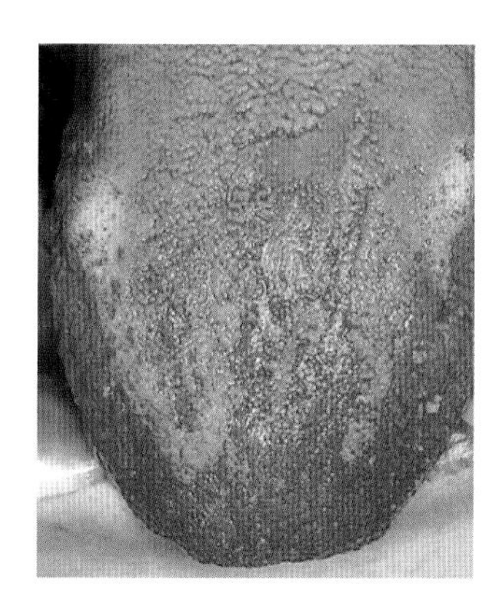

●●● 그림 B-4. 구강건조증

원인

- 타액선의 위축, 저작근의 기능저하로 인한 타액분비량의 저하
- 약제(고령자에게 처방되는 빈도가 높은 강압제·항파킨슨제, 향정신제 등)

혀에 발생한 예

- 78세 여성. 치매이며, 요양형 시설에 입소 중에 강압제(혈압강하제)와 항우울제를 복용하고 있다.
- 설첨부의 통증과 미각의 저하를 주소로 하고 있다.
- 타액은 소포말을 형성하고, 설배의 발적과 설태의 형성이 확인된다.

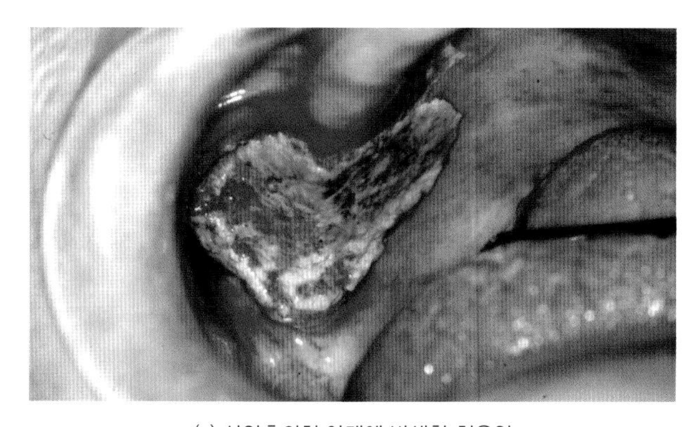

(a) 상악총의치 아래에 발생한 치은암
교합시의 통증이 주소였다. 종양은 의치에 의해 압평(壓平)화되어 있다.

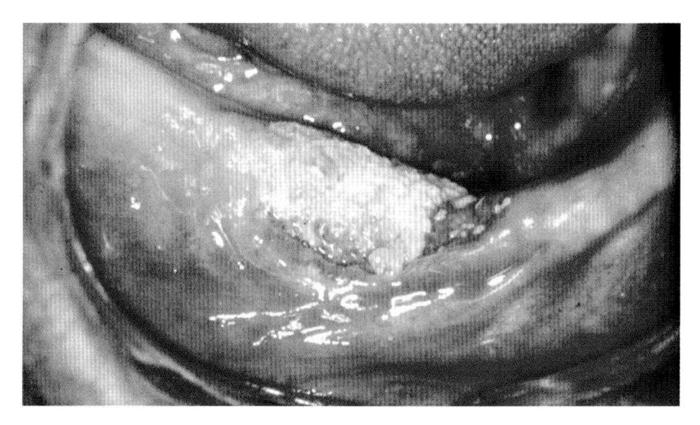

(b) 하악총의치 아래에 발생한 치은암
의치의 부적합이 주소였다.

●●● 그림 B-5. 의치 아래에 발생한 치은암

원인 : 부적합한 의치나 치아의 예연(銳緣) 등에 의한 외상성자극, 구강위생 불량

의하도록 지도합니다. 구강건조가 합병하는 원질환이나 복용제에 의한 부작용인 경우에는 주치의와 상담 후 치료해야 합니다.

(3) 구강암

부적합한 의치나 치아의 예연(鋭緣) 등에 의한 외상성자극, 구강위생불량은 구강암의 발생을 조장하는 원인이 됩니다. 고령자나 요보호자는 통원의 불편함 때문에 정기적으로 치과의사에게 구강을 관리받는 기회가 적어져서, 구강암의 발견이 늦어지는 경향이 있습니다. 따라서 방문진료에 의한 정기적인 구강 내의 관찰이 필요합니다. 특히 의치의 부적합이나 동통을 호소하는 경우는 구강점막 자체에 원인이 있는지를 충분히 관찰해야 합니다(그림 B-5-a, b). 원인을 제거한 지 2주가 지나도 낫지 않는 욕창이나 미란은 상급의료기관의 정밀검사로 유도하는 것도 개인치과의원의 책무입니다.

2. 환자의 구강케어 · 완화케어

암치료를 받는 환자의 구강 내에는 여러 가지 증상이 출현하는데, 구강케어를 적절히 함으로써 그 증상을 경감시키고, 환자의 QOL의 향상이나 가족 등에 대한 서포트에 공헌할 수 있습니다.

치과전문직에 종사할 때에는 암치료나 전신상태의 파악을 위한 지식을 얻고 이해하는 것, 구강케어의 스킬을 연마하는 것 등이 물론 필요합니다. 그러나 무엇보다 중요한 것은 의사소통의 스킬이라 생각합니다. 환자가 처해 있는 상황을 이해하고, 환자와 양호한 인간관계를 구축한 후에 적절한 구강케어를 하여 조금이라도 증상이나 불쾌감을 완화시키는 것이 요구되고 있습니다.

치과진료에서 하는 구강케어의 순서의 한 예를 소개하겠습니다.

❖ 치과진료에서 하는 구강케어의 순서

- 환자와 그 가족·보호자로부터 얘기를 잘 듣는다(주소를 청취한다~구강케어에서 무엇을 원하고 있는가).
- 환자의 전신상태 파악(그림 B-6)

① 현병력
(치료 상황이나 현재의 몸상태도 아울러)
② 기왕력
③ 복용상황
④ ADL
⑤ 생활사이클(식생활 포함)
⑥ 식사의 형태

등을 구강평가표에 기재한다.

구강평가표　　　　기록일　년　월　일

성 명		생년월일	년 월 일( )세 남 여		
자 택 주 소		전화(자택) (긴급시)		이용사업소 (명칭)	
방문처	자택, 시설, 병원 명칭( )	방문처주소			
		전 화			
보험증 기타	보험증종류 사보 국보/노과 노초 장과 장초( ) 유효기한 년 월 일 자격소득일 년 월 일 부담금(유 무 할부담) 간호보험(유 무)				

첫회방문일	년 월 일	담당치과의사		담당치과위생사	

【전신질환(현병력 ○ 기왕력 △)·신체상황 등】
• 뇌경색후유증 • 뇌출혈 • 지주막하출혈 • 다발성뇌경색(좌마비·우마비·상지·하지)
• 파킨슨병 • 고혈압 • 심질환 • 당뇨병 • 관절류마티스 • 치매(경도·중도)
• 기타( )
복용상황

단골병원(유 무) 병원명(과) 주치의

【구강 내상황】
87654321 12345678
87654321 12345678
충 치 유·무
치주질환 유·무
치아의 동요 유·무
구강건조 유·무
출혈 종창 배농 기타( )
설 태 유·무
유연(流涎) 유·무

【의치의 상태】
유·무 FD(상·하) PD(상·하)
상시사용·미사용·식사시만 사용
기타( )

【치과치료의 필요성】
요·불요·필요하지만
몸의 상태에 따른다·불가능

【치과치료의 희망】
유·무·구강케어만

【구강케어지도의 필요성】
유·무

【생활상황】

이닦기	□ 가능	□ 도우면 가능하다	□ 불가능
양치	□ 가능	□ 도우면 가능하다	□ 불가능
의치의 착탈	□ 가능	□ 도우면 가능하다	□ 불가능
의치의 보관	□ 가능	□ 도우면 가능하다	□ 불가능
의치의 상태	□ 양호	□ 부적합	□ 파손
	□ 불결하다	□ 곰팡이가 있다	
의치세정제	□ 사용	□ 미사용	□ 혼자서 가능
	□ 도움 필요	□ 완전 도움	
식사상황	□ 가능	□ 일부가능	□ 불가능
	□ 보통식	□ 잘게 썸	□ 유동식
	□ 경관영양(경비·위영양)		□ 링거영양
수분섭취	□ 컵으로 마실 수 있다	□ 빨대로 마실 수 있다	
	□ 마실 수 없다	□ 물을 머금는 정도	
연하	□ 가능	□ 조금 목이 메다	
	□ 목이메다	□ 어렵다	
좌위유지	□ 가능	□ 일부 가능(분 정도)	□ 불가
이동	□ 보행 가능	□ 휠체어	□ 전 도움(자력불가)
소재식	□ 가능	□ 일부가능	□ 불가능
회화	□ 가능	□ 일부가능	□ 불가능

다음방문예정일
년 월 일 ( ) AM·PM 경
특기사항 :

③

●●● 그림 B-6. 구강평가표

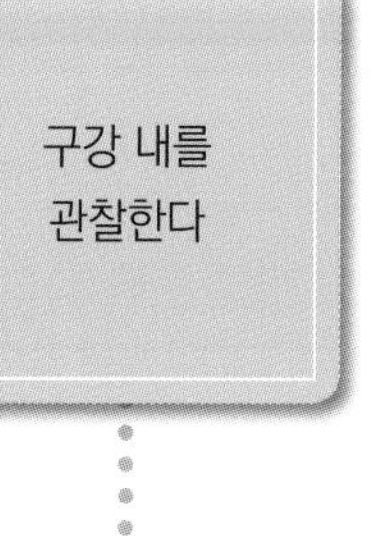

- 사전에 입을 편안하게 벌릴 수 있는지를 체크
- 구순이나 구각의 건조를 보고, 필요하면 바셀린이나 보습제를 바르고 입을 벌리게 한다.
- 입을 벌리기 어렵거나 거부감이 있는 경우는 먼저 탈감작을 한다(손이나 어깨 등에서 시작하여 천천히 촉지한다).

탈감작

평가표 기입

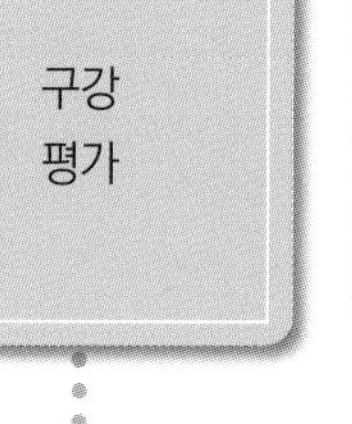

- 구강평가표의 기입(그림 B-6)
- 주소의 원인을 체크
- 치아·혀·구개·점막을 체크한다(설태나 가래 등의 부착).

설태나 가래 등의 부착을 체크

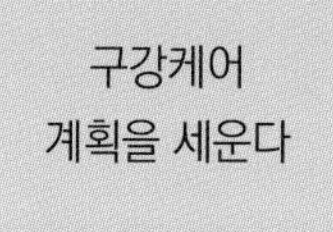

- 본인이나 가족과 함께 향후의 구강케어를 생각한다.
- 몸의 상태를 고려하여, 무리가 없는 계획을 세운다(그림 B-7).

방문치과진료계획서

작성일 년 월 일

성명 님 년 월 일생 세

1 주 소

2 병 명

3 치료계획

4 목 표

보험의료기관명

담당치과의사

담당치과위생사

③

●●● **그림 B-7.** 방문치과진료계획서

구강케어를 실제로 하기 전에

- 구강케어 용품의 검토(그림 B-8).
- 사용하는 케어용품이나 약제 등은 반드시 사전에 자신이 직접 사용해 본다(스텝 간의 상호실습이 효과적).

●●● 그림 B-8. 자택의 구강케어용품

구강케어의 실제

- 구순이나 구각을 충분히 배려하면서 천천히 입을 열게 한다.
- 자세에 주의(가능한 좌위로 접근하는 것이 바람직하지만 환자의 가장 편한 자세를 우선시한다)
- 오염물질을 밀어 넣지 않는다(속에서 밖으로 긁어내듯이)(그림 B-9).
- 수분량에 주의한다.
- 입 속에만 집중하지 말고 표정을 관찰하면서 한다.
- 구강점막을 잘 관찰한다(구강케어를 할 때에만 알 수 있는 변화를 잘 확인한다).
- 구강점막 등의 상처나 출혈이 있는 경우는 그 원인이 무엇인지 확인한다(치과치료가 필요한 경우도 있다. 필요하면 치과의사의 진찰을 받는다).
- 모든 오염을 제거할 수 없는 경우도 흔히 있다. '그 때에 할 수 있는 방법'도 확인해 둔다.

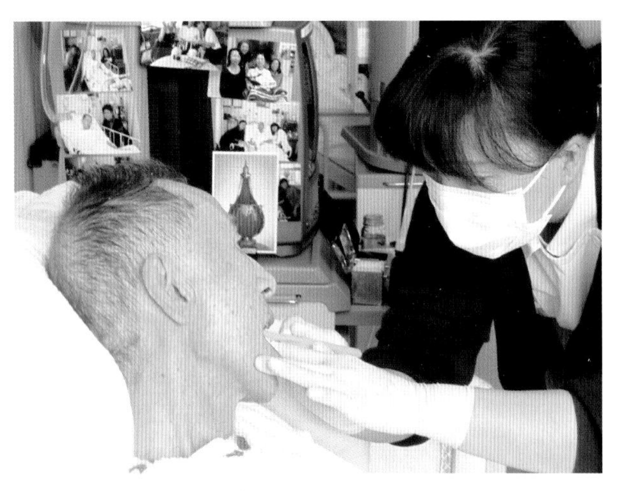

●●● 그림 B-9. 재택에서의 경우는 그 원인이 무엇인지 확인하는 구강케어 모습

구강케어가 끝나면

- 잔류물이 있는지 체크한다.
- 건조가 심한 경우는 다시 보습제를 소량 도포한다.
- 볼이나 어깨 등을 마사지한다.
- 불쾌한 부분이나 통증, 출혈 등이 있는지 확인한다.

기록을 남긴다

- 방문치과위생지도(그림 B-10). 재택요양관리지도 등의 기재.
- 환자의 몸 상태는 물론, 환자와의 대화 내용이나 사소한 호소라도 메모로 남기도록 한다.이것은 다음 구강케어 시에 참고가 될 뿐 아니라, 신뢰관계를 형성하는 데에 효과적이다.

방문치과위생지도설명서

님　　　방문처 □자택 □재택계시설 □시설 □병원

실시일 년 월 일　　　실시시간 시 분~ 시 분

【치아와 치은의 상태】
□잘 닦고 있습니다
□덜 닦인 부분이 있습니다
□치석이 있습니다
□치경에 발적·출혈·부종이 있습니다

전문적 구강케어 지도 내용 요점

구강청소

구강기능훈련

보험의료기관명

소재지·전화번호

담당치과의사 ________ 담당치과위생사 ________

⑥

●●● 그림 B-10. 방문치과위생지도 설명서

❖ 증상별 구강케어

건조가 심한 경우

- 양치가 가능한 경우는 우선 양치를 한다(그림 B-11).
- 보습제를 구개나 혀에 바르고, 조금 시간이 지난 후 한다.
- 칫솔이나 스펀지브러시 등은 부드러운 것을 선택한다.
- 구개나 협점막을 잘 본다(조명이 효과적).

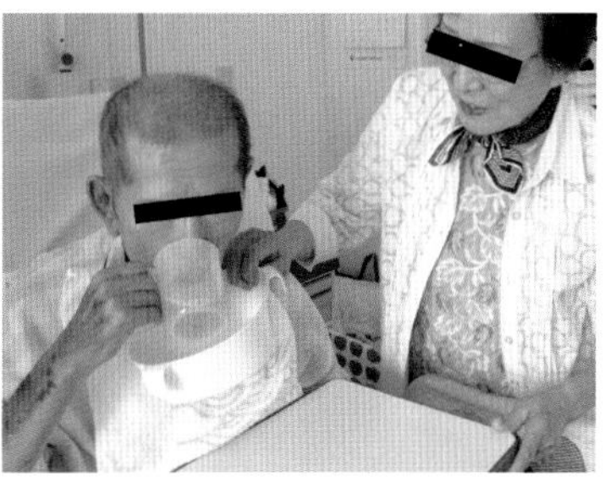
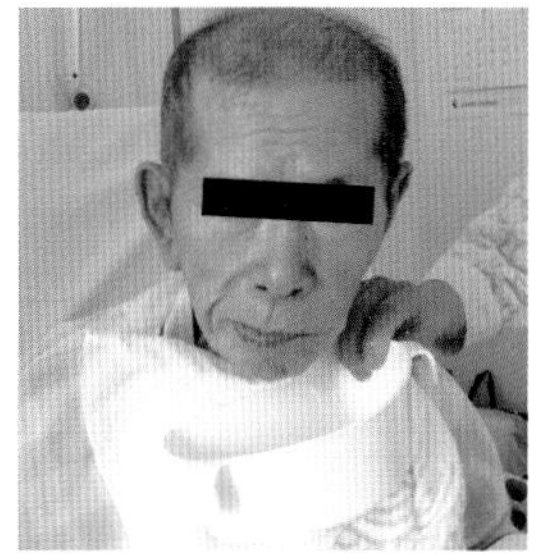

●●● 그림 B-11. 양치

통증이 있는 경우

- 표면마취제 등을 사용하는 경우도 있지만, 충분히 보습할 수 있으면, 마취제를 사용하지 않아도 케어가 가능하다.
- 스펀지브러시 등을 냉수에 적셔서 사용하는 것이 효과적이다.
- 치마제 대신에 보습제를 사용하면(또는 양쪽을 섞는다), 칫솔의 촉감이 조금 부드러워져서 환자의 통증이 경감된다(그림 B-12).

●●● 그림 B-12. 보습제의 이용

연하에 문제가 있는 경우

- 구강케어는 수분이 입 속에 있는 경우가 많으므로, 오연에 주의한다.
- 자세에 대한 배려나 흡인의 준비가 필요하지만, 흡인을 할 수 없는 경우는 방습용 거즈로 인두에 수분이 흐르지 않도록 주의하면서 한다(그 때에는 거즈의 섬유가 입 속에 남지 않도록 주의깊게 관찰한다. 작게 접은 거즈를 준비할 때에는 섬유가 밖으로 나오지 않도록 잘 접는다(그림 B-13).

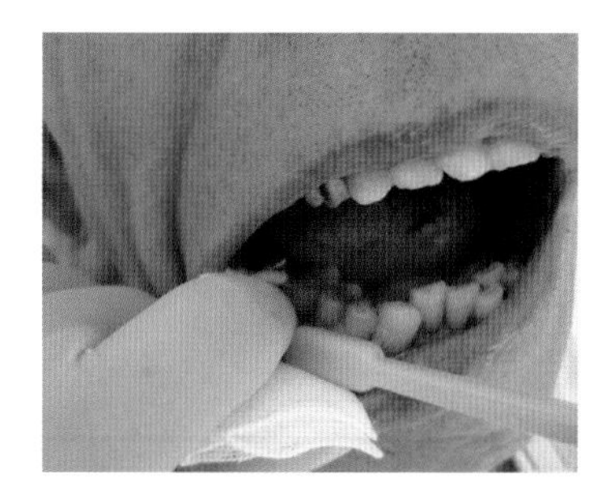

그림 B-13. 수분의 오연 방지

개구가 어려운 경우

- 구순, 구각에 바셀린 등을 도포(그림 B-14), 사전에 볼마사지 등을 하고, 구각 속에서 천천히 인지의 제2관절 정도까지 넣고, 구순을 조금씩 밀어 낸다(그림 B-15) (손가락끝만으로 밀지 않는다), 조금 벌어진 부분부터 칫솔 등을 삽입하여 조금씩 자극하면 서서히 벌어진다.
- 어쩔 수 없이 개구기나 바이트블록 등을 사용할 때에는 구순의 말림이나 점막에 주의하고, 동요치에 대한 배려도 잊지 않는다.

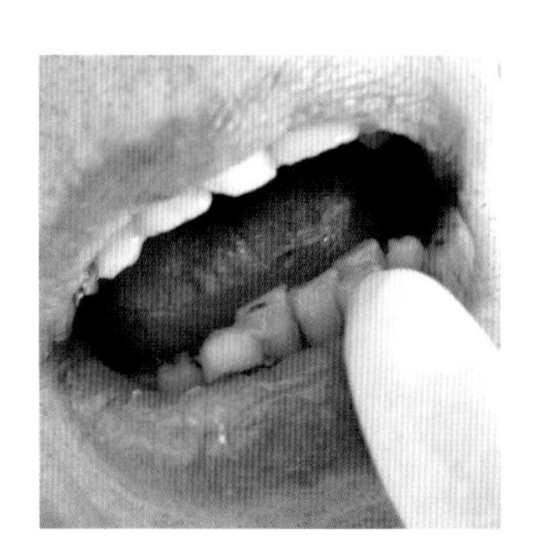

그림 B-14 보습제의 구순 도포

출혈이 있는 경우

- 출혈부위를 확인한다.
- 출혈부위에는 직접 닿지 않도록 주의한다.
- 점막, 치은에 칫솔 등으로 상처를 내지않도록 주의한다(칫솔대나 뒷면이 닿는 경우도 있으므로 각별한 주의가 필요).

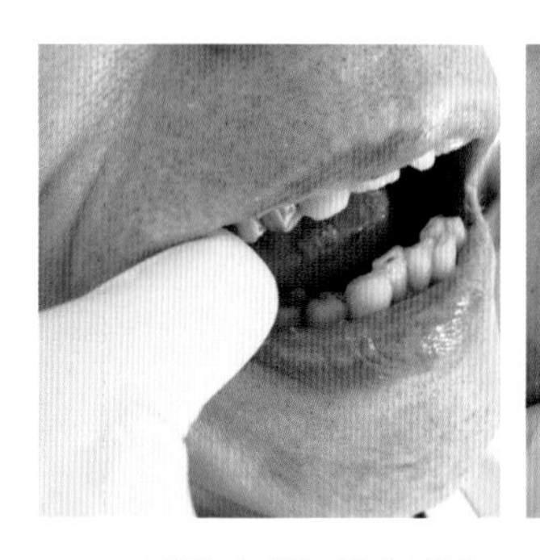

그림 B-15. 구순 밀기

- 구강점막염이 있는 경우를 흔히 볼 수있으며, 동통 등의 이유로 경구섭취가 어려운 경우가 있다(그림 B-16, 17). 점막, 혀, 구개는 물론, 구순의 뒤쪽도 주의깊게 관찰한다. 동통관리가 필요한 경우도 있다.

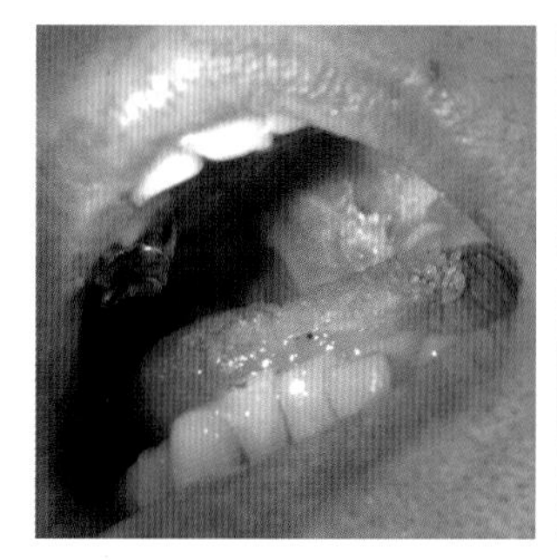

그림 B-16. 구강케어 개시 전

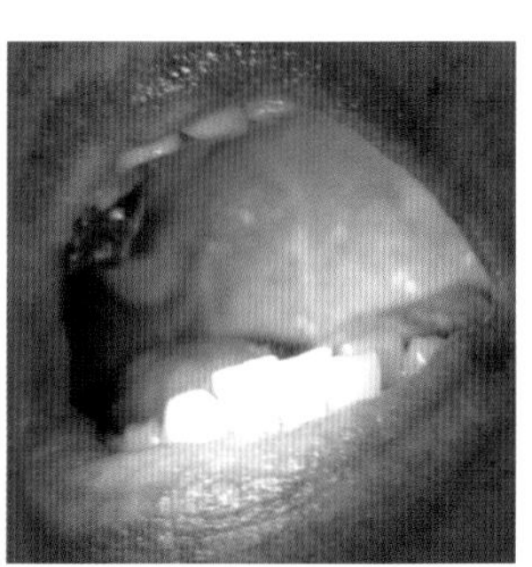

그림 B-17. 구강케어 종료 후

- 구강케어는 종말기암 환자 등의 QOL을 유지, 또는 향상시키기도 하며, 감염예방의 관점에서도 매우 중요하다.
- 입 속의 통증이나 트러블이 있는 경우가 많고, 구강건조, 출혈, 구내염, 구취, 설태, 칸디다증이나 구토반사 등에 대한 대응이 필요한 경우를 흔히 볼 수 있다.
- 환자의 몸상태를 고려하면서 통증을 수반하지 않도록 최대한 주의하면서 가능한 범위에서 한다.
- 불현성 오연 등으로 폐렴의 위험이 높은 점이나 경구 섭취량의 감소 등으로 타액량도 감소하고, 자정작용이 저하되어 있는 경우도 충분히 고려하면서 한다.

Point 1

의사소통이 무엇보다 중요하며, '이야기를 듣는'스킬을 연마한다.

Point 2

기술이나 지식의 습득은 물론, 신뢰관계를 구축하는 것이 중요하다.

Point 3

암 환자의 구강케어는 QOL의 향상에 공헌한다. 암의 지지요법으로, 단순한 구강 청소와는 다르다는 점을 인식한다.

3. 가족에 대한 지도와 케어

고령화사회란 65세 이상의 인구가 총인구의 7% 이상을 차지하는 상태를 말합니다. 또 고령사회란 65세 이상의 인구가 총인구의 14%, 초고령사회는 24% 이상을 차지하는 상태를 말합니다. 참고로 65세 이상 인구가 총인구의 7~14%에 이르기까지 프랑스에서는 115년이 걸린데 반해서 일본에서는 불과 24년만에 도달했습니다(그림 B-18).

2011년 일본의 고령화율은 23.3%로 상승하여 중요 보호자의 방문치과진료의 요구가 높아지고 있습니다.

중요 보호자의 대부분은 구강 내를 셀프체크할 수 없는 상태에 있어서, 구강 내의 이상을 발견하기 위해서는 방문하는 치과의료종사자의 높은 의식과 배려가 요구됩니다. 또 그 가족에 대한 지도나 계발도 필요합니다.

1) 가령으로 인한 구강 내의 변화에 관하여 설명한다.

구강점막은 타액분비량의 저하로 위축되고, 또 쉽게 궤양이 형성됩니다. 혀나 턱의 불수의운동에 의한 오교(誤咬)는 섬유종을 유발하고,[1] 또 자리를 보전하고 누워 있거나 연하기능저하로 위식도역류증에 의한 우식증이나 점막이상이 발증하기도 합니다.[2, 3]

2) 구강암에 관하여 설명한다.

우선 구강에 "암"이 생긴다는 사실을 설명합니다. 일본에서의 구강·인두암환자는 가령(그림 B-19)에 따라서 증가합니다(그림 B-20). 구강암의 연령별 이환률(인구 10만명 중의 이환자수)은 50대부터 증가하며, 연령이 올라감에 따라서 이환률이 증가합니다. 이환자수 총계의 남녀비는 약 1.7 : 1로 남성에게 흔히 볼 수 있습니다. 초고령사회를 맞이하는 일본에서는 고령자의 구강암 환자·사망자가 더욱 증가하리라 예상됩니다(그림 B-20, 21).

구강암의 부위별 발생빈도는 혀가 가장 많아서 구강암 전체의 약 반수를 차지하며, 이어서 하악치은, 상악치은, 구저, 협점막 순입니다(그림 B-22).

가족에게 설명할 때에는 우선 가령으로 인한 구강 내의 변화에 관해서 얘기합니다. 매식 후 이를 닦을 때에 환자의 구강 내를 살펴보고, 확실한 색조의 변화가 없는가 체크하도록 지도합니다. 또 단순히 구강 내를 관찰하는 것만으로는 병변을 발견하기가 어려우므로, 손가락으로 설연에서부터 구저를 만져 보고, 볼이나 치은을 손가락으로 더듬어가며 궤양이나 팽륭 등이 있는지도 체크하도록 지도합니다.

지도할 때에는 구강병변의 발견 포인트인 "색"과 "형태"를 그리면서 설명하면 좋습니다(p.20, 47 참조).

3) 구강케어의 필요성에 관하여

구강건조로 인한 자정작용의 저하로, 칸디다균 등이 번식하기 쉬우므로(p.130 참조) 구강케어가 필요합니다.[1] 또 점막의 변화, 이상을 발견하는 데는 환자 가족의 일일 구강관리와 함께 모든 전문가와의 협력과 실천이 요망됩니다(그림 B-23).

Point 1	Point 2	Point 3
가족에게 구강병변의 발견법과 구강케어의 필요성을 이해·실천하게 한다.	전문적인 구강케어를 시행하자.	모든 직종의 협력체제를 확립하자.

❖ 가족에게 지도할 때 참고가 되는 구강암의 통계

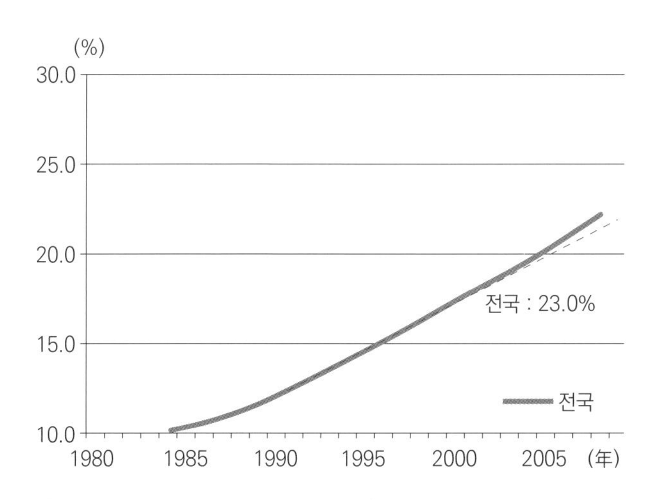

●●● **그림 B-18. 일본의 고령화 현상**

(후생 노동성 데이터에서 인용 2011년)

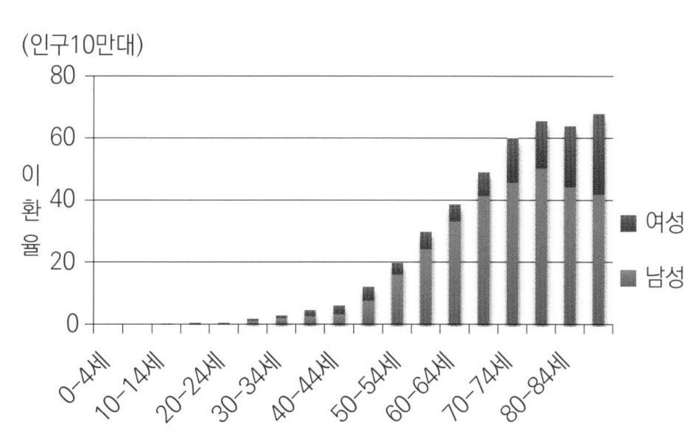

●●● **그림 B-19. 연령계급별 구강·인두암 이환률**

가령과 더불어 이환률이 증가하고 있다(Matsuda T. et al., Jpn J Clin Oncol, 42 : 139-47, 2012에서 인용).

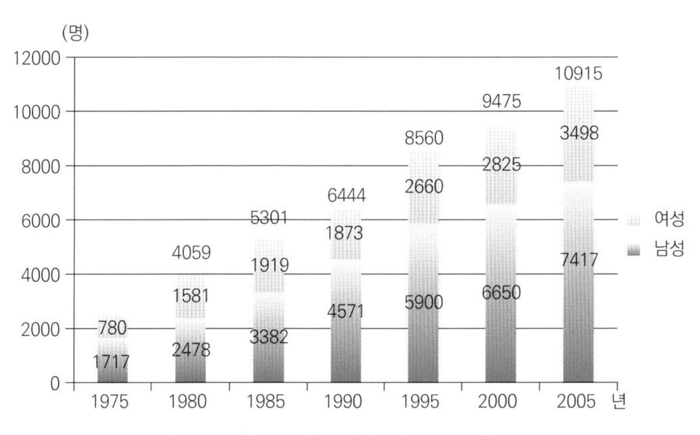

●●● **그림 B-20. 구강·인두암환자의 추이(1975~2005년)**

환자가 해마다 증가경향에 있다(Matsuda T. et al., Jpn J Clin Oncol, 42 : 139-47, 2012에서 인용).

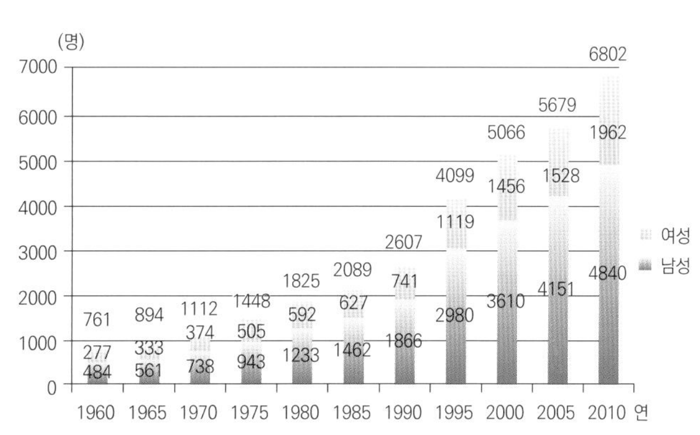

●●● **그림 B-21. 구강·인두암 사망자의 추이(1960~2010년)**

구강·인두암 사망자는 1990년경부터 격증하고 있다.

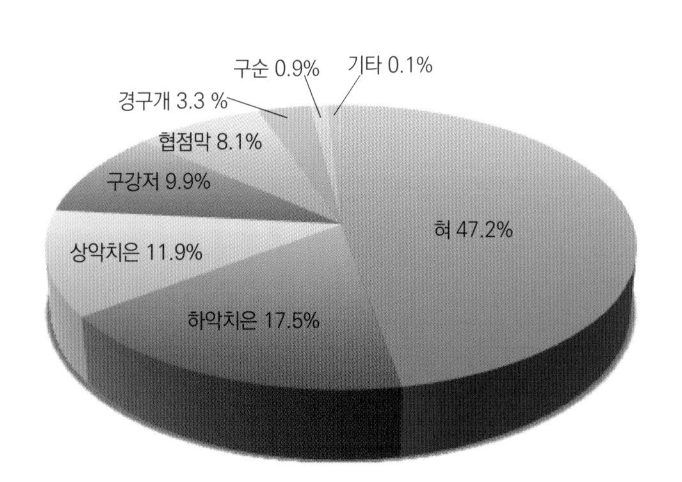

●●● **그림 B-22. 편평상피암의 호발부위**

혀가 가장 많아서 전체의 약 반수를 차지한다(Report of head and neck cancer registry of Japan, Clinical statistics of registered patients, 2002. Jpn J Head and Neck Cancer 32 : 15~34, 2006에서 인용).

❖ 재택에서의 구강케어 협력체제 약식도

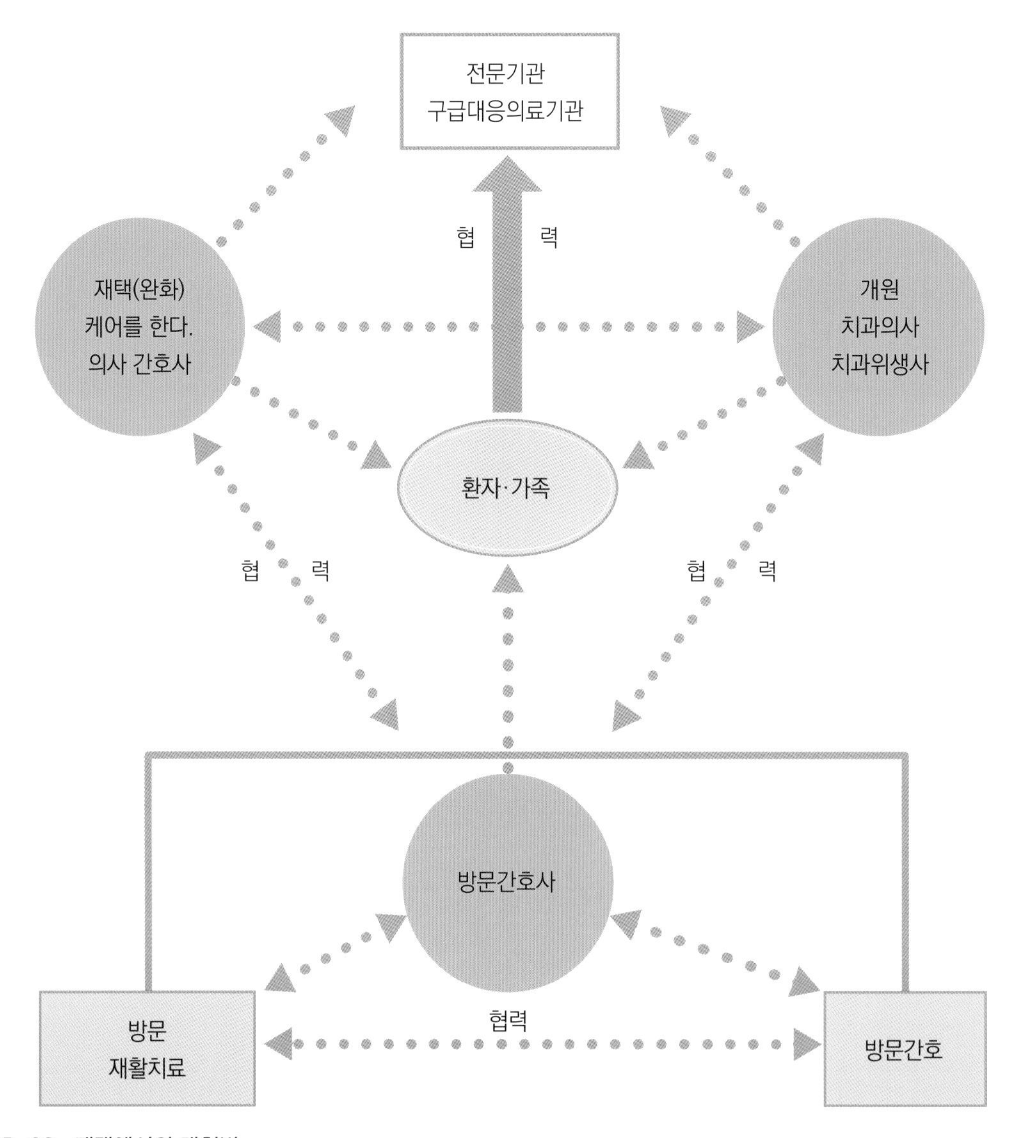

●●● 그림 B-23. 재택에서의 대처법

재택에서는 모든 직종에 의한 다각적인 케어와 환자 가족의 협력이 필요하다. 항상 전문기관이나 구급대응이 가능한 의료기관에 소개할 수 있는 체제를 갖추어 두는 것도 요망된다.

≫ 참고문헌

1) 守口憲三 : 치과의 현실과 장래 : 일본방문치과협회. 제4판, 주식회사 디지털 크리에이트, 도쿄, 2008년.
2) 喜久田利弘, 楠川仁悟편 : 알기 쉬운 치과의학·구강케어, 제1판. 의학정보사, 도쿄, 2011, 88-89.
3) Yoshikawa H, Furuta K, Ueno M, Egawa M, Yoshino A, Kondo S, Nariai Y, Ishibashi H, Kinoshita Y, Sekine J : Oral symptoms including dental erosion in gastroesophageal reflux disease are associated with decreased salivary flow volume and swallowing function. Journal of Gastroenterology. 47 (4) : 412-420, 2012.

Appendix
구강암 검진을 위한 flow chart

검진실현을 위한 8가지 포인트

① 치아와 치주의 전문성에 추가하여 구강점막도 영역으로 하는 의식의 통일이 요구된다.

② 한 구강단위로 관리하는 새로운 치과의사상에 전 회원의 찬동을 얻는 것이 첫 번째이다.

③ 구강점막(암) 검진 계획 입안시에는 관리와 평가를 병용하여 실시한다.

④ 검진법에서는 임의형(집단검진)이 선행하여 회원의 동의와 지역주민의 반응을 평가한다.
그 후 좀 더 광역성과 망라적으로 하기 위해서 대책형(개별검진)으로 이행한다.

⑤ 검진실시에는 상급의료기관의 승낙을 확보한다. 그러기 위해서 협력을 계속 공고히 해야 한다. 검진에 협조하는 기간시설은 소개처의 상급의료기관과 반드시 동일할 필요는 없다. 검진수준의 향상, 회원연수 등을 목적으로 하며, 다른 기간시설의 도움을 받을 수 있다.

⑥ 경비를 조달하기 위한 광고활동과 주지시키기 위한 공적환경의 정비는 필수이다.
자치체에 검진에 임하는 치과의사회의 열의를 보이고, 신규사업으로서의 의의를 설명한다. 암대책추진기본법에서 '희소암'의 역할, 신규성과 효과 등을 설명한다. 암 대책의 대응은 자치체에 맡기므로 치과의사회에서의 과학적 근거에 입각한 접근이 필수이다.

⑦ 수검자의 만족도를 확보하기 위해서 병태의 지적과 적절한 대응을 제공한다.
지역주민에게는 생활지도를 포함한 환자교육을 계속한다. 구강의 필요성과 중요성을 재인식시키고, 구강영역의 질병으로 건강수명이 단축되지 않도록 유도한다.
치과의사회는 회원에게 연수하는 장소의 확보와 공익성의 책무를 인식시켜서 계승해 가는 것이 중요하다.

⑧ 치과의사회의 강한 리더십과 뜨거운 정열이 필요하다.

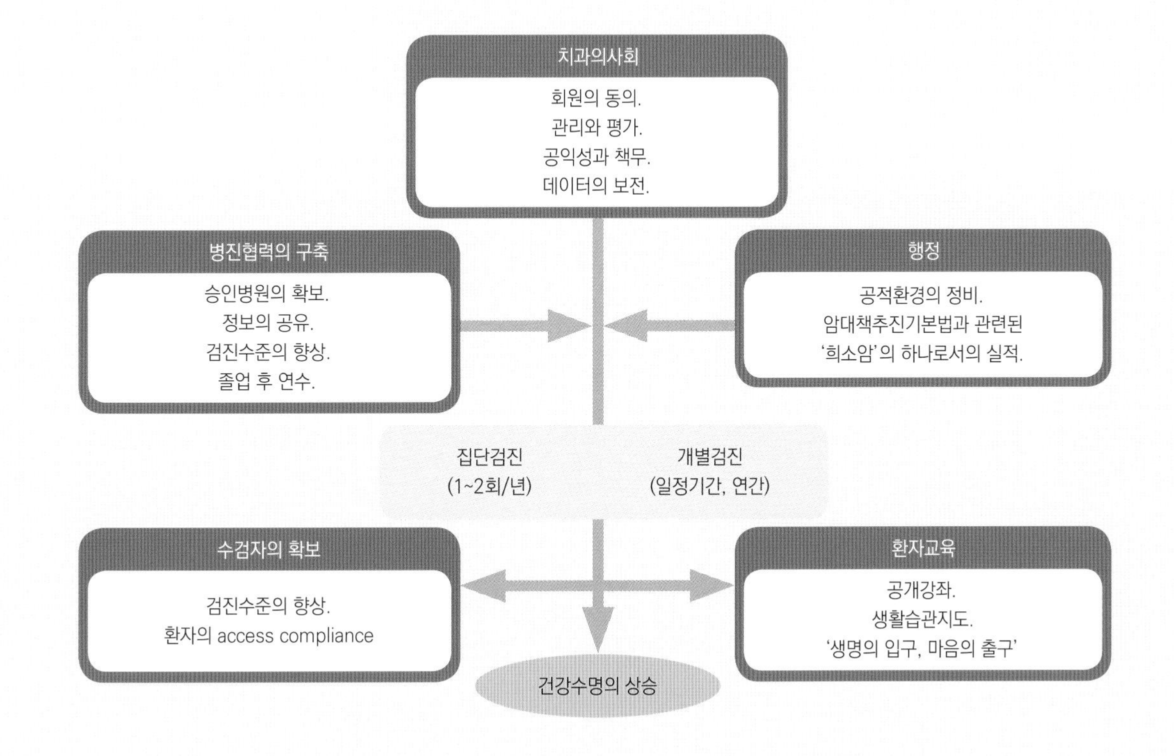

INDEX

【ㄴ】

【ㄷ】

【ㄹ】

【ㅁ】

【ㅂ】

【ㅅ】

【ㅇ】

【ㅈ】

【저자약력】

淺野紀元 (아마노 노리모토)

- 1971년 일본대학 치학부 졸업
- 1980년 동대학대학원 치학연구과 박사과정 수료(치학박사)
- 1981년 아사노(淺野)치과의원(2006년~의료법인사단 원직회 아사노(淺野)치과클리닉) 개설
- 1993년 사단법인 도쿄도 다마가와(玉川)치과의사회(현 공익사단법인 도쿄도 다마가와(玉川)치과의사회) 이사(~1997년)
- 1999년 사단법인 도쿄도 다마가와(玉川)치과의사회 부회장(~2001년)
- 2001년 사단법인 도쿄도 다마가와(玉川)치과의사회 회장(~2009년)
  사단법인 도쿄도 치과의사회 참사(~2009년)
  사단법인 도쿄도 치과의사회 대의원(~2009년)

2009년 사단법인 도쿄도 치과의사회 회장
2012년 사망

淺野薰之 (아마노 시게유키)

1965년 도쿄치과대학 졸업
동년 동대학 보존학교실 입국(~1975년)
1973년 치학박사 학위수령
1974년 도쿄치과대학 조교수(~1975년)
1975년~ 아사노(淺野)치과의원 원장
1995년 이치하라(市原)시 치과의사회 회장(~2003년)
2000년 치바현 치과의사회 대의원회 의장(~2003년)
2009년 치바현 치과의사회 회장(~2013년 6월)

縣 奈見 (아가타 나미)

2005년 도쿄치과대학 치과위생사전문학교 졸업
동년 동대학 이치카와(市川)종합병원 치과·구강외과 근무
2009년 동대학 구강암센터 근무
2011년 동대학 이치카와(市川)종합병원 치과·구강외과 근무(~2013년)

大島基嗣 (오오시마 모토츠구)

1983년 일본대학 치학부 졸업
1988년 일본대학 대학원 치학연구과 수료(치학박사)
1989년 후생성 치과진료실 의장(후생기관) (~1991년)
1991년~ 오오시마치과의원 원장
2001년 사단법인 도쿄도 다마가와(玉川)치과의사회 전무이사(~2009년)
2012년~ 공익사단법인 도쿄도 다마가와(玉川)치과의사회 회장
도쿄도 치과의사회 대의원

片倉 朗 (카타쿠라 아키라)

1985년 도쿄치과대학 졸업
1991년 동대학 대학원 수료(치학박사)
2000년 동대학 구강외과학 제1강좌강사
2003년 UCLA치학부 객원조수(~2004년)
2008년 도쿄치과대학 구강외과학강좌 준교수
동대학대학원 '암프로페셔널 양성플랜' 코디네이터
2011년~ 동대학 Oral medicine·구강외과학강좌 주임교수

小島沙織 (코지마 사오리)

2003년 도쿄치과대학 치과위생사전문학교 졸업
동년 도쿄치과대학 이치카와(市川)종합병원 치과·구강외과 근무
2006년 동대학 구강암센터 근무
2009년~ 동대학 이치카와(市川)종합병원 치과·구강외과 근무

三條沙代 (산조 사요)

2007년 치바현립 위생사단기대학 치과위생학과 졸업
동년 도쿄치과대학 이치카와(市川)종합병원 치과·구강외과 근무
2012년 동대학 구강암센터 근무
2013년~ 동대학 이치카와(市川)종합병원 치과·구강외과 근무

柴原孝彦 (시바하라 타카히코)

1979년 도쿄치과대학 졸업
1984년 동대학대학원 치학연구과 수료(치학박사)
동년 동대학 구강외과학 제1강좌 조수
1989년 동대학 구강외과학 제1강좌 강사
1993년 독일·하노바의과대학 객원연구원
2000년 도쿄치과대학 구강외과학 제1강좌 조교수
2004년 동대학 구강외과학 제1강좌 주임교수
2005년 동대학 구강외과학 강좌 주임교수

杉山芳樹 (수기야마 요시키)

1977년 도쿄의과치과대학 치학부 졸업
1983년 동대학 대학원 수료(치학박사)
동년 키타사토(北里)대학 의학부 조수(성형외과)
1985년 도쿄의학치과대학 조수(제2구강외과)
1986년 가와사키(川崎)중앙병원 치과구강외과 부장
1987년 관동테이신(逓信)병원 구강외과 의장
1989년 도쿄의과치과대학 조수(제2구강외과)
1994년 이와테(岩手)의과대학 조교수(구강외과학 제2강좌)
2004년~ 동대학교수(구강외과학 제2강좌 <현 구강악안면재건학강좌 구강외과학분야>)
2012년~ 이와테(岩手)의과대학부속병원 부원장·치과의료센터장

關根淨治 (세키네 조지)

1989년 후쿠오카(福岡)치과대학 졸업
동년 동대학 대학원(구강해부학전공~1990년 중도퇴학)
1999년 나가사키대학 치학부 부속병원 제2구강외과 강사
2002년 동대학원 강사(의치약학 종합연구과 발생분화기능재건학강좌·악구강기능재건학분야)
2005년 동의학부·치학부부속병원 경영기획부 부부장
2006년 스웨덴 Umeå대학 악안면구강외과 객원교수(~2007년)
2007년~ 시마네(島根)대학 의학부 치과 구강외과학 강좌교수
2013년~ 몽골건강과학대학 객원교수

高野伸夫 (타카노 노부오)

1976년 도쿄치과대학 졸업
1980년 동대학 대학원 치학연구과 수료(치학박사)
1993년 동대학 강사
동년 도쿄도립부중병원 치과구강외과 의장
1996년 도쿄치과대학 조교수
2001년 도립대총병원 구강과 부장
2005년~ 도쿄치과대학 구강외과학강좌 교수
2010년 동대학 치바병원 병원장
2013년~ 동대학 구강암센터장

千葉光行 (치바 미츠유키)

1968년 도쿄치과대학 졸업
1987년 이치카와(市川)시 의회 의원
1991년 치바현 의회 의원
1997년 이치카와(市川) 시장(~2009년)
2010년~ 건강도시활동지원기구 이사장, 이치카와(市川)시문화진흥재단 이사장
2012년~ NPO 법인 구강암 조기발견시스템 전국네트워크 이사장

長尾 徹 (나가오 토오루)

1980년 아이치(愛知)학원대학 치학부 졸업
1999년 WHO구강암/전암병변 공동연구기관·런던대학 킹스컬리지 객원상급연구원
2001년 정부개발원조·스리랑카·페라데니야대학 치학부·치학교육프로젝트(JICA기술협력)·티무리다
2005년 아이치(愛知)학원대학 치학부 구강외과 제2강좌 조교수
2005년~ 오카자키(岡崎)시민병원 치과구강외과 총괄부장
2008년~ 후지타(藤田)보건위생대학 의학부 객원교수

藤本俊男 (후지모토 토시오)

1976년 일본대학치학부 졸업
1980년 일본대학 대학원 치학연구과 수료(치학박사)
일본대학 치학부 겸임강사
동년 후지모토(藤本)치과장주의원 원장
2006년 치바시 치과의사회 부회장
2009년 치바시 치과의사회 회장(~2013년 6월)

溝口万里子 (미조구치 마리코)

1971년 도쿄의과치과대학 졸업
동년 동대학 소아치과 입국(~1972년)
1974년~ 하치요다이(八千代臺)치과의원 원장
2003년 하치요다이(八千代臺)치과의사회 이사(~2006년)
2006년 치바현 치과의사회 이사(~2013년 6월)

武藤智美 (무토 토모미)

1989년 이케미(池見)삿뽀로(札幌)치과위생사전문학교 졸업
동년 가내(葭内)치과의원 근무
1992년 이케미(池見)삿뽀로(札幌)치과위생사전문학교 근무
1997년~ 가내(葭内)치과의원 근무
2011년~ 사단법인(현 일반사단법인) 홋카이도(北海道)치과위생사회 회장